À monsieur et madame
Jean et Jeannette Gigon,
pour leur aide et leur amitié,
et aux
enfants d'Angliers,
dans le département de la Vienne,
pour leur accueil, leur gentillesse et leur intérêt.

Remerciements

Un ouvrage semblable ne peut se réaliser sans l'apport précieux de nombreux collaborateurs. Je tiens à exprimer toute ma reconnaissance et à adresser des remerciements particuliers aux personnes suivantes :

René Monory, sénateur-maire de Loudun, président du Conseil général de la Vienne et président du Sénat, pour sa préface, son intérêt et son soutien. J'apprécie de façon particulière ses nombreux efforts visant le rapprochement des villes, des peuples et des individus.

Jean Gigon, maire d'Angliers, et son épouse Jeannette, pour leur amitié ainsi que toute l'aide apportée. Ils nous ont pilotés, ma famille et moi, partout dans le Poitou, nous faisant partager toute leur sensibilité et leur amour de leur coin de pays.

Roger Ferland, ex-maire de Longueuil au Québec, pour sa participation.

Hubert Charbonneau, professeur au département de démographie de l'Université de Montréal, et Jacques Marcadé, professeur à la Faculté des sciences humaines de l'Université de Poitiers, pour leur empressement à accepter que leur érudition soit mise à contribution.

Raymond Daugé, de l'Association France-Québec, pour sa collaboration, notamment pour l'iconographie et la révision des textes.

Yves Landry, chercheur au Département de démographie de l'Université de Montréal, pour la documentation fournie et l'aide apportée.

Colette Aymer, directrice du service d'action culturelle et sportive du Conseil général de la Vienne, ainsi que Christian Gendron, de la Conservation des musées de Niort, pour leur intérêt et leur appui.

André Maindron, professeur à la Faculté des sciences humaines de l'Université de Poitiers, pour son aide.

Anne Charbonneau, pour l'aide technique lors du traitement informatique et de l'analyse statistique des données.

Bernard Rabussier, président du Comité de jumelage de Neuville-en-Poitou et Neuville–Pointe-aux-Trembles (au Québec), qui a tout mis en œuvre pour faciliter mon séjour d'études dans la Vienne.

Yves Beaulu, président de l'Association des Cousins acadiens du Poitou, et son épouse Micheline, qui m'ont si gentiment reçu, hébergé, guidé et choyé à Poitiers.

Michel Roux, président de l'Association Falaise-Acadie-Québec à Falaise dans la Vienne, pour les réponses toujours précises de ses lettres et sa promptitude à faire parvenir la documentation demandée. Je suis aussi grandement redevable envers Emmanuel Poupault, vice-président, Yvonne Léger, directrice, et Jean-Marie Germe de la même association, qui m'ont piloté dans la Vienne et m'ont fait visiter les lieux importants.

Michèle Touret et ses collaborateurs de la Maison de l'Acadie à La Chaussée dans la Vienne, pour leur intérêt et les informations fournies.

Danièle Brissaud, libraire de Poitiers et spécialiste en gravures anciennes, pour ses bons conseils.

Sylviane Ruhault, de la Société d'histoire de Loudun, qui m'a facilité la consultation de certaines archives de cette ville.

Marcel Fournier, généalogiste émérite et auteur, pour les informations communiquées.

Madeleine Achard, de l'Association Bas-Poitou–Québec, et Pierre Benoit, de l'Association Québec-France, pour leur implication.

Toute ma gratitude envers les auteurs René Jetté, André Lafontaine, Normand Robert, Marcel Trudel et tous les autres dont les ouvrages sont rapportés dans la bibliographie, ainsi qu'aux chercheurs du Programme de recherche en démographie historique de l'Université de Montréal. Rapporter leur contribution chaque fois que je leur suis redevable aurait surchargé ce livre de références que le lecteur saura par ailleurs facilement retrouver. Leur quasi-anonymat dans ce livre témoigne de leur omniprésence.

Merci au Programme d'aide à l'édition savante, pour la gentillesse de son personnel et pour la subvention accordée.

Aussi, des remerciements affectueux à Anne Charbonneau, ma compagne, complice et collaboratrice de chaque instant, qui sait tout comprendre et m'aider de multiples façons, et à Marie-Joëlle qui voit trop souvent son père devant son ordinateur.

Préface

Robert Larin, très attaché au Haut-Poitou et tout particulièrement à Angliers et à la terre loudunaise, berceau de ses ancêtres, est déjà bien connu de nos concitoyens, car il a accompli de nombreuses recherches sur les migrations poitevines vers le Nouveau Monde.

Son livre *La contribution du Haut-Poitou au peuplement de la Nouvelle-France* est le prolongement d'un autre ouvrage, *Quatre cousins loudunais en Nouvelle-France*, paru en 1992 et qui a connu un très vif succès en France et au Québec.

Cette fois-ci, l'auteur cerne l'importance de la migration poitevine aux XVIIe et XVIIIe siècles en partance du département de la Vienne et de la majeure partie des Deux-Sèvres, vers l'Acadie, le Québec et la Louisiane. Il connaît bien son sujet puisque son ancêtre, Pierre Lorin, a quitté Angliers, tout près de Loudun, pour le Québec au printemps de 1655.

Son livre conforte un certain nombre d'associations et d'institutions locales, qui se sont investies depuis de nombreuses années dans les recherches généalogiques et historiques, et dans le rapprochement des populations des deux continents.

Je pense en particulier à la Maison de l'Acadie à qui nous devons notamment un son et lumière sur le thème «Acadie, naissance d'un peuple» qui a lieu régulièrement dans le cadre prestigieux du château de la Bonnetière sur la commune de La Chaussée, dont la petite église a été témoin des premiers départs vers le Nouveau Monde en 1642.

Également, de nombreux échanges ont lieu régulièrement entre les villes et villages dans le cadre notamment de jumelages dynamiques tels que Angliers en France avec Angliers au Québec, Loudun avec Thibodaux en Louisiane et Shippagan au Nouveau-Brunswick, Châtellerault avec Bouctouche au Nouveau-Brunswick, Parthenay avec Edmundston au Nouveau-Brunswick, Poitiers avec La Fayette en Louisiane et Longueuil au Québec, et bien d'autres.

Je suis persuadé que cet ouvrage sera une mine de renseignements très enrichissante pour tous ceux qui sont à la recherche de cette fabuleuse histoire de l'émigration des peuples qui a bouleversé le monde.

Je souhaite plein de succès à cette belle réalisation.

René Monory
président du Sénat,
président du Conseil général de la Vienne
et maire de Loudun

Première introduction

Le Haut-Poitou au temps de la Nouvelle-France

Jacques Marcadé,
professeur d'histoire moderne
Université de Poitiers
et directeur adjoint du
Centre d'études acadiennes et québécoises

De nos jours, on a tendance à confondre Haut-Poitou[1] et département de la Vienne; une assimilation aussi précise aurait été impossible sous l'Ancien Régime, car les limites administratives étaient d'une extrême confusion. Le terme de Haut-Poitou apparaît officiellement en 1670 avec la division de la province en deux lieutenances générales : le Haut-Poitou avec Poitiers et le Bas-Poitou avec Fontenay-le-Comte. La frontière entre les deux passait par les vallées du Thouet et de l'Autize. À cette époque, Loudun et Mirebeau ne faisaient pas partie d'un Poitou pris au sens strict. Le Loudunais, rattaché à la Touraine depuis le Moyen Âge, était une élection de la généralité de Tours; quant au Mirebalais, il dépendait de l'élection tourangelle de Richelieu et du gouvernement militaire de Saumur. Par contre, ces deux pays constituaient deux archiprêtrés du diocèse de Poitiers, lequel débordait largement sur la Touraine et l'Anjou. Aussi, le terme Haut-Poitou utilisé dans le présent texte s'insère dans les limites les plus larges. Il recouvre toute la région qui s'étend du Civraisis et du Mellois, au sud, jusqu'au Loudunais, au nord. Au début du XVIIe siècle, le Poitou pouvait faire partie du ressort d'un intendant qui, le cas échéant, avait aussi en charge la Saintonge, l'Angoumois, voire le Limousin. Dans la seconde moitié du siècle, toute la province relevait d'un intendant, désormais en poste fixe, résidant à Poitiers.

Ce sont 350 000 habitants environ[2] qui vivent dans ce Haut-Poitou. Dans les campagnes subsistent encore quelques «communautés taisibles», sorte de familles patriarcales où

---

1. Pour une première approche, on peut se reporter aux ouvrages suivants : Robert FAVREAU *et al.*, Poitou *(Le Haut-Poitou)*, Paris, 1983; Jean TARRADE (sous la direction de), *La Vienne. De la préhistoire à nos jours*, Saint-Jean-d'Angély, 1986; R. FAVREAU (sous la direction de), *Histoire du diocèse de Poitiers*, Paris, 1988. Faute de travail de synthèse, il faut consulter la collection des *Bulletins de la Société des Antiquaires de l'Ouest (B.S.A.O.)*.
2. Ces chiffres ne peuvent être qu'un ordre de grandeur très approximatif. Nous avons repris les estimations données par l'abbé EXPILLY, *Dictionnaire géographique, historique et politique des Gaules et de la France*, Paris, 1762-1770, 6 volumes; les volumes IV, V, VI, pour les élections de Poitiers, Châtellerault et Saint-Maixent, ainsi qu'une partie de celles de Niort, Thouars, Richelieu et Loudun. Soit un territoire plus vaste que le Haut-Poitou *stricto sensu*.

plusieurs couples vivent «à feu et à pot», telles les *fréresches* de Vouillé. De fait, la famille mononucléaire prédomine. L'âge au mariage est tardif : 23-24 ans pour les filles, 27-28 ans pour les garçons, ce retard étant, en quelque sorte, un mode de contrôle des naissances. En ces temps où l'espérance de vie au 25e anniversaire était, en moyenne, de 30 à 35 ans, les unions étaient parfois rompues avant la fin de la période de la vie féconde de la femme et, de ce fait, le nombre d'enfants s'en trouvait limité. Le manque de ressources déterminait l'intensité et le calendrier de la vie nuptiale, et par là le nombre de bouches à nourrir, en une période où production et consommation s'équilibraient difficilement. Par ailleurs, la mortalité infantile faisait des coupes sombres et souvent, sur les quatre ou cinq enfants d'un couple, deux seulement arrivaient à l'âge adulte.

Le Haut-Poitou était devenu, depuis 1562 et la reprise de Poitiers sur les protestants, une zone majoritairement catholique. Cela n'exclut pas la présence de forts noyaux protestants dans les régions de Chauvigny, de Civray, de Châtellerault et surtout de Loudunais, «région la plus infestée par l'hérésie que nulle autre en France» au dire d'un contemporain. Le protestantisme rural est en recul, mais les réformés sont encore puissants dans des villes comme Châtellerault ou Loudun : cette dernière serait aux trois quarts protestante. Malgré les missions populaires, par exemple celles des Capucins au début du siècle, le catholicisme ne témoigne guère d'une grande vitalité, les villes exceptées. On peut constater un respect des rites : baptême le plus vite possible après la naissance, mariage en dehors des «temps clos» du Carême et de l'Avent. Pourtant, la vie religieuse ne paraît pas profondément enracinée : témoignent d'une réelle indifférence le faible nombre de fabriques, l'absence de presbytères, voire d'églises dans certaines paroisses, et ce, depuis les guerres de religion du XVIe siècle. Il est vrai que l'encadrement clérical laisse parfois à désirer, même si le jugement de Colbert de Croissy est peut-être exagéré[3]. Ce n'est qu'en 1684 que le diocèse de Poitiers a

---

3.   L'état ecclésiastique du Poitou, publié par DUGAST MATIFFEUX, *État du Poitou sous Louis XIV*, réimpression, Poitiers, 1976, p. 43 : «De là vient la débauche et l'ignorance des ecclésiastiques [...] l'évêché de Poitiers est la sentine de tous les mauvais prêtres [...] des diocèses avoisinants».

eu un séminaire et les longs épiscopats du XVIIIe siècle ont seuls permis une réforme en profondeur.

Trois villes prédominent : Poitiers, la capitale administrative et religieuse, avec près de 20 000 habitants; Niort, centre économique important, avec quelque 15 000 habitants, et Loudun, dont la population aurait atteint 14 000 âmes au début du XVIIe siècle. Face à Poitiers, Loudun aurait pu faire figure de capitale de la Réforme, avec son collège et ses trois pasteurs; c'est à Loudun que s'est tenu le dernier Synode national autorisé, en 1659. Nous trouvons ensuite des petites villes, aux fonctions surtout administratives comme Montmorillon ou Civray, des gros bourgs aux activités plus différenciées, des marchés ou des petits centres industriels comme Chauvigny, Lavausseau... Toutes ces agglomérations, à des degrés divers, sont des centres économiques actifs : leurs marchands font travailler la main-d'œuvre dans les campagnes, fournissant les matières premières et reprenant les produits demi-finis. Autour de Poitiers, Loudun, Montmorillon, se dessine une nébuleuse artisanale, les ruraux travaillant pour les entrepreneurs de la ville[4]. Châtellerault est un centre textile important, bien que produisant des tissus de médiocre qualité, ainsi qu'un centre de petite métallurgie : la réputation de ses couteaux a même gagné l'étranger.

Toutefois, la grande majorité de la population vit et travaille à la campagne. Ces ruraux sont épars en une foule de petites paroisses dont une bonne cinquantaine n'atteint pas les cent âmes. Chacune dispose des corps de métiers indispensables pour pouvoir vivre pratiquement en autarcie : sur les listes des taillables, nous voyons apparaître des sabotiers, des charrons, des meuniers... sans oublier les inévitables pivots de la vie sociale, les aubergistes et cabaretiers. Comme dans toute la France d'Ancien Régime, l'essentiel de l'activité repose sur le travail de la terre. Dans l'ensemble, nous avons affaire à une agriculture pauvre, aux méthodes archaïques. Sur les terres arables, on pratique, au mieux, la jachère

---

4. Paul RAVEAU, *Essai sur la situation économique et l'état social du Poitou au XVIe siècle*, Paris, 1931.

triennale : une sole pour les grands *bleds* (froment, seigle), une pour les céréales d'été (avoine, orge d'été ou baillarge) et la troisième est en guérets ou jachère; dans les mauvaises terres, la jachère biennale s'impose. Égratignées par les araires, encombrées de racines et de mauvaises herbes, les terres ensemencées rapportent au mieux du 5 pour 1. On ne peut guère compter sur l'unique engrais connu à cette époque, le fumier; il est réservé en priorité pour l'enclos familial ou les chènevières.

Les conditions naturelles peuvent, pour une bonne part, expliquer une telle situation. Une partie de la région est une terre de brandes, couverte d'une végétation de bruyères, genévriers, genêts et ajoncs, difficilement pénétrables et repaire de loups jusqu'à la fin du XIXe siècle. Dans le sud du Poitou, ces brandes recouvrent toute la région, de Charroux jusqu'aux environs de Lusignan. Vers l'ouest, le Haut-Poitou déborde sur une autre région au nom significatif : la Gâtine, pays aux terres gâts, pauvres. Heureusement, d'après Expilly, d'autres parties du Poitou se prêtent mieux à l'agriculture : céréales, vignes, voire cultures maraîchères dans les vallées. Le Mirebalais a «des bleds abondants et des pâturages»; le sol de l'élection de Châtellerault est également fertile. Toutefois, on ne saurait souscrire entièrement à l'affirmation de Pierre du Dorat : «Le Poitou est une des plus belles et grandes provinces de France, très fertile en toutes sortes de vins, en chanvre, lainages et bons fruits, gros bétail.» Quelques cantons fertiles ne doivent pas faire oublier la médiocrité de la majeure partie du pays.

À ces conditions naturelles difficiles s'ajoute le poids de l'histoire. Les alleux, c'est-à-dire les terres sans seigneur, sont rares dans le Poitou; au plus, trois allusions dans le *Dictionnaire topographique* de Louis Redet. La quasi-totalité des terres est donc soumise au régime seigneurial. En Poitou, le cens recognitif : quelques sols, parfois une partie de volaille... a bien perdu de sa valeur au cours des âges; toutefois, subsistent des rentes en nature, champart ou terrage, sur les terres mises en valeur. Ceux-ci peuvent être du huitième sur des domaines de l'abbaye poitevine de Sainte-Croix; ils sont du quart dans le vignoble loudunais. À ces prélèvements sur la récolte brute, s'ajoutent divers autres droits seigneuriaux, tels les lods et ventes en cas de mutation et, surtout, les diverses banalités, c'est-à-dire l'obligation d'utiliser, moyennant compensation, le moulin et le four seigneurial. Ce poids du prélèvement seigneurial s'est renforcé dans la seconde moitié du XVIIe siècle, peut-être pour pallier la baisse de revenus due à une diminution du prix des terres et des fermages.

Précédant tout autre prélèvement en nature, il y avait la dîme, impôt d'Église, du moins en principe, car en Poitou nous trouvons beaucoup de dîmes inféodées, c'est-à-dire détournées au profit de seigneurs laïques. Ces prélèvements sont de l'ordre du onzième, souvent au «douzain», mais peuvent s'élever au sixième lorsque seigneur et décimateur sont confondus, ainsi sur certaines terres relevant de Sainte-Croix.

À ces prélèvements en nature, sur le champ même bien souvent, viennent s'ajouter les impôts royaux. Pendant longtemps, le seul impôt direct a été la taille, augmentée aux Temps modernes du taillon et de diverses «crues». Dans le Poitou, il s'agissait de la taille personnelle dont l'assiette était établie en fonction de la richesse présumée des gens; déjà pauvres, ils avaient donc intérêt à le paraître davantage. En 1669, un nouvel impôt fut mis en recouvrement: la capitation, qui fut maintenue par la suite comme un supplément à la taille. En 1710, apparut un troisième impôt, le dixième. Parmi les impôts indirects, le plus connu – et le plus détesté dans la France d'Ancien Régime – était la gabelle ou impôt sur le sel. C'est au prix d'une révolte et du paiement d'une lourde composition au XVIe siècle que le Poitou a fait partie des provinces rédimées, où les taxes sur le sel étaient relativement légères. Par contre, le Loudunais et le Mirebalais relevaient des pays de grande gabelle : non seulement les taxes étaient fort élevées, mais en outre les gens devaient consommer une certaine quantité de sel, dite «sel du devoir». Il n'est que de relire les doléances des curés de ces régions pour comprendre tout ce qu'un tel impôt avait d'injuste et de vexatoire[5]. Et que pouvait être la réaction de familles paysannes dont les revenus étaient de trois à dix fois moindres de ceux de leur curé?

---

5.   Archives départementales de la Vienne, G 427, 429 et 432.

On comprend mieux dans ces conditions les tentatives de fraude et le développement de la contrebande le long des frontières entre provinces rédimées et zone de grande gabelle. Les convois de faux sauniers sont nombreux vers le Berry, à travers le Châtelleraudais, et les cas de faux saunage constituent une bonne part des cas traités par les juridictions de Loudun. Les aides, impôts à la consommation, étaient moins lourdes que dans le Bassin parisien; mais, tout au long du siècle, s'étaient multipliées les taxes sur le vin et les eaux-de-vie, d'autant plus durement ressenties que l'on assiste à un développement du vignoble.

Il ne faut pas oublier que tous ces impôts venaient s'ajouter à la rente du sol que la majeure partie des habitants devaient acquitter aux propriétaires de leurs exploitations. C'est le faire-valoir indirect qui prédomine soit sous forme de métayage, partage à mi-fruits, soit sous forme de fermage, rente fixe, le plus souvent en nature mais à laquelle peuvent s'ajouter des suffrages : volailles, pièces de toiles, fruits... et des corvées. Au XVIIᵉ siècle, les baux sont le plus souvent de cinq ou sept ans; par la suite, les baux de neuf ans, correspondant à trois rotations triennales, vont l'emporter. Il est difficile d'évaluer le poids du prélèvement fiscal : seigneurial, ecclésiastique, royal. Notons que ces charges sont perçues sur une population dans l'ensemble pauvre et qui joint difficilement les deux bouts. Il n'est pas rare de voir des fermiers qui doivent «déguerpir», c'est-à-dire quitter l'exploitation dont ils ne peuvent plus acquitter le fermage. De ce fait, les moindres crises peuvent dégénérer en catastrophes.

————————

A bello, peste et fame... tentaient de conjurer les litanies; or, ces trois calamités n'ont pas épargné le Poitou aux Temps modernes. Depuis la révolte contre la gabelle en 1546 jusqu'aux derniers soubresauts de la Fronde vers 1650, le Poitou n'a pas été épargné par les guerres ou, ce qui était parfois pire à cette époque, le passage des gens de guerre. Le pays a été ravagé «plus qu'aucune autre province en France» lors des guerres de religion du XVIᵉ siècle; de là, ce mouvement populaire, unissant protestants et leurs pasteurs, catholiques et leurs curés, qui, au cri de «Sommes las» tentèrent d'imposer la paix dans les années 1580. Le XVIIe siècle n'a pas vu de combats en terre poitevine, mais le passage des troupes, fussent-elles royales, a été tout aussi désastreux pour les populations. Pendant un an, les habitants de Rouillé ont dû se cacher dans les bois, à la suite de neuf passages de troupes; en 1622, le bourg de Vasles a été totalement saccagé par une compagnie revenant de La Rochelle; en 1650, la présence des troupes royales à Poitiers a entraîné le saccage de tous les jardins et vergers des faubourgs. C'est à cette rubrique des guerres que nous pourrions rattacher les opérations menées contre la minorité protestante, plus connues sous le nom de dragonnades. La persécution légale ne portant pas de fruits assez rapidement, Marillac, intendant de Poitiers, généralisa la pratique du logement des gens de guerre chez les protestants récalcitrants. Les «missionnaires bottés» firent merveille. Contraints et forcés par cette soldatesque à qui tout était permis, les protestants n'eurent d'autre choix que de se convertir ou de fuir. La réputation des dragons était telle que, en 1685, 1 500 habitants de Loudun se seraient «convertis» à la simple annonce de l'approche du régiment d'Asfeld. Comme nous l'avons évoqué, les communautés protestantes étaient moins nombreuses dans le Haut-Poitou; aussi, les conséquences ont été moins catastrophiques que pour le Moyen-Poitou. Toutefois, des régions ont été ruinées : le Loudunais ne s'en est pas remis et Loudun devient désormais une agglomération médiocre; Châtellerault, de son côté, a perdu une partie de ses plus riches marchands, des ouvriers et des techniciens qualifiés.

La peste a souvent frappé, même si l'épidémie la plus connue est celle de 1630. La maladie avait été introduite dans la région par les troupes qui allaient combattre à La Rochelle et qui avaient déjà contaminé l'Anjou. Dès 1627-1628, la région de Mirebeau avait été touchée. Poitiers a été de nouveau touché en 1630 et l'épidémie atteint son paroxysme en 1631, causant entre autres la mort du père Garasse, le célèbre jésuite. En Loudunais, le maximum de victimes se situe en 1632. Si la peste, *stricto sensu*, semble avoir disparu de nos régions après cette dernière offensive, bien d'autres maladies subsistent à l'état endémique et, à chaque crise économique, fièvres aux noms divers, dysenterie... dégénèrent en épidémies.

C'est que le problème de la malnutrition se pose de façon permanente. Déjà, comme dans toutes les campagnes françaises, on enregistre un déficit d'alimentation carnée dès le milieu du XVIᵉ siècle, déficit que ne peut pallier un braconnage de plus en plus sévèrement réprimé. La base même de l'alimentation, les *bleds*, qui fournissent des soupes épaisses et des bouillies tout autant que du pain, sont à la merci de la moindre calamité atmosphérique. Un hiver rigoureux – et nous sommes dans le petit âge glaciaire –, un été trop humide entraîne des mauvaises récoltes. Sur cinq années, on obtient en moyenne deux récoltes mauvaises, une convenable, une bonne et une catastrophique. La rareté des produits suscite une hausse plus ou moins rapide du prix des denrées, avec une flambée au moment de la soudure, quand les greniers sont vides et que la nouvelle récolte se fait attendre. Faute de pouvoir trouver sur place leur nourriture, nombre de gens errent sur les routes, souvent repoussés des villes par les «chasse-coquins» appointés à cet effet, ainsi à Châtellerault. Certains meurent de faim, mais la plupart des décès sont dus aux maladies provoquées par la mauvaise qualité des nourritures consommées : grains pas encore mûrs, charognes, fruits verts... Les crises de subsistance s'accompagnent ainsi de «clochers de mortalité» avec un doublement du nombre des décès et un effondrement des naissances dû à l'aménorrhée de famine. La crise passée, on assiste par contre à un renouveau des mariages, une hausse de la natalité et une baisse de la mortalité, les éléments les plus faibles ayant disparu. Quelques très graves crises de subsistance ont ainsi scandé l'histoire du Poitou : en 1576, 1630, 1661-1662 («la crise du début du règne»), 1693-1694 et, surtout, la crise de 1709-1710, provoquée par un «terrible hyver» qui devait rester un élément de référence dans la mémoire collective.

Dans un tel contexte, il ne faut pas s'étonner d'une pauvreté générale; l'expression «triste XVIIᵉ siècle» s'applique parfaitement dans le cas du Poitou. Si nous reprenons les appréciations portées par les curés de paroisses rurales en

1728 (le tableau est peut-être noirci, car il s'agit de déclarations pour la levée de l'impôt d'Église qui pèse sur eux, les décimes), les termes qui reviennent le plus souvent pour qualifier leurs paroissiens sont : pauvres gens, misérables tuiliers, indigents... Dans les campagnes, la pauvreté prédomine; toutefois, n'oublions pas que les gens avaient intérêt à paraître pauvres à cause de l'assiette de la taille. Les maisons rurales sont souvent composées d'une chambre basse, pièce unique où s'entasse la famille. Le mobilier est réduit au minimum : lit clos, pour avoir un peu de chaleur, coffre où l'on range quelques pauvres objets. Parfois, on trouve un galetas, ou grenier, qui permet de garder quelques maigres provisions. Quant aux animaux, s'il y en a, ils doivent se contenter de *toits*, simples appentis pour les volailles ou les brebis. Les paysans aisés peuvent disposer d'une autre pièce, parfois d'une grange ou d'une étable. N'oublions pas que le monde paysan n'est pas uniforme et qu'il y a toute une hiérarchie villageoise depuis les simples brassiers jusqu'aux laboureurs. Si des différences apparaissent sur le plan du mobilier, par contre l'habitat est généralement médiocre. La description de certains villages est significative : toutes les maisons de paysans de Chalandray, à pièce unique ou à deux pièces, sont des maisons basses; seul le presbytère a un étage.

À côté de la masse des simples brassiers et des paysans dépendants, métayers surtout, apparaît une minorité de privilégiés, ceux que l'on appelle les laboureurs, encore que ce mot n'ait pas la même connotation que dans les riches plaines du Bassin parisien. Les appellations de «laboureur à deux charrues» et même «à quatre charrues» témoignent néanmoins d'une certaine aisance. Souvent, les laboureurs ont une activité annexe; c'est parmi eux que se recrutent les fermiers des dîmes ou des droits seigneuriaux, activité fort lucrative, car elle leur permet d'accéder au monde de l'argent. Les plus riches, les «coqs de village», peuvent prendre des fermes générales, soit de vastes domaines qu'ils sous-louent ensuite avec de fructueux bénéfices. Certains peuvent résider dans la maison noble lorsque les propriétaires la délaissent; les autres ne font guère d'effort pour l'habitat proprement dit, mais le linge, le mobilier, parfois la vaisselle, sont autant de témoignages de leur réussite sociale.

Les écarts de fortune sont encore plus grands dans les villes, encore que, si nous prenons comme critère les dots, aucune fortune poitevine ne se hisse aux niveaux atteints à La Rochelle. Il y a, à Poitiers entre autres, de riches marchands, mais il n'y a pas de négociants comparables à ceux des ports de la façade atlantique. À côté de la noblesse, qui réside de plus en plus en ville, le haut du pavé est tenu par le monde des offices : gens de justice avec le présidial de Poitiers, les sénéchaussées de Montmorillon, de Châtellerault, le bailliage de Loudun... ou gens de finances. Les marchands enrichis achètent des terres, deviennent «sieurs de...» et se glissent dans les oligarchies municipales qui dominent les villes. Par contraste, une bonne partie de la population, près de la moitié, vit aux limites de la pauvreté, soit dans le dénuement total. C'est le cas de ces habitants de la paroisse Sainte-Radegonde à Poitiers qui doivent se contenter des grottes dans les falaises qui dominent le Clain. À Poitiers toujours, c'est le petit monde des ouvriers agricoles des paroisses périphériques, les milieux d'artisans et de compagnons des paroisses proches du Clain, où l'on trouve, le long de la rivière, moulins divers et tanneries. Entre autres exemples, on peut noter, dès les années 1620, la disparition de certaines familles des registres paroissiaux de Montierneuf ou de Saint-Germain; toutefois, dans ces quartiers poitevins populaires, où habitent de nombreux protestants, l'émigration a sans nul doute été suscitée par des raisons confessionnelles.

Nous discernons là une des causes qui ont pu pousser les Poitevins sur les routes de l'émigration. Toutefois, les causes religieuses n'ont guère dû jouer en faveur de la Nouvelle-France, les premiers colonisateurs voulant en faire une colonie catholique. C'est dans cette population qu'il nous faut chercher les migrants; mais ceux-ci ont été avant tout poussés par des raisons d'ordre économique. Faute de trouver à s'employer sur place, poussés par la misère, ne pouvant trouver place dans les villes, nombre de ruraux ont pu être tentés de chercher ailleurs un sort meilleur. Cependant, il ne faut pas oublier les dépenses nécessitées par une telle aventure : si le voyage n'était pas payé comme à un engagé sous contrat, il était à la charge de l'émigrant. De ce fait, dans l'ensemble, l'émigration concerne une couche sociale limitée : ceux qui sont assez riches pour assumer les frais, mais qui ne le sont pas assez pour préférer rester sur place. Les émigrants, plus d'ailleurs pour le Canada que pour les Antilles, se recrutent dans la paysannerie moyenne, celle qui vit convenablement en temps normal, mais que toute crise peut précipiter dans la misère.

Il est fort douteux que le clergé ait joué un rôle dans ce genre d'opération. En 1663, sur la cinquantaine de Poitevins établis en Nouvelle-France, il n'y avait pas un seul clerc[6]. Il semble difficile que des clercs canadiens aient pu entrer en contact avec des confrères qu'ils ne connaissaient nullement. Il ne semble pas non plus que, à la différence peut-être de la première colonisation de l'Acadie, il y ait eu émigration de nobles avec leur clientèle. Les départs semblent spontanés, déterminés par une propagande de bouche à oreille, même si les échanges de part et d'autre de l'Atlantique ont été moins importants que dans le cas des puritains de Nouvelle-Angleterre avec leur métropole. Toutefois, on pouvait savoir que les salaires étaient plus élevés en Nouvelle-France, que le régime seigneurial y était moins lourd, que la dîme n'était qu'au vingt-sixième... Les marchands de La Rochelle, port d'embarquement de la majorité des Poitevins, pouvaient favoriser une telle campagne d'information.

Pour Gabriel Debien[7], l'émigration vers le Canada a été surtout un mouvement spontané touchant les campagnes. Néanmoins, certains contrats particuliers pouvaient être passés avec des spécialistes : boulangers, bouchers, tonneliers, charpentiers... La vie canadienne était susceptible d'offrir bien des facilités pour des éléments sérieux et travailleurs. Une nouvelle vie était possible, ce qui explique le caractère particulier de l'émigration : alors que les Antilles accueillent surtout des célibataires, l'émigration vers la Nouvelle-France est parfois aussi une émigration familiale. Si minime soit-elle, c'est une petite partie du Haut-Poitou qui est ainsi transférée outre-mer.

---

6. Marcel TRUDEL, *La population du Canada en 1663*, Montréal, 1973.
7. «L'émigration poitevine vers l'Amérique au XVIIe siècle», *B.S.A.O.*, 1re série, 4e trimestre de 1952, p. 273-306.

Seconde introduction

Migrations et migrants de France en Canada avant 1760

Hubert Charbonneau
professeur titulaire et co-directeur du
Programme de recherche en démographie historique
de l'Université de Montréal

«Si presque toute l'Amérique du Nord est de langue anglaise, si la langue et la culture anglo-saxonnes se répandent aujourd'hui dans le monde, ce n'est pas parce que Wolfe a battu Montcalm à Québec. C'est parce que pendant 150 ans, les bateaux anglais ont amené chaque année des milliers d'immigrants, tandis que les bateaux français n'en apportaient que quelques centaines. Le nombre devait fatalement l'emporter[1].» Cette phrase pénétrante d'Alfred Sauvy situe le sujet. Même quand il s'exerce de façon imperceptible, le poids du nombre n'en comporte pas moins à long terme des conséquences considérables. Mais bien qu'en effet les Français n'aient pas vogué vers le Nouveau Monde aussi fréquemment que les Anglais à l'époque de Champlain, force est de constater, près de quatre siècles après la fondation de Québec, que leur faible mouvement a tout de même engendré d'immenses répercussions, s'il n'a pu empêcher l'hégémonie de la langue anglaise au nord du Rio Grande. Six millions de Québécois et environ dix millions de Nord-Américains ne se réclament-ils pas aujourd'hui de ces quelques centaines de passagers annuels? La question mérite donc d'être scrutée.

La perte des registres de l'Amirauté de Québec ne facilite guère les recherches sur l'immigration en Nouvelle-France. Les listes de passagers de navire sont de ce fait extrêmement rares, quelques-unes seulement ayant été retrouvées dans les archives françaises. Il s'ensuit que les travaux d'ensemble ne forment pas légion[2]. Les auteurs ont préféré se concentrer sur certaines périodes, comme Marcel Trudel pour l'époque des Cent-Associés[3], ou sur certaines catégories de migrants, comme Yves Landry à propos des Filles du roi[4]. Il faut dire qu'une

---

1. Alfred SAUVY, *La population*, Paris, Presses universitaires de France, 1944, collection «Que sais-je?», n° 148, p. 5.
2. L'étude la plus poussée, bien qu'elle soit centrée sur la mesure du mouvement migratoire, est celle de Mario BOLEDA, *Les migrations au Canada sous le régime français*, Thèse de doctorat en démographie, Université de Montréal, 1983, 449 p. Voir aussi, du même auteur : «Les migrations au Canada sous le régime français», *Cahiers québécois de démographie*, vol. 13, n° 1, avril 1984, p. 23-39.
3. Marcel TRUDEL, *Histoire de la Nouvelle-France, III, La seigneurie des Cent-Associés (1627-1663)*, tome 2 : *La société*, Montréal, Fides, 1983, p. 3-92.
4. Yves LANDRY, *Orphelines en France, pionnières au Canada : les Filles du roi au XVIIe siècle*, Montréal, Leméac, 1992, 436 p.

masse impressionnante de documents les plus divers supplée aux lacunes : registres paroissiaux, minutiers des notaires, courrier des autorités administratives, etc. De sorte qu'à force de sources indirectes d'information, on en arrive tant bien que mal à reconstituer les grands traits du mouvement.

La faiblesse relative du nombre global d'immigrants permet d'envisager l'étude à partir des biographies individuelles. C'est en tout cas ce qu'a entrepris de faire le Programme de recherche en démographie historique de l'Université de Montréal[5]. Un premier ouvrage a paru, consacré aux pionniers établis dans la colonie avant 1680[6]. Mais il reste beaucoup à faire et la synthèse finale n'en est encore qu'au stade de l'ébauche, en dépit du net progrès des connaissances récemment enregistré. C'est pourquoi le bilan que nous proposons ci-après comporte malheureusement beaucoup d'inconnues ou d'imprécision. Nous tâcherons néanmoins de répondre aux principales questions : combien étaient-ils, ces migrants, d'où partaient-ils, qui étaient-ils, combien s'implantèrent, combien repartirent, que résulta-t-il de ce mouvement?

Un contingent limité

Avant de chiffrer l'immigration, il importe de bien définir le terme de migrant. Il y a d'abord l'émigrant, celui qui quitte la France, qu'il faut distinguer de l'immigrant, celui qui arrive au Canada. On verra en effet plus loin qu'il s'en perd quelque peu en route. Il y a ensuite l'immigrant qui s'établit définitivement, celui qui séjourne provisoirement dans la colonie, celui qui ne fait que passer. Nous considérons pour notre part

---

5.   Yves LANDRY, «Le registre de population de la Nouvelle-France : un outil pratique au service de la démographie historique et de l'histoire sociale», *Revue d'histoire de l'Amérique française*, vol. 38, n° 3, hiver 1985, p. 423-426; Hubert CHARBONNEAU, «Où en est le registre de la population du Québec ancien?», *Mémoires de la Société généalogique canadienne-française*, vol. 44, n° 1, printemps 1993, p. 31-36.

6.   Hubert CHARBONNEAU, Bertrand DESJARDINS, André GUILLEMETTE, Yves LANDRY, Jacques LÉGARÉ et François NAULT, *Naissance d'une population. Les Français établis au Canada au XVIIᵉ siècle*, Paris/Presses universitaires de France, Montréal/Presses de l'Université de Montréal, 1987 (collection «Travaux et documents» de l'Institut national d'études démographiques, n° 118), 232 p.

comme immigrant tout individu qui a hiverné sur les rives du Saint-Laurent. Nous excluons donc, par exemple, le matelot de passage, même s'il meurt à l'Hôtel-Dieu de Québec. Nous établissons enfin une différence entre l'immigrant qui s'établit en famille, c'est-à-dire par mariage, et celui qui arrive seul et demeure isolé.

Les chercheurs se sont généralement contentés, dans le passé, de dénombrer les immigrants implantés par mariage dans la colonie. Cela s'explique avant tout par la nature généalogique de leurs sources de renseignement. Depuis l'évaluation globale de Rameau de Saint-Père au milieu du XIXe siècle, l'effectif de 10 000 immigrants a été constamment retenu[7]. C'est à ce même nombre que nous aboutissons aujourd'hui avec la meilleure documentation possible. Mais il convient cependant d'exclure ici les immigrants non français, pour s'en tenir aux seuls Français originaires des régions qui forment le territoire actuel de la France; c'est plutôt 9 000 qu'on obtient alors.

Les compilations relatives aux immigrants isolés sont très rares. En supposant que ceux-ci représentent environ le tiers des immigrants qui se fixent, on peut estimer leur nombre à 5 000 tout au plus. Cela fait donc au total 14 000 immigrants français établis entre 1608 et 1760.

En comptant maintenant tous les Français qui ont hiverné au moins une fois dans la vallée laurentienne, qu'ils se soient implantés ou non, on aboutit à un effectif compris entre 25 000 et 30 000, soit un résultat approximatif qui devrait être prochainement précisé grâce au registre de la population du Québec ancien. Mais l'ordre de grandeur reste sans doute valable. Il paraît infime quand on songe à la population du pays de provenance. En moyenne, il ne représente, chaque année, que 8 départs par million de Français vivant à cette époque. Un si faible mouvement n'a pu que passer inaperçu auprès de la grande majorité des contemporains.

On a maintes fois répété que les Français n'émigraient pas. Il faut savoir que l'idée fausse que la France se dépeuplait s'est maintenue pendant tout le Régime français. Colbert, par

---

7. Edme RAMEAU, *La France aux colonies*, Paris, A. Jouby, 1859, p. 51.

exemple, y croyait fermement[8]. Quand on découvrit enfin que la population de l'Hexagone s'accroissait, le traité de Paris était déjà signé. Mais si faible qu'ait été l'émigration française, il partait tout de même environ 2 500 personnes annuellement vers les colonies[9]. Le Canada n'aurait donc attiré que 7 à 8 % de cet effectif, ce qui montre avant tout son faible pouvoir d'attraction. Le climat, le péril iroquois, celui de la traversée de l'Atlantique Nord, l'interdiction faite aux protestants et surtout les cruelles limitations imposées par la métropole au développement économique de la colonie, tout concourait à freiner le mouvement. Aux yeux de la mère patrie, le Canada n'était guère qu'un simple comptoir de fourrures. Avec ses 24,5 millions d'habitants vers 1750, la France aurait pu, sans même que cela soit perceptible, expédier des dizaines de milliers d'émigrants. La preuve, on la trouve, par exemple, dans l'expédition organisée par le duc de Choiseul pour la Guyane en 1763 : plus de 13 000 émigrants d'un seul coup, dont 12 000 moururent en dix-huit mois[10]. C'est plus, en une seule année, que toute l'immigration nette au Canada en cent cinquante ans; et qui oserait prétendre, devant pareille hécatombe, que les conditions étaient plus favorables au Sud?

Quinze années fastes

L'arrivée des immigrants ne se fit pas régulièrement tout au long du Régime français. En un siècle et demi, il y eut des années grasses et des années maigres. On peut distinguer dans l'ensemble deux grandes périodes, celle des pionniers d'une part et celle des militaires d'autre part. La première période ne commence pas vraiment avec la fondation de Québec, mais plutôt avec le traité de Saint-Germain-en-Laye, tant les effectifs furent minuscules entre 1608 et 1632; elle s'étend sur un demi-siècle, jusque vers 1680. La seconde couvre trois quarts de siècle environ, depuis l'arrivée initiale des troupes de la marine jusqu'à celle des régiments de Montcalm.

---

8.   Hubert CHARBONNEAU et Yves LANDRY, «La politique démographique en Nouvelle-France», *Annales de démographie historique 1979*, p. 29-57.

9.   Herri BUNLE, *Mouvements migratoires entre la France et l'étranger*, Paris, Imprimerie nationale, 1943, collection «Études démographiques», n° 4, Service national des statistiques, p. 19.

10. *Ibid.*, p. 15.

La première période peut se décomposer à son tour en deux parties : l'une qui se rapporte à l'ère des Cent-Associés, l'autre qui commence en 1663 au moment où le roi reprend la colonie en main. Sous la responsabilité des compagnies, le mouvement migratoire se révèle des plus ténus. Les Cent-Associés, qui dès 1627 ont promis 4 000 colons en 15 ans, ne tiennent pas la moitié de leur promesse, tout en n'établissant guère que 400 pionniers de façon durable; 10 % seulement de l'objectif, c'est un échec[11]. De 1663 à 1673, en revanche, l'immigration va assurer au peuplement sa survie définitive en quelque sorte. Sous l'impulsion de Colbert et de son mandataire, Jean Talon, ce sont les années fastes de l'immigration française au Canada, celles des Filles du roi et du célèbre régiment de Carignan. Si le rythme de cette dizaine d'années s'était maintenu pendant tout le Régime français, l'immigration établie aurait atteint 35 000 à 40 000 personnes, quatre fois plus que la réalité.

La seconde période se divise en trois parties : pendant un demi-siècle, soit de 1680 à 1730, les soldats des troupes de la marine constituent la source essentielle de l'immigration; à partir de 1730, il vient aussi des faux sauniers durant une douzaine d'années; la guerre de Sept Ans marque enfin l'arrivée et l'établissement d'un nombre important de soldats des troupes de terre. À l'exception de la décennie 1683-1693 et des années 1755-1759, cette période se caractérise par un mouvement particulièrement anémique. Rapporté à la population totale de la colonie, laquelle double à chaque génération, l'accroissement migratoire tient une place négligeable. À un siècle d'intervalle ou peu s'en faut, de Talon à Montcalm, on distingue finalement deux moments de pointe : 1663-1673 et 1755-1759; la moitié de l'immigration établie a eu lieu au cours de cette quinzaine d'années.

Charentais, Normands, Parisiens

Toutes les provinces de France ont participé au mouvement, mais à des degrés divers. La carte la plus sûre des origines ne concerne pour l'instant que les seuls immigrants

---

11. Marcel TRUDEL, *op. cit.*, p. 18.

établis par mariage[12]. Il semble cependant que les célibataires établis ne se distinguent guère à cet égard des mariés[13]. Qu'en est-il de la masse des immigrants repartis en France? Il se pourrait que leur provenance diffère quelque peu de celle des précédents, du fait qu'il y a beaucoup de soldats parmi eux et que ceux-ci arrivaient moins souvent que les autres immigrants de la France de l'Ouest. Mais nous ne sommes pas en mesure de trancher cette question pour l'instant[14].

Tenons-nous en donc aux 9 000 immigrants établis par mariage[15]. Si l'on trace une droite de Bordeaux à Soissons (100 kilomètres au nord-est de Paris), on constate que les régions situées à l'ouest de cette ligne réunissent les trois quarts des départs. Il reste 4 % pour le centre de la France, 8 % pour l'est et 14 % pour le sud. Le Centre-Ouest, c'est-à-dire les Charentes (Aunis, Saintonge et Angoumois) et le Poitou, domine avec le quart des effectifs. Suivent à égalité la Normandie et l'Île-de-France (incluant Paris) qui comptent chacune pour environ 15 %, de sorte que ces trois principales régions regroupent nettement plus de la moitié de l'ensemble. En leur ajoutant la Loire, on atteint près de deux immigrants sur trois et même 85 %, quand on se limite aux pionniers établis avant 1680.

La distribution varie en effet dans le temps. Au tout début, la Normandie et le Perche rassemblent la majorité des colons. Le Bassin parisien, avec le tiers de la population du royaume, fournit même trois pionniers sur cinq avant 1680 et jusqu'à

---

12. Hubert CHARBONNEAU et Normand ROBERT, «Origines françaises de la population canadienne, 1608-1759», *Atlas historique du Canada*, vol. I : *Des origines à 1800*, sous la direction de R. Cole Harris, Montréal, Les Presses de l'Université de Montréal, 1987, planche 45, p. 118-119.
13. Hubert CHARBONNEAU et André GUILLEMETTE, «Les pionniers du Canada au XVIIᵉ siècle», *Contributions à l'étude des origines du français canadien*, sous la direction de Édouard Beniak et Raymond Mougeon, Québec, Presses de l'Université Laval (à paraître).
14. Hubert CHARBONNEAU, «À propos de l'origine des pionniers arrivés de France», *Mémoires de la Société généalogique canadienne-française*, vol. 43, nᵒ 2, été 1992, p. 126-133.
15. *Idem*, «Le caractère français des pionniers de la vallée laurentienne», *Cahiers québécois de démographie*, vol. 19, nᵒ 1, printemps 1990, p. 49-62.

95 % avant 1640[16]. La part du Centre-Ouest augmente nettement après 1660 et se maintient jusqu'en 1730, pendant que le Perche disparaît et que la Normandie recule. Le Sud l'emporte ensuite, devant l'Est, ces deux régions fournissant quatre immigrants sur dix à la fin du Régime français. Ce changement, cette nette augmentation des provinces de la périphérie, s'explique essentiellement par le fait que les nouveaux venus sont avant tout des soldats. On sait en effet que les régiments français recrutaient là où ils séjournaient, d'où la diversité accrue des lieux d'origine. L'influence des ports d'embarquement, déterminante avant 1680, est moins perceptible par la suite. Selon André Sévigny, les troupes de la marine provenaient largement de l'ouest de la France avant 1715, alors que les bataillons d'infanterie appartenaient davantage, à l'époque de Montcalm, aux régions frontalières du Royaume. Citant Gilles Proulx, cet auteur signale que trois fantassins sur cinq étaient originaires des provinces de l'Est et du Sud[17]. Dans les deux régiments qu'il a étudiés, Yves Landry estime même cette proportion à quatre sur cinq[18].

Calculé par rapport aux populations de départ, le taux d'émigration culmine en Aunis et dans le Perche. Le Centre-Ouest atteint dans son ensemble un indice cinq fois plus élevé que la moyenne. Paris et l'Île-de-France de même que la Normandie dépassent légèrement le taux moyen, mais toutes les autres régions arrivent au-dessous.

Des hommes jeunes et célibataires

On compte quatre hommes pour une femme parmi les immigrants qui s'établissent par mariage. L'écart se révèle beaucoup plus grand quand on considère l'ensemble du mouvement, compte tenu du fait que presque toutes les femmes se marient, à l'exception des religieuses; il n'est donc

16. *Idem*, «Du Bassin parisien à la vallée laurentienne au XVIIe siècle», *Mesurer et comprendre. Mélanges offerts à Jacques Dupâquier*, sous la direction de Jean-Pierre BARDET, François LEBRUN et René LE MÉE, Paris, Presses universitaires de France, 1993, p. 75-86.
17. André SÉVIGNY, «Le soldat des troupes de la marine (1683-1715)», *Les cahiers des Dix*, n° 44, Québec, Éditions La Liberté, 1989, p. 49-57.
18. Yves LANDRY, «Mortalité, nuptialité et canadianisation des troupes françaises de la guerre de Sept Ans», *Histoire sociale/Social History*, vol. 12, n° 24, novembre 1979, p. 313.

pas exagéré de l'estimer à treize ou quatorze hommes pour une femme. Dans le groupe des pionniers fixés avant 1680, le rapport s'établit par contre à moins de six hommes pour quatre femmes[19]. Mais l'immigration féminine cesse pour ainsi dire en 1673. Après cette année-là, au cours de laquelle arrivent les dernières Filles du roi, c'est en effet au compte-gouttes que le mouvement se poursuit : à peine une femme pour sept hommes, même en se limitant à ceux qui s'implantent. Un tel déséquilibre se répercutera sur la nuptialité et il va favoriser en particulier le mariage hâtif des premières Canadiennes de naissance.

Essentiellement des jeunes adultes parmi ces immigrants, pas beaucoup d'enfants, quelques vieillards : près des trois quarts des pionniers ont entre 15 et 30 ans, l'âge moyen s'élevant à 25 ans pour les hommes et à 22 ans pour les femmes[20]. Mais il n'y a véritablement d'enfants qu'avant 1663, ceux-ci représentant alors 15 % de ceux qui s'établissent. Les plus de 45 ans sont, pour toutes les périodes, en nombre négligeable. D'après Yves Landry, trois soldats sur dix avaient entre 16 et 20 ans, et six sur dix avaient entre 20 et 30 ans lors de l'embarquement des troupes pour le Canada en 1756[21]. Un fantassin sur deux n'avait pas 23 ans, la moyenne se situant, comme dans le cas des pionniers, à 25 ans[22].

Écrasante domination des célibataires également : aux origines du pays, à l'ère des compagnies, il y a, lors de l'arrivée à Québec, près de quatre célibataires pour cinq pionniers, parmi ceux qui s'établiront par mariage. Cette proportion s'élève ensuite à neuf sur dix avant 1680 et à plus de 95 % pour le reste du Régime français. Quand on considère l'ensemble des immigrants, les mariés et les veufs ne réunissent pas une personne sur vingt.

---

19. Hubert CHARBONNEAU, Bertrand DESJARDINS, André GUILLEMETTE, Yves LANDRY, Jacques LÉGARÉ et François NAULT, *op. cit.*, p. 160.
20. *Ibid.*, p. 44.
21. Yves LANDRY, «Mortalité, nuptialité et canadianisation des troupes françaises de la guerre de Sept Ans», *op. cit.*, p. 299.
22. *Idem, Quelques aspects du comportement démographique des troupes de terre envoyées au Canada pendant la guerre de Sept Ans*, Mémoire de maîtrise en histoire, Université de Montréal, 1977, p. 33-44.

Une mosaïque sociale

Ces hommes et ces femmes appartiennent aux milieux les plus divers. Ils n'en forment pas pour autant un ensemble hétérogène. Ils ne constituent pas non plus un échantillon représentatif de la société française. Quand on se contente d'opposer nobles et bourgeois d'une part et tout le reste d'autre part, on obtient pourtant une image assez proche de la situation prévalant alors dans la métropole. Parmi ceux qui s'établissent par mariage, Lorraine Gadoury relève 170 nobles[23], et Carles Simo, 319 bourgeois[24], soit 489 hommes ou l'équivalent d'un immigrant sur 14 environ. Mais quand on constate que la moitié de l'immigration totale appartient aux militaires, on met en relief la principale caractéristique du contingent venu de France en Canada. Peut-être n'a-t-on pas encore assez insisté sur cette particularité. Les études sur ce sujet n'abondent pas en tout cas[25].

La seconde catégorie en importance, après les soldats, est celle des engagés. Avec un peu moins de 4 000 hommes, en majorité arrivés avant 1680, ils comptent pour 15 % de l'effectif masculin[26]. Les autres groupes, plutôt variés, sont peu nombreux. Parmi les mieux identifiés, les religieux ne dépassent pas 3 % de l'ensemble[27], tout comme les prisonniers d'ailleurs[28]. Il ne reste pas 30 % pour tous les autres. Du côté des femmes, les Filles du roi concentrent le tiers des effectifs; les épouses et les enfants, un autre tiers; et si leur condition sociale

23. Lorraine GABOURY, *La noblesse de Nouvelle-France. Familles et alliances*, La Salle, Hurtubise HMH, 1991, p. 21.
24. Carles SIMO, *Le comportement démographique des bourgeois en Nouvelle-France*, Thèse de doctorat en démographie, Université de Montréal (à paraître).
25. Nous en avons entrepris une sur le régiment de Carignan, trop peu étudié jusqu'à maintenant, croyons-nous.
26. Mario BOLEDA, «Trente mille Français à la conquête du Saint-Laurent», *Histoire sociale/Social History*, vol. 23, n° 45, mai 1990, p. 153-177.
27. Louis PELLETIER, *Le clergé en Nouvelle-France. Étude de démographie historique et répertoire biographique*, Montréal, Les Presses de l'Université de Montréal, 1993, 324 p.
28. Renald LESSARD, «Les faux sauniers et le peuplement de la Nouvelle-France», *L'Ancêtre*, vol. 14, n° 3, novembre 1987, p. 84-87; Gérard MALCHELOSSE, «Faux sauniers, prisonniers et fils de famille en Nouvelle-France au XVIIIe siècle», *Les cahiers des Dix*, n° 9, Montréal, 1944, p. 173-180.

n'est pas moins variée que chez les hommes, il semble que leur proportion provenant de familles nobles et bourgeoises soit assez comparable.

En ce qui concerne les 7 000 hommes qui se sont implantés par mariage, on a peu progressé depuis l'évaluation faite par Renaud[29]. Faute de mieux, nous proposons la statistique approximative suivante : près de la moitié sont des militaires; environ le quart, des engagés; moins de 2 %, des prisonniers; 7 % des nobles et des bourgeois, dont plusieurs sont aussi des militaires. Il en ressort une conséquence qui ne manque pas d'intérêt : environ trois immigrants sur cinq, sexes réunis, n'ont pas choisi de franchir l'Atlantique, qu'il s'agisse de l'immigration totale ou seulement de l'immigration établie. Les militaires suivaient les ordres, les femmes et les enfants suivaient leur mari ou leur père, les prisonniers, la plupart des Filles du roi et même un certain nombre de membres de l'administration civile n'avaient guère le choix. S'ajoute à cela le fait que les engagés disposaient d'une liberté fort limitée tant que durait leur engagement. On conçoit dès lors que certains d'entre eux aient opté pour le Nouveau Monde, les grands espaces et la traite des fourrures, quand l'occasion se présenta.

Des citadins peu qualifiés

Depuis l'étude de Jean Hamelin, les auteurs confirment presque tous le peu de qualification de ces immigrants[30]. Il faut faire exception cependant pour les premiers temps de la colonie et notamment pour la période antérieure à 1656. Il ressort des travaux de Marcel Trudel que beaucoup de colons étaient qualifiés sous les Cent-Associés; on y trouve en particulier des maîtres artisans dont les métiers ont sans doute fort profité au pays neuf : maçons, charpentiers, menuisiers[31]. Les journaliers et les apprentis auraient dominé par la suite. Dans une des très rares analyses de la question, André Sévigny observe pourtant que les troupiers de la marine ne doivent pas

29. Paul-Émile RENAUD, *Les origines économiques du Canada : l'œuvre de la France*, Mamers, G. Enault, 1928, p. 285.
30. Jean HAMELIN, *Économie et société en Nouvelle-France*, Québec, Presses de l'Université Laval, 1960, p. 75-100.
31. Marcel TRUDEL, *op. cit.*, p. 52-55 et 632.

tous être assimilés à la catégorie des manouvriers ou journaliers. Au moins le quart de ces soldats appartiennent en effet au monde de l'artisanat et plus d'un dixième se classent comme commerçants ou employés de l'administration. Un tiers des artisans sont des tailleurs d'habits, des tisserands et des cordonniers, le bas de l'échelle des gens de métier; un autre tiers en revanche est constitué de maçons, de charpentiers, de menuisiers et de forgerons[32]. S'agissait-il de gens qualifiés? Ce n'est pas sûr. Le statut économique de la colonie n'était pas fait pour attirer les spécialistes. Et ce n'est pas par hasard que le recrutement se fait en France, lorsque se créent les Forges du Saint-Maurice[33].

On a prétendu que ces colons étaient relativement instruits. C'est vrai lorsqu'on les compare avec l'ensemble de leurs contemporains français. Mais comme l'a montré Yves Landry, à propos des Filles du roi, il faut plutôt les comparer avec leur milieu d'origine[34]. Or plus de quatre immigrants sur dix se déclarent d'origine urbaine. Cette proportion s'élève même à deux sur trois dans le cas des femmes. Parmi les 2 000 pionniers originaires du Bassin parisien qui se sont fixés avant 1680, trois sur cinq sont des citadins et une forte proportion des ruraux arrivent des bourgs, de sorte qu'un quart seulement de ces colons proviennent de communautés agricoles[35]. En regard de leurs congénères des villes, les colons canadiens afficheraient plutôt une moindre alphabétisation.

Le statut d'agriculteur n'est généralement pas signalé dans les sources de renseignements, ce qui risque d'entraîner la sous-estimation des métiers de la terre. On peut néanmoins déduire de la distribution des lieux d'origine des immigrants que les fils et les filles de laboureurs ou de viticulteurs ne représentent pas, parmi eux, la majorité attendue. Quand on

---

32. André SÉVIGNY, *op. cit.*, p. 67-73.
33. Micheline TREMBLAY et Hubert CHARBONNEAU, *La population des Forges du Saint-Maurice (1729-1883)*, Étude préparée pour Parcs Canada, Programme de recherche en démographie historique, Université de Montréal, 1982, p. 9.
34. Yves LANDRY, *Les Filles du roi au XVIIe siècle, op. cit.*, p. 87-94.
35. Hubert CHARBONNEAU, «Du Bassin parisien à la vallée laurentienne», *op. cit.*, p. 84-85.

sait la part considérable que tenaient l'agriculture et la viticulture dans l'économie française, on en conclut que les colons ne reflètent pas dans l'ensemble la situation métropolitaine. On imagine sans peine les conséquences de cette sélection tant sur la mise en valeur de la colonie que sur les conditions d'adaptation des nouveaux venus. Le Français de l'époque, fort heureusement, même dans les villes, n'est jamais très éloigné de la terre.

Triplement sélectionnés

Point n'est besoin par ailleurs de documents à l'appui pour affirmer que les êtres physiquement débiles ou impotents ne sont guère accueillis favorablement à l'embarquement, à supposer qu'ils envisagent de tenter l'aventure. Les recrutés, tant civils que militaires, doivent posséder un minimum d'aptitudes, même si l'employeur se voit souvent forcé de réduire ses critères d'embauche. Les soldats étudiés par Yves Landry sont beaucoup plus grands que la moyenne de leurs contemporains : trois sur cinq ont une taille que n'atteindraient même pas 1 % des Français de l'époque; les grenadiers, en particulier, apparaissent alors comme des géants aux yeux de la population en général, ayant presque toujours plus de 1,73 mètre[36]. Il faut le plus souvent au départ une certaine vitalité pour partir ainsi vers l'inconnu à travers un certain nombre de périls.

C'est que la traversée de l'océan, on le sait, est une entreprise redoutable. Ceux qui partent en sont-ils parfaitement informés? Pas toujours, sans doute. Le voyage peut durer deux mois, parfois trois. Quelques traversées exceptionnelles de France en Canada ne nécessitent qu'un mois ou moins, comme cela arrive à Champlain en 1610, entre Honfleur et Tadoussac; l'année suivante, le même périple va tout de même lui demander 74 jours[37]. Certaines compagnies du régiment de Carignan doivent même naviguer pendant

---

36. Yves LANDRY, *Quelques aspects du comportement démographique des troupes de terre envoyées au Canada pendant la guerre de Sept Ans, op. cit.,* p. 45-52.
37. Victor TREMBLAY, «La plus courte traversée», *Le bulletin des recherches historiques,* vol. 43, n° 9, septembre 1937, p. 266.

112 jours d'un continent à l'autre[38]. On attend en outre que viennent les vents favorables pour faire voile, ce qui exige souvent plusieurs jours et même davantage à l'occasion. D'autres fois, il faut réparer le navire, comme c'est le cas à Saint-Nazaire lors du départ de la grande recrue de Montréal en 1653.

La condition humaine sur ces «coquilles de noix» lancées sur les flots est exécrable[39]. L'absence d'hygiène, jointe à la promiscuité, engendre la maladie, c'est-à-dire le plus souvent le typhus, contagion véhiculée par les poux et surnommée la fièvre pourpre ou le mal des navires. Quand l'épidémie se déclare, la mortalité est alors proportionnelle à la durée du voyage. Selon Massicotte, la proportion de décès à bord aurait oscillé, sous le Régime français, entre 7 % et 10 %[40]. De tels chiffres se retrouvent ailleurs dans le passé, partout où les voyages océaniques s'étendaient sur plus d'un mois.

Ce n'est pas tout. La liste des obstacles éventuels est longue : la tempête, le froid, l'iceberg, le corsaire, l'ennemi, sans parler du mal de mer. Mais nul ne peut, mieux qu'un témoin, évoquer les péripéties diversement vécues par nos ancêtres. Voici, à cet égard, un texte évocateur, rédigé en 1632 par le père Lejeune, à l'occasion de sa première traversée[41] :

> «Nous eusmes au commencement un très beau temps, et en dix iours nous fismes environ 600 lieues, mais à peine en peumes nous faire deux cents les trente trois iours suivans. Ces bons iours passés, nous n'eusmes quasi que tempestes ou vent contraire... J'avois quelquefois veu la mer en cholère, des fenestres de nostre petite maison de Dieppe; mais c'est bien autre chose de sentir dessous soy la furie de l'Océan, que de la contempler du rivage; nous estions des

38. Régis ROY, «Traversées de l'Atlantique aux 17e et 18e siècles», *Le bulletin des recherches historiques*, vol. 47, n° 8, août 1941, p. 245.
39. André LACHANCE, «Survivre à l'Atlantique», *Pour le Christ et le Roi* (sous la direction d'Yves LANDRY), Montréal, Libre expression/Art global, 1992, p. 51-59 et 66-69; Claude FARIBAULT, «La traversée de nos ancêtres vers 1660», *Mémoires de la Société généalogique canadienne-française*, vol. 43, n° 3, automne 1992, p. 198-208.
40. E. Z. MASSICOTTE, «La recrue de 1653 : liste des colons qui partirent de France pour Montréal en l'année 1653», *Rapport de l'archiviste de la province de Québec*, 1920-1921, p. 310.
41. Paul LEJEUNE, «Brieve relation du voyage de la Nouvelle France fait au mois d'avril 1632», *Relations des jésuites, 1611-1636*, tome 1, Montréal, Éditions du jour, 1972, Relation 1632, p. 1-3.

trois et quatre iours à la cappe, comme parlent les mariniers, nostre gouvernail attaché, on laissoit aller le vaisseau au gré des vagues et des ondes qui le portoyent par fois sur des montagnes d'eau... À tous coups nous craignions que (les vents) ne brisassent nos mats, ou que le vaisseau ne s'ouvrist; et de fait il se fit une voye d'eau, laquelle nous auroit coulez à fond si elle fust arrivée plus bas.

... Au reste, nous avons trouvé l'hyver dans l'esté, c'est à dire dans le mois de May et une partie de Juin, les vents et la brûme nous glaçoient; le Père de Noue a eu les pieds et les mains gelés, adioustez une douleur de teste ou de coeur qui ne me quitta quasi jamais le premier mois; une grande soif, pour ce que nous ne mangions que choses salées, et il n'y avoit point de fontaine d'eau douce dans nostre vaisseau. Nos cabanes estoient si (petites) que nous n'y pouvions estre ny debout, ny à genoux, ny assis et qui pis est, l'eau pendant la pluie me tomboit parfois sur la face.

... Le Mardy d'apres, premier iour de juin, nous vismes les terres, elles estoient encor tout couvertes de neiges... Quelques iours auparavant...nous avions rencontré deux glaces d'une enorme grandeur, flottantes dans la mer, elles estoient plus longues que nostre vaisseau et plus hautes que nos masts; ... Quand on en rencontre quantité, et qu'un navire se trouve embarrassé là-de-dans, il est bien-tost mis en pieces.»

À la lecture de cette narration d'un jésuite prêt à souffrir le martyre, on n'ose pas imaginer ce que nous dirions aujourd'hui dans une telle situation. La sélection s'abattait durement et les plus faibles, en moyenne, ne survivaient pas à une telle épreuve. Certains ne parviennent jamais à destination pour d'autres raisons comme, par exemple, les quatre cents person-nes de la première flotte des Cent-Associés, dont les Anglais s'emparent en 1628.

Une fois dans la colonie, il est très difficile de repartir en France sans autorisation. Beaucoup est fait par ailleurs pour favoriser l'établissement de ceux qui ne sont pas venus à cette fin, comme les militaires en particulier. Mais les retours sont nombreux et les autorités doivent quelquefois intervenir pour enrayer l'hémorragie[42]. Les déportations sont rarissimes : entre autres, huit colons rapatriés en 1664, par ordre du Conseil souverain, pour cause d'inaptitude au travail[43] et quelques bigames. Les pionniers qui restent constituent

---

42. Hubert CHARBONNEAU, Bertrand DESJARDINS, André GUILLEMETTE, Yves LANDRY, Jacques LÉGARÉ et François NAULT, *op. cit.*, p. 6-13.
43. BERNEVAL (A. GODBOUT), «Les rapatriés de 1664», *Le bulletin des recherches historiques*, vol. 52, n° 4, avril 1946, p. 103-105.

nécessairement en moyenne le résultat d'une sélection : ce sont ceux qui surmontent d'indéniables facteurs répulsifs, surtout au XVIIᵉ siècle. Pourquoi optent-ils pour le pays neuf? Sans doute parce que les perspectives de réussite leur paraissent plus intéressantes que dans leur pays natal. S'établir pourtant ne va pas de soi, même après 1700. Ainsi, il n'y a pas un faux saunier sur cinq qui se fixe dans la colonie, parmi ceux qui ont débarqué à Québec[44]. La misère ne suffit pas à implanter un colon.

On ne saurait enfin passer sous silence l'émigration au lendemain de la Conquête. Parmi ceux qui repartent alors, beaucoup de soldats et de cadres administratifs qui seraient de toute façon retournés dans la métropole. Le bilan précis de cet exode reste à faire, mais nous disposons maintenant des données nécessaires pour entreprendre prochainement de le chiffrer.

Ancêtres d'un peuple

Si l'on estime à 30 000 le nombre des Français qui quittèrent leur pays en direction de la vallée laurentienne avant 1760, à peine 27 000 arrivèrent à bon port. De ce nombre, pas plus de la moitié optèrent pour l'implantation dans la colonie et seulement le tiers s'établirent en famille. Ces derniers furent en quelque sorte le trait d'union entre deux continents. Leur comportement porta rapidement, y compris chez les tout premiers arrivés, l'empreinte du Nouveau Monde; mais il conserva aussi la marque du pays d'origine. La mosaïque régionale française se transforma vite au Canada en un petit peuple homogène, dont la multiplication à travers les siècles n'étonne encore que ceux qui ignorent les propriétés du potentiel démographique humain.

Des 9 000 immigrants qui se fixèrent avec conjoint ou enfants, environ 6 500 ont laissé descendance jusqu'à nos jours, soit 5 000 hommes et quelque 1 500 femmes. Le contingent s'est donc multiplié par 1 000, si on considère l'ensemble des personnes d'origine canadienne-française en Amérique du Nord. Au Québec, on compte aujourd'hui 4 000 francophones pour chacune des 1 500 immigrantes dont il est fait état ci-

44. Renald LESSARD, *op. cit.*, p. 87.

dessus. Les plus prolifiques d'entre elles, c'est-à-dire celles qui sont arrivées au début du peuplement et dont beaucoup d'enfants et de petits-enfants se marièrent, figurent désormais dans la plupart des arbres généalogiques de la génération née en cette fin du XXe siècle. Pendant ce temps, les Français se sont multipliés par deux et demi.

Loin d'être achevée, l'étude de l'immigration française avant 1760 balbutie encore. Certes l'exploitation en cours du registre de la population du Québec ancien est susceptible d'enrichir considérablement les connaissances. Mais n'oublions pas qu'il faut attendre 1830 pour voir s'éteindre les derniers de ces migrants. Même la collecte de l'information n'est donc pas entièrement terminée. La recherche ne manque pas d'avenir à propos de ce fascinant sujet.

Avant-propos

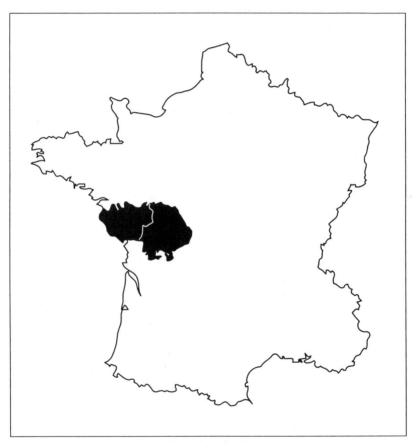

Le Poitou dans la France

De 1871 à 1890, monseigneur Cyprien Tanguay publiait, en sept volumes, son célèbre *Dictionnaire généalogique des familles canadiennes-françaises depuis la fondation de la colonie jusqu'à nos jours*[1]. Parallèlement, les historiens de la Nouvelle-France commençaient à porter une attention particulière au peuplement français d'Amérique et à l'origine individuelle des premiers colons. Après la tentative modeste de François-Xavier Garneau[2], dès 1882 Jean-Baptiste-Antoine Ferland publiait, dans son *Cours d'histoire du Canada*[3], une liste partielle des premiers immigrants ainsi que de leurs paroisses d'origine. Plus tard, Stanislas Lortie présenta, en 1903, des compilations plus complètes[4]. Ces tentatives issues du XIXᵉ siècle étaient loin d'être exhaustives, et certes souvent erronées, mais peu à peu on apprenait à compiler les données et à exploiter les archives disponibles.

Marcel Trudel a marqué une étape importante dans l'étude démographique de la Nouvelle-France en dépouillant systématiquement, et de façon exhaustive, pratiquement toutes les archives concernant la période qu'il étudiait. Nous lui devons un recensement nominatif de la population du Canada en 1663[5], un catalogue des immigrants de 1632 à 1662[6], et un recensement nominatif encore inédit de la population du Canada en 1666. Simultanément, le Programme de recherche en démographie historique de l'Université de Montréal entreprenait de reconstituer sur ordinateur le registre de la population du Québec ancien. Cette banque inestimable de données sera par la suite à l'origine de nombreux travaux dont le

---

1. C. TANGUAY, *Dictionnaire généalogique des familles canadiennes depuis la fondation de la colonie jusqu'à nos jours*, Montréal, Eusèbe Senécal, 1871-1890, 7 volumes.
2. F.-X. GARNEAU, *Histoire du Canada*, Montréal, Beauchemin, 1882, vol. II, p. 102.
3. J.-B.-A. FERLAND, *Cours d'histoire du Canada*, Québec, N.-S. Hardy, libraire-éditeur, 2ᵉ édition, 1882, p. 510-515.
4. S. LORTIE, *L'origine et le parler des Canadiens français*, Société du parler français au Canada, Paris, Honoré Champion, 1903.
5. M. TRUDEL, *La population du Canada en 1663*, Montréal, Fides, 1973. Une version revue et mise à jour par l'auteur est pour l'instant inédite.
6. *Id. Catalogue des immigrants, 1632-1662*, Montréal, Hurtubise HMH, collection «Cahiers du Québec», 1983.

précieux *Dictionnaire généalogique des familles du Québec des origines à 1730* de René Jetté[7].

   La contribution du Haut-Poitou au peuplement de la Nouvelle-France se veut l'ébauche du portrait d'un segment particulier de la population de la Nouvelle-France. Après celle venue des provinces de Normandie et de l'Île-de-France, l'immigration poitevine serait la troisième en importance[8]. À la suite de la publication, en 1990 en France, de l'ouvrage de l'abbé Léon Auger sur les *Vendéens au Canada aux 17e et 18e siècles*[9], et pour différentes raisons d'ordre pratique, j'ai cru devoir restreindre le champ d'étude au seul Haut-Poitou tel que circonscrit à l'intérieur de ses limites géographiques de l'époque, et tenter de cerner son apport spécifique à la colonisation. L'immigration haut-poitevine se distingue-t-elle de l'ensemble de l'immigration française? Fut-elle dirigée? Y verra-t-on une succession de groupes organisés ou un mouvement migratoire individuel et continu? Les migrants venaient-ils d'un peu partout ou plus spécifiquement de certaines régions? Doit-on penser que cette immigration fut presque uniquement masculine? Dans quelle mesure fut-elle parfois familiale? Et combien de migrants ont traversé en tant que militaires? Voilà quelques-unes des questions auxquelles cet ouvrage permettra de répondre.

   Le relevé biographique des migrants haut-poitevins, et cela, compte tenu des connaissances disponibles en 1993 des deux côtés de l'Atlantique, constitue l'essentiel de ce livre. Ces données, par ailleurs codées et informatisées, seront analysées ultérieurement ainsi que mises à la disposition des chercheurs. En conclusion, une première analyse viendra cependant tout de suite dégager les premières caractéristiques démographiques de la contribution haut-poitevine : préciser les périodes migratoires, sonder l'origine rurale ou urbaine des migrants,

---

7. R. JETTÉ, *Dictionnaire généalogique des familles du Québec des origines à 1730*, Montréal, Les Presses de l'Université de Montréal, 1983.

8. M. TRUDEL, *Initiation à la Nouvelle-France*, Montréal et Toronto, Holt, Rinehart et Winston, 1968, p. 145.

9. L. AUGER, *Vendéens au Canada aux 17e et 18e siècles*, Les Sables-d'Olonne, chez l'auteur, 1990. L'ouvrage n'est certes pas sans défauts; mais reconnaissons toutefois à l'auteur le mérite de s'être courageusement attaqué à une tâche pour laquelle il possédait peu de documentation.

apprécier leur adaptation et leur établissement, préciser l'importance de sous-groupes tels les nobles, les religieux, les protestants et les militaires...

Pour intégrer la migration haut-poitevine vers la Nouvelle-France dans l'ensemble de ses dimensions socio-historiques et démographiques, les professeurs Jacques Marcadé, professeur d'histoire moderne de l'Université de Poitiers, et Hubert Charbonneau, professeur de démographie à l'Université de Montréal, ont bien voulu accepter de situer le mouvement migratoire haut-poitevin dans son contexte socio-historique, et présenter l'ensemble des immigrants français dans l'entreprise de peuplement de la Nouvelle-France. Leurs points de vue se complètent et enrichissent ce travail considérablement.

Quelques précieux collaborateurs et moi-même avons pu retrouver en Poitou plusieurs actes de naissance et autres documents utiles à la reconstitution des biographies individuelles de chacun des 730 migrants haut-poitevins que j'ai pu identifier dans la population de la Nouvelle-France. J'ai apporté une attention toute particulière à situer adéquatement le lieu de provenance de la très grande majorité d'entre eux. Suite à une mauvaise lecture, ou à l'imprécision des documents, plusieurs avaient en effet jusqu'ici été réputés originaires d'une paroisse qui n'avait jamais été la leur. J'ai ainsi pu rétablir plusieurs cas de provenance erronée[10] au point d'affirmer que ceux qui m'ont échappé, s'il en reste, doivent être assez peu nombreux.

Voici donc une somme à jour à partir de laquelle la recherche pourra se poursuivre de chaque côté de l'Atlantique; d'abord, en ajoutant aux biographies individuelles; ensuite, en approfondissant l'étude du phénomène migratoire. Au Canada, historiens, démographes et généalogistes disposeront d'un corpus dans lequel ils sauront puiser des informations précises sur l'origine des premiers colons poitevins de l'Acadie et de la vallée du Saint-Laurent. L'émigration haut-poitevine vers la Nouvelle-France devant par ailleurs s'insérer

---

10. Voir aussi mon article «Quelques ancêtres égarés en Haut-Poitou», à paraître dans les *Mémoires de la Société généalogique canadienne-française*.

dans l'histoire beaucoup plus vaste des mouvements migratoires européens de l'époque, les historiens français, quant à eux, y trouveront une riche documentation sur leurs compatriotes migrants des XVIIe et XVIIIe siècles. Ayant, d'autre part, souvent pu bénéficier du dynamisme et de l'apport d'historiens amateurs et de généalogistes français, c'est en gage de ma considération que je leur présente cette documentation qui leur ouvrira bien des nouvelles voies à explorer dans les dépôts d'archives français. Car, si j'ose croire apporter cette contribution québécoise à l'étude des migrations françaises, je compte énormément sur les chercheurs français pour continuer d'alimenter de plus en plus notre étude de l'histoire du peuplement français du Nouveau Monde. Nous sommes désormais, en quelque sorte, à l'ère de la mondialisation des histoires nationales.

Délimiter l'aire de recherche à l'intérieur des limites géographiques du Haut-Poitou ne fut pas sans problème. Le diocèse, la généralité et le gouvernement de Poitiers couvraient en effet des territoires loin de coïncider parfaitement. Ainsi, par exemple, le Loudunais dépendait de la généralité de Tours pour l'administration civile tout en appartenant politiquement à la province du Poitou, de sorte que ses ressortissants se considéraient poitevins à part entière. Aussi ai-je laissé à la province du Poitou ses limites politiques intégrales correspondant à celles du gouvernement de Poitiers, un des trente-trois gouvernements subdivisant la France d'Ancien Régime. Le *Dictionnaire universel de la France ancienne et moderne et de la Nouvelle-France*, publié en 1726 par Claude-Marin Saugrain[11], a été bien utile pour déterminer l'appartenance poitevine de certaines paroisses.

Le Poitou correspond à peu de choses près aux départements de la Vendée, des Deux-Sèvres et de la Vienne; la partie ouest des Deux-Sèvres et l'ensemble de la Vienne constituent le Haut-Poitou. Le département de la Vienne fut d'abord divisé en cinq régions selon les limites des anciens arrondissements

---

11. C.-M. SAUGRAIN, *Dictionnaire universel de la France ancienne et moderne et de la Nouvelle-France*, Paris, 1726, 3 volumes.

de 1800-1801[12]. L'arrondissement de Poitiers, pour sa part, vu l'importance de sa contribution, a été subdivisé en deux parties, soit la ville et la région de Poitiers. Il fut ensuite fait de même pour le territoire de l'ancien Haut-Poitou maintenant situé en Deux-Sèvres et obtenant ainsi le Niortais et l'Est-Thouarsais. Pour le Niortais, l'importante contribution de la ville de Niort fut également traitée à part. Puisque les anciennes frontières du Haut-Poitou ne coïncident pas parfaitement avec les limites départementales actuelles, j'ai dû faire quelques minimes incursions dans les départements de Charente, de Charente-Maritime, de Haute-Vienne et d'Indre-et-Loire afin de respecter intégralement l'ancien territoire du Haut-Poitou.

Le Haut-Poitou s'est ainsi trouvé divisé en neuf grandes régions, à leur tour subdivisées en cantons selon le découpage administratif de la France actuelle. Cette façon de faire pourra peut-être sembler anachronique, mais elle ne pose que peu d'inconvénients tout en permettant de facilement se situer autant dans la géographie de la France actuelle que dans celle d'Ancien Régime. Ce découpage présente en outre l'avantage de regrouper les ruraux et les citadins chacun dans leur milieu, et de mieux faire ressortir les caractéristiques régionales. Cela permettra de mieux discerner, par exemple, si Poitiers a fourni plus de protestants que Niort, de constater que telle région a envoyé davantage de militaires, ou que telle autre n'a été active qu'à telle ou telle époque. J'attends à ce propos les interprétations que sauront proposer les historiens français.

Dans chacun des cantons, je relève, généralement du nord vers le sud, les paroisses d'origine des migrants, lesquels sont ensuite présentés à tour de rôle selon l'ordre vraisemblable de leur migration. J'ai considéré comme migrant toute personne ayant quitté le Haut-Poitou pour venir en Nouvelle-France. Il s'imposait en effet d'adopter une définition la plus ouverte possible afin de laisser toute liberté aux chercheurs qui se serviront de cette documentation de se montrer plus restrictifs. Par contre, la définition de sept types de migrants permettra de

---

12. Depuis 1926, la Vienne ne possède plus que trois arrondissements; ceux de Loudun et de Châtellerault ainsi que ceux de Montmorillon et de Civray ont été fusionnés.

tirer des statistiques représentatives des subtilités du phénomène migratoire et de ne considérer, lorsque cela sera utile en
conclusion, que ceux qui se sont véritablement établis.

Associer un migrant à un lieu de provenance ne se fit pas
non plus sans difficulté. Certains sont nés à un endroit et ont
vécu ailleurs; d'autres ne sont pas nés en Haut-Poitou mais y
ont vécu, parfois à différents endroits; d'autres aussi se disent
natifs d'un endroit alors que leur acte de naissance fut trouvé
ailleurs... De plus, une référence géographique peut parfois
correspondre à plus d'un endroit partageant le même
toponyme[13]. L'attribution d'un lieu de provenance repose
donc essentiellement sur l'interprétation des dires de l'ancêtre
tels qu'ils sont rapportés sur des documents à l'occasion mal
calligraphiés, mal conservés, imprécis, erronés ou contradictoires. Je ne saurais donc me faire plus rigoureux que mes
sources et préciser ce que chaque migrant voulait dire en
affirmant être de tel endroit. En fait, cela peut aussi bien
désigner son lieu de naissance que son dernier endroit de
résidence en France, ou encore celui de ses parents. Chose
certaine, c'est le lieu auquel chaque migrant estimait lui-
même appartenir. L'appartenance haut-poitevine, dans ces
circonstances, demeure donc assez fiable dans la très grande
majorité des cas quoiqu'elle ne devienne que vraisemblable
lorsque j'ai choisi d'inscrire quelques migrants d'origine inconnue dans la paroisse de leur frère, de leur oncle ou de leur
cousin. J'ai par contre écarté les cas qui me sont parus moins
certains et sur lesquels j'ai fait le point aux chapitres III et XII.

Après le nom de chaque migrant, on trouvera entre paren-
thèses le nom de ses parents ainsi que parfois d'autres renseignements le concernant. J'ai ensuite ajouté entre guillemets la
mention de son lieu de provenance telle que je l'ai trouvée,
généralement dans l'acte de son mariage ou, à défaut, dans
son contrat de mariage. Plus rarement ai-je dû tirer cette
mention de provenance d'une autre source : d'un contrat
d'engagement, d'un acte d'abjuration du protestantisme,
d'un témoignage de liberté au mariage, du registre des confirmés ou de celui des malades de l'Hôtel-Dieu de Québec

---

13. L'analyse statistique saura tenir compte d'un tel facteur d'incertitude.

ordinairement moins précis. J'ai toutefois modernisé l'ortho-graphe et la structure syntaxique : ajout d'un accent, d'un trait d'union, d'une majuscule, d'un *s* final à Poitiers, ou des mots «dans l'évêché de» lorsque ceux-ci paraissaient sous-enten-dus. Suivra ensuite la description biographique du migrant avec, entre crochets, le nombre d'enfants que j'ai pu lui découvrir. Dans les cas de remariage, j'ai indiqué le nombre d'enfants pour chaque union; exemple : [5 + 2 enfants]. Finalement, lorsque j'ai trouvé une biographie ou une source d'information intéressante, je l'ai indiquée à l'aide des sigles suivants :

ADC	Allaire, J.-B., *Dictionnaire biographique du clergé canadien-français*
BRH	*Bulletin de recherches historiques*
DBC	*Dictionnaire biographique du Canada*
GER	Godbout, A., *Émigration rochelaise en Nouvelle-France*
GNA	*id.*, *Nos ancêtres au XVIIe siècle*
GPA	*id.*, *Les passagers du Saint-André*
GVF	*id.*, *Vieilles familles de France en Nouvelle-France*
JDG	Jetté, R., *Dictionnaire généalogique des familles du Québec*
L'AN	*L'ancêtre* (Revue de la Société généalogique de Québec)
LFR	Landry, Y., *Orphelines en France, pionnières au Canada. Les Filles du roi au XVIIe siècle*
MSGCF	*Mémoires de la Société généalogique canadienne-française*
NA	Lebel, G. et J. Saintonge, *Nos ancêtres*
RHAF	*Revue d'histoire de l'Amérique française*
SVL	Séguin, R.-L., *La vie libertine en Nouvelle-France*
TCI	Trudel, M., *Catalogue des immigrants*
TDG	Tanguay, C., *Dictionnaire généalogique des familles canadiennes*

Je reconnais volontiers m'être heurté à certaines limites. L'Acadie n'a pu conserver une documentation aussi riche et abondante que celle de la vallée du Saint-Laurent. Le *Registre des malades* de l'Hôtel-Dieu de Québec n'a pu être systéma-tiquement dépouillé que pour le XVIIe siècle. Je regrette d'autre part que la documentation sur la Louisiane soit restée en grande partie inédite et d'accès plus difficile, ce qui empêchera d'attribuer à l'émigration du Haut-Poitou vers la Louisiane l'importance qui devrait sûrement lui revenir. Reconnaissons aussi que certains migrants sont mieux connus que d'autres et auront une biographie plus étoffée. La documentation est en particulier moins accessible pour ceux arrivés vers la fin de la période de la Nouvelle-France. Le fait parfois de n'avoir su trouver une information satisfaisante ne signifie pas nécessairement que cette information soit inexistante.

C'est délibérément que j'ai essayé de restreindre le plus possible le nombre de références, sans quoi le texte en eût été surchargé. Pour les notes historiques sur les paroisses d'origine des migrants, j'ai puisé dans les ouvrages cités en bibliographie de même que dans des informations recueillies sur place. Pour ce qui est des notices biographiques, j'avoue volontiers être largement redevable aux travaux de Normand Robert, de Marcel Trudel, de René Jetté et de quelques autres. Je me suis également abondamment servi des répertoires du Programme de recherche en démographie historique de l'Université de Montréal, à partir desquels j'ai pu reconstituer la plupart des 730 biographies. Puisque rapporter tous les emprunts à ces ouvrages eût considérablement alourdi le texte, j'ai préféré m'en abstenir et m'en excuser auprès de ces auteurs. J'ai aussi consulté les documents d'archives chaque fois que cela semblait utile, en particulier pour citer les lieux de provenance des migrants. Là aussi, dans la majorité des cas, je n'ai pas cru nécessaire d'indiquer les références lorsque celles-ci renvoyaient à leur acte ou à leur contrat de mariage.

Je souhaite que ce livre soit longtemps utile et à l'origine de nombreuses recherches. Les commentaires seront utiles et grandement appréciés. Je prie aussi ceux et celles qui feront des découvertes de m'en informer afin de tenir à jour cette banque de données désormais à la disposition de tous.

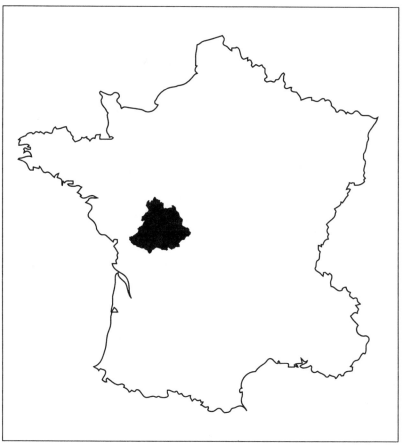

Le Haut-Poitou dans les départements de la Vienne et des Deux-Sèvres.

Chapitre I

Le peuplement de la Nouvelle-France

Des chênes. Des ormes. Des frênes. Et d'autres, jamais vus en Poitou [...] Sur le port de Québec, il découvrait avec bonheur une uniformité de construction qui disait pareillement absentes de ce lieu l'extrême richesse et la grande misère. Il arrivait en pays neuf, où tout homme courageux pouvait se bâtir une vie de dignité.

Michelle Clément-Mainard, *La Grande Rivière*, Paris, Fayard, 1993, p. 166 et 175.

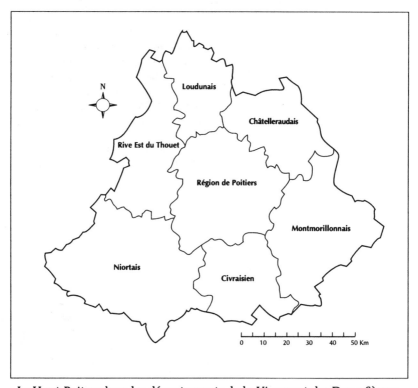

Le Haut-Poitou dans les départements de la Vienne et des Deux-Sèvres.

Le Haut-Poitou, le professeur Marcadé l'a très bien décrit, était confronté, aux XVIIe et XVIIIe siècles, à de graves problèmes économiques et sociaux. Les jeunes, en particulier, avaient peu de chances de se faire artisan, d'exercer un métier ou d'hériter du lopin familial. Pour qui voulait améliorer sa condition, l'engagement comme travailleur volontaire en Nouvelle-France devenait un débouché intéressant. L'Amérique lui offrait le rêve d'un vaste pays aux frontières inconnues, un pays à bâtir, où le travail ne manquerait jamais, où les impôts étaient minimes, et où l'on pouvait facilement posséder des terres plus belles et beaucoup plus vastes que celles qu'on ne pourrait jamais espérer posséder en France. Les agents de recrutement parcourant la campagne, les armateurs, les marchands ainsi que les notaires de La Rochelle ne manquaient pas de le faire savoir. La demande était abondante, car la Nouvelle-France avait grand besoin d'hommes de métier. Pour peupler et développer leurs fiefs, les seigneurs, dont les communautés religieuses, étaient à la recherche de jeunes gens intéressés, dynamiques et en bonne santé.

Celui qui voulait s'engager n'avait qu'à se rendre à La Rochelle où, devant notaire, il louait ses services, pour une période généralement de trois ans, à un armateur ou à un marchand qui s'engageait à le faire passer en Nouvelle-France et à lui trouver un employeur. Après leur terme, plus des deux tiers de ces «domestiques» rentraient en France[1]. «Quand on voit partir, tout le long du XVIIe siècle, une chaîne d'engagés du même village, il faut bien croire que l'émigration fut entretenue par des retours[2].» Mais plusieurs, par contre, prirent femme et s'établirent au pays; leurs lettres, vantant leurs efforts et leur réussite, traversaient l'Atlantique et invitaient parents et amis à venir les rejoindre.

Les femmes célibataires désireuses de venir fonder une famille en Nouvelle-France pouvaient elles aussi s'engager de la même façon, mais la plupart furent recrutées, souvent par

---

1. M. TRUDEL, *Histoire de la Nouvelle-France*, tome II du volume 3, Montréal, Fides, 1983, p. 71.
2. G. DEBIEN, «L'émigration poitevine vers l'Amérique au XVIIe siècle», *Bulletin de la Société des Antiquaires de l'Ouest*, tome II, 4e série, 4e trimestre de 1952, p. 294.

des communautés religieuses. Celles envoyées de 1663 à 1673, les Filles du roi, ont bénéficié de l'aide royale. Toutefois, le très petit nombre d'immigrantes célibataires originaires du Haut-Poitou impose le constat d'une immigration haut-poitevine quasi exclusivement masculine.

L'abondance des soldats, contribuant largement au peuplement de la Nouvelle-France, se dégagera avec une certaine évidence. À une époque où le chômage sévissait en France autant que la guerre, l'engagement militaire devait être le premier débouché, sinon le seul, s'offrant aux jeunes hommes de modeste condition. Sans que les archives permettent toujours de le découvrir, plusieurs colons poitevins se sont ainsi retrouvés en Nouvelle-France en suivant la bannière de leur régiment. Certains y sont morts en devoir, d'autres ont pu retourner chez eux, mais plusieurs aussi ont tôt ou tard accepté l'offre qu'on leur fit de s'établir.

La colonisation de la Nouvelle-France fut donc, dans l'ensemble, surtout une entreprise individuelle et privée suppléant, tant bien que mal, à l'absence d'une véritable politique de peuplement efficace[3]. En 1627, le cardinal de Richelieu avait imposé à la Compagnie des Cent-Associés l'obligation d'augmenter l'immigration vers la Nouvelle-France jusqu'à 4 000 Français catholiques des deux sexes dans un délai de 15 ans[4]. Noble intention sans plus! Le ministre Colbert, celui à qui l'on doit les efforts de peuplement les plus soutenus, restreignait néanmoins ses efforts en vertu du principe qu'«il ne seroit pas de la prudence [du Roy] de dépeupler son Royaume comme il faudroit faire pour peupler le Canada[5].» Outre l'envoi de plus de 850 Filles du roi de 1663 à 1673, et de 648 faux sauniers et braconniers déportés au Canada de 1730

3. H. CHARBONNEAU et Y. LANDRY, «La politique démographique en Nouvelle-France», *Annales de démographie historique*, 1979, p. 29-57.
4. M. TRUDEL, *Histoire de la Nouvelle-France*, tome I du volume 3, Montréal, Fides, 1979, p. 12.
5. Lettre du ministre Colbert à l'intendant Talon, Versailles, 5 avril 1666. Cité dans H. CHARBONNEAU, B. DESJARDINS, A. GUILLEMETTE, Y. LANDRY, J. LÉGARÉ et F. NAULT, *Naissance d'une population. Les Français établis au Canada au XVII*ᵉ *siècle*, Institut national d'études démographiques et les Presses de l'Université de Montréal, 1987, p. 6.

à 1749[6] – phénomènes par ailleurs marginaux dans le cadre de l'immigration haut-poitevine – la volonté politique de peupler la Nouvelle-France manque nettement de consistance, de régularité et de détermination[7]. «Si Louis XIV avait vraiment voulu peupler la Nouvelle-France, il n'aurait eu aucun mal, lui qui enrôlait sans difficulté des milliers de paysans pour son armée[8].» En 1641, la Nouvelle-Angleterre comptait déjà 50 000 habitants; ils seront 200 000 en 1690 et près de 2 000 000 en 1765. La Nouvelle-France n'avait de son côté aucune économie propice à une immigration massive, ni aucun avenir commercial, industriel ou agricole. Sa vocation unique n'était que de fournir la métropole en matières premières et particulièrement en fourrures. Toute industrie lui était également interdite de même que tout débouché pour sa production agricole, qu'elle ne pouvait vendre qu'à la France, déjà autosuffisante en ce domaine, ou aux lointaines Antilles. La Nouvelle-France ne présentait donc nul attrait économique susceptible d'engendrer un mouvement migratoire d'importance.

Tout de même, bon an mal an, de nouvelles terres peu à peu devenaient disponibles à la colonisation. Avant l'arrivée des navires de 1632, on ne comptait qu'une quinzaine de colons installés dans la vallée du Saint-Laurent[9]. Puis, de 1632 à 1662, sous le régime de la Compagnie des Cent-Associés, Marcel Trudel a identifié 3 106 immigrants dont 2 357 hommes[10]. Comparativement aux 155 000 colons que les îles Britanniques ont installés en Nouvelle-Angleterre au XVIIe siècle[11], d'après les estimations les plus fiables et les plus

6. Y. LANDRY, *Orphelines en France, pionnières au Canada : les Filles du roi au XVIIe siècle*, Montréal, Leméac, 1992, p. 44; M. TRUDEL, *Initiation à la Nouvelle-France*, Montréal et Toronto, Holt Rinehart et Winston, 1968, p. 150.
7. Ces mesures politiques n'eurent en outre aucune racine en Haut-Poitou à l'exception d'une quinzaine de Filles du roi et autant de faux sauniers.
8. Hubert CHARBONNEAU, cité dans *Québec France*, vol. 16, n° 2 (été 1991), p. 6.
9. M. TRUDEL, *Catalogue des immigrants 1632-1662*, Montréal, Hurtubise HMH, 1983, p. 17-21.
10. *Ibid.*, p. 5-6.
11. Selon A. GEMERY cité dans A. GUILLEMETTE et J. LÉGARÉ, «The Influence of Kinship on Seventeenth-Century Immigration to Canada», *Continuity and Change*, vol. 4, n° 1, 1989, p. 83.

ASSOCIATION

Châtellerault - Québec - Acadie

14, rue Sully - 86100 Châtellerault

Châtellerault, le 2 juin 1994

Conférence : IMMIGRATION AU QUÉBEC

Monsieur le Président,

En collaboration avec le Centre Rasseteau M.J.C. et le bureau Information Jeunesse, M. THÉRIAULT, directeur du service «Immigration» de la Délégation générale du Québec à Paris, fera une conférence et donnera de l'information sur les possibilités d'immigration au Québec.

Nous vous invitons à participer à cette séance, ainsi que toutes les personnes de votre Comité de jumelage intéressées par les questions concernant l'immigration au Québec.

Je vous prie d'agréer, Monsieur le Président, l'expression de mes meilleurs sentiments.

La Secrétaire

La conférence aura lieu le jeudi 16 juin à Châtellerault à 18 h Salle M.J.C., rue Rasseteau.

Une tradition...

Envolez-vous pour le Québec!

Le service immigration recherche des francophones pour peupler son million et demi de kilomètres carrés.

ROGER THÉRIAULT est directeur du service immigration à la délégation générale du Québec en France, sorte d'ambassade pour province en mal de reconnaissance internationale. C'est à ce titre qu'il était, dernièrement, l'invité de Châtellerault-Québec-Acadie à une réunion au cours de laquelle il a évoqué toutes les questions concernant l'immigration des Français de souche vers le pays des mille lacs, du Saint-Laurent et des distances incalculables. Pour dire, notamment, qu'en une quinzaine d'années la situation a bien évolué, et que si l'on recherchait alors des Français disposant d'une bonne formation dans pratiquement tous les corps de métiers, il en allait bien différemment aujourd'hui.

Évidence : si le Québec, c'est encore l'Amérique, à certains égards, ce n'est, en tout cas, plus le Pérou, et les chasseurs de primes ou chercheurs d'or en seront pour leurs frais. «Chez nous, dit Roger Thériault, il y a autant de chômage qu'en France, proportionnellement, et nous avons des centaines de médecins, par exemple, qui n'ont pas l'autorisation d'exercer, faute de clientèle potentielle».

Ajoutées à cela les difficultés qui tiennent à un hiver particulièrement rigoureux et qui dure six mois l'an, à une superficie tellement importante qu'il faut parfois faire 200 kilomètres pour demander son chemin, on comprendra que si l'on a la volonté, côté instances québécoises, de densifier la population locale par l'apport de francophones et surtout, ce qui s'explique historiquement, par des Français, la demande est liée à des exigences précieuses.

«Nous avons besoin de gens formés qui ont l'expérience du travail et une bonne capacité d'adaptation socio-professionnelle», note M. Thériault qui souligne que l'on préférera toujours un bac plus cinq à un C.A.P., le tout avec une solide connaissance des disciplines récentes : électronique, informatique, automatismes... Seul autre secteur à débouchés intéressants, l'agriculture : «Mais à condition de pouvoir s'installer exploitant, pas rechercher un poste salarié» et l'on aura pratiquement fait le tour des possibilités, l'inscription auprès des services de l'immigration, qui donne la possibilité de bénéficier de quelques aides, ne garantissant en aucun cas un emploi à l'arrivée.

N'empêche... Si le rêve est un peu amputé, il ne doit pas être obstacle à tout départ. Au Québec comme ailleurs, il y a encore place pour celles et ceux qui, à tout prix, veulent réussir.

Claude AUMON

...qui se poursuit.

récentes, seulement 14 400 Français seraient venus dans la vallée du Saint-Laurent durant le XVIIᵉ siècle, dont 359 religieux hommes et femmes. Pour l'ensemble de la période de la Nouvelle-France, soit de 1608 à 1759, c'est de 30 000 Français, dont 800 religieux et religieuses, dont il faudrait parler. Environ le tiers d'entre eux auraient décidé de rester en Nouvelle-France et de s'y établir[12]. On a par ailleurs calculé que même s'ils ne constituaient que seulement 5 à 10 % de l'ensemble des fondateurs arrivés au Québec avant le milieu du XXᵉ siècle, les 1 955 immigrants et 1 425 immigrantes qui se marièrent et s'installèrent en Nouvelle-France avant le 1ᵉʳ janvier 1680 étaient à l'origine des deux tiers des gènes de la population québécoise francophone actuelle[13].

Mais peu à peu, au rythme de l'accroissement naturel et des arrivages annuels d'immigrants, un peuple naissait. On estime ainsi la courbe de croissance de la population de la Nouvelle-France[14] :

> 1608 : 28 habitants
> 1641 : 500 habitants
> 1689 : 12 000 habitants
> 1713 : 18 500 habitants
> 1744 : 55 000 habitants
> 1760 : 85 000 habitants

Ces 85 000 Français et Canadiens vivant en Nouvelle-France en 1760 se répartissaient ainsi :

Acadie insulaire et continentale :	4 000
Vallée du Saint-Laurent :	76 000
Pays d'en haut (Grands Lacs) :	600
Louisiane :	4 000

Quel fut l'apport spécifique du Haut-Poitou dans le peuplement de la Nouvelle-France? Gabriel Debien avait déjà étudié l'émigration poitevine vers l'Amérique au XVIIᵉ siècle à partir des contrats d'engagement conservés dans les minutiers

---

12. M. BOLEDA, «Trente mille Français à la conquête du Saint-Laurent», *Histoire sociale/Social History*, vol. XXIII (mai 1990), p. 153-177.
13. H. CHARBONNEAU et coll., *op. cit.*, p. 117-125.
14. M. TRUDEL, *Initiation à la Nouvelle-France, op. cit.*, p. 142; D. HÉROUX, R. LAHAISE et N. VALLERAND, *La Nouvelle-France*, Montréal, Centre de psychologie et de pédagogie, 1967, p. 120.

des notaires de La Rochelle. Sur les 6 000 travailleurs qui partirent de ce port, plus d'un millier étaient poitevins[15]. Parmi eux, 775 s'engagèrent pour les Antilles[16], 80 pour l'Acadie et Québec[17], les autres émigrant vers la Guyane, le Sénégal ou Madagascar[18]. Or, tous ces «engagés» ne constituaient en réalité qu'une faible portion de l'émigration poitevine vers ces destinations. Plusieurs Poitevins émigrèrent en Amérique soit comme militaires, soit comme travailleurs libres, c'est-à-dire sans contrat d'engagement, ou sans que celui-ci n'ait encore été retrouvé. Marcel Trudel, par exemple, a identifié nommément pas moins de 254 Poitevins en Nouvelle-France excluant l'Acadie, et cela, seulement pour les années 1632 à 1662[19]. Stanislas Lortie, pour sa part, en a identifié 569 pour les années 1608 à 1700[20], alors que Normand Robert en a dénombré 815 pour toute la période des débuts à 1825[21].

La cession du Canada en 1763 à l'Angleterre victorieuse modifiera radicalement l'immigration française en Amérique du Nord alors que, pendant près d'un siècle, aucun bateau français n'accostera au Canada. De 1775 à 1783, la guerre de l'indépendance américaine conduira cependant en Nouvelle-Angleterre pas moins de 12 000 soldats français dirigés par le marquis de La Fayette et le comte de Rochambeau[22]. Au Canada, la propagande d'une cinquantaine de prêtres exilés de la Révolution française fit en sorte que la majorité de la population ne souhaitait guère l'arrivée d'immigrants français. Mais il en est arrivé tout de même plus d'un millier, passés au Québec entre 1765 et 1865, soldats mercenaires, journaliers, artisans, marchands, prêtres, instituteurs, médecins...

---

15. G. DEBIEN, *op. cit.*, p. 279.
16. *Ibid.*, p. 285-286.
17. *Ibid.*, p. 284.
18. *Ibid.*, p. 288.
19. M. TRUDEL, *Histoire de la Nouvelle-France*, tome II du volume 3, Montréal, Fides, 1983, p. 25.
20. S. LORTIE, *Premier Congrès de la langue française au Canada, Mémoires*, Québec, 1914.
21. N. ROBERT, *Nos origines en France*, vol. 5, Montréal Archiv-Histo, 1989, p. 4.
22. Châtellerault a gardé le souvenir du passage d'un régiment ayant aménagé le futur cours Blossac avant leur embarquement.

faisant l'objet d'une étude très attendue[23]. La présence, par ailleurs si chaudement accueillie à Québec, de la corvette *La Capricieuse* en 1855 conduira Napoléon III à ouvrir en 1859 le premier consulat de France à Québec[24] et amorcera le début d'une autre époque.

23. M. FOURNIER, *Les Français au Québec, 1765-1865*, synthèse historique et répertoire de plus de 1 300 notices biographiques d'immigrants venus de France et qui se sont établis au Québec aux XVIIIᵉ et XIXᵉ siècles. Ouvrage actuellement en préparation. Rappelons aussi la présence, entre 1837 et 1876, de 250 religieux et religieuses venus œuvrer au Québec à la demande de monseigneur Bourget.
24. R. MENMARDUQUE, «Les émigrés du Nouveau Monde», feuillets photocopiés tirés de la *Gazette du Loudunais* de septembre 1981 et distribués par le Syndicat d'initiative de Loudun.

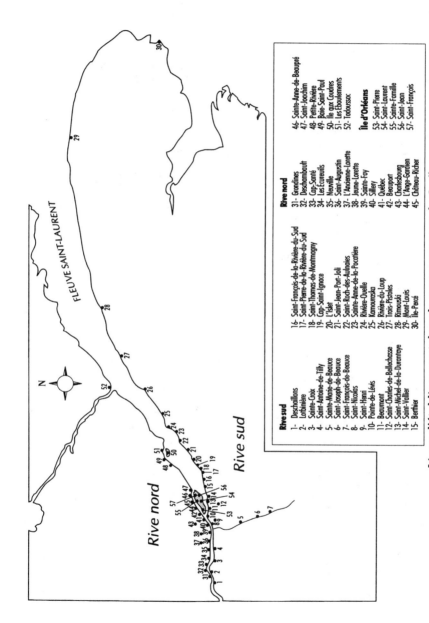

Lieux d'établissement dans le gouvernement de Québec

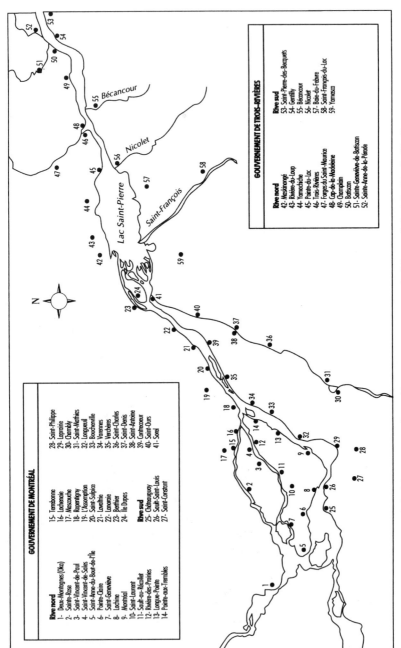

Lieux d'établissement dans les gouvernements de Montréal et de Trois-Rivières

Chapitre II

Le Loudunais

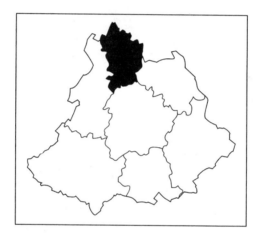

Lieux de provenance des migrants loudunais dans le département de la Vienne.

Dans le centre-ouest de la France, le Loudunais comprend tout ce pays inclus dans l'ancienne châtellenie et bailliage de l'historique ville de Loudun située sur la Nationale n° 147, au deuxième tiers de la distance entre Poitiers et la Loire[1]. Dans le département de la Vienne, sur une superficie de 899 kilomètres carrés ou 89 918 hectares, il occupe la pointe nord du département et comprend les cantons des Trois-Moutiers, de Loudun, de Moncontour et de Monts-sur-Guesnes. Le long de la bordure est, une partie de l'ancien Loudunais est aujourd'hui dans le canton de Richelieu en Indre-et-Loire.

Au moins 57 migrants sont venus du Loudunais. Ils sont présentés, du nord vers le sud, selon leur lieu d'origine et, pour chacun de ces lieux, selon l'année approximative de leur migration.

Dans la partie nord du Loudunais, 6 migrants sont originaires du canton de Trois-Moutiers :

ROIFFÉ

Sur la Départementale n° 147, à la limite nord du département de la Vienne. Le château d'Oiseaumerle, d'Oiseaumelle ou des Eaux Melles, lieu de naissance d'Isaac de Razilly, est toujours habité et demeure propriété privée. L'église Saint-Martin est probablement carolingienne.

1 - **Isaac de Razilly** (François et Catherine Valliers). Né en 1587 au château d'Oiseaumelle, il fut à 18 ans chevalier de l'Ordre de Saint-Jean de Jérusalem et fit d'abord carrière dans la marine où il se fit remarquer par ses coups d'éclat. Gravement blessé, il perdit un œil à La Rochelle en 1628. Le cardinal de Richelieu, son cousin, le nomme Gouverneur de l'Acadie le 4 juillet 1632 et le charge d'en reprendre possession. Isaac de Razilly s'embarque à Auray en compagnie de Charles de Menou d'Aulnay (n° 33), également son cousin, ainsi que de Nicolas Denis et «trois cents hommes d'élite». Son dévouement en Acadie est exemplaire. Il est décédé subitement le 2 juillet 1636[2] en laissant à Menou d'Aulnay la tâche de lui succéder. [Sans alliance]

1. Sur le Loudunais, voir les albums publiés par l'Association Loudun ville d'art, Art et Culture en Pays loudunois, *Le pays de Loudunois, patrimoine connu et peu connu.*
2. Sur la mort d'Isaac de Razilly, voir R. LARIN, *Quatre cousins loudunais en Nouvelle-France*, Montréal, Éditions du Méridien, 1992, p. 48-49.

BOURNAND

Au nord de Loudun. L'ancienne commanderie des templiers de Moulins fut fondée au début du XIIe siècle, puis donnée à l'ordre de Malte. Le chœur de la chapelle est un chef-d'œuvre de l'architecture gothique en Poitou.

2 - Antoine Rousseau dit Labonté (Antoine & ...), «de la paroisse de Bournon dans le diocèse du Poitou[3]». Confirmé à l'âge de 20 ans à Québec le 24 août 1664, on le retrouvera en 1674 à Laprairie où il se mariera vers 1675. Y possédant quatre bêtes à cornes et cinq arpents en valeur en 1681, c'est également là qu'il sera tué par les Iroquois, le 8 juillet 1697. [9 enfants]

LES TROIS-MOUTIERS

Chef-lieu de canton situé à l'ouest de Loudun par la Nationale n° 147. Le bourg s'est formé autour de trois églises paroissiales. Jusqu'au XVe siècle, la paroisse s'appelait Bernezay.

3 - Martin Janson dit Cimetière (Pierre & Louise Vandôme), «de la paroisse de Notre-Dame des Trois Motié». Il résidait déjà à Verchères, établi au lieu appelé *La Bauce*, à son mariage le 9 janvier 1736. Veuf en 1754, il se remarie au même endroit, le 21 février 1757, et meurt après novembre 1763. [4 + 4 enfants]

4 - Jean-Baptiste Lesage dit Lespérance (Jean-Baptiste & Marie Labrosse), «de la paroisse de Saint-Pierre des Trois Motiées». Il se marie à Repentigny, le 10 août 1761, puis à Saint-Roch-de-L'Achigan le 18 juin 1792. [4 + 0 enfants]

TERNAY

Au nord-ouest de Loudun par la Départementale n° 14. L'église Notre-Dame est en partie d'époque romane. On a trouvé des bijoux préhistoriques près d'une fontaine.

5 - Jean Leclerc (Antoine & Michelle Rubel), «de la paroisse Notre-Dame de Ternais dans l'évêché de Poitiers». Baptisé à Notre-Dame de Ternay le 7 janvier 1647[4], il était domestique à l'île d'Orléans en 1666. Il se marie le 11 novembre 1669 et obtient, vers 1677, une terre au même endroit où le recensement de 1681 lui attribue deux bœufs et dix arpents en valeur.

---

3. *Registre de Laprairie*, baptême du 16 février 1664.
4. Communication de Mme Lucienne Recouppé-Blanchard, de la Maison de l'Acadie, à La Chaussée.

Hospitalisé à l'Hôtel-Dieu de Québec d'août à octobre 1690, il est décédé après 1694. [3 enfants]

CURÇAY-SUR-DIVE

Immédiatement au sud de Ternay par la Départementale n° 19, près de la limite du département de la Vienne. D'occupation pré-romaine, on y trouve une importante villa gallo-romaine. Saint-Louis y a aussi vécu dans son enfance.

6 - René Gauthier dit Larose (...), «natif de la paroisse de Ceurcé sus Dive dans l'évêché de Poitiers». En 1666, ce cordonnier possédait déjà une terre de trois arpents dans la paroisse de Saint-Laurent de l'île d'Orléans. Il s'est cependant marié dans la paroisse de Sainte-Famille, le 11 avril 1669, avec une dispense de trois bans. Son épouse était en effet enceinte de René Rhéaume, déjà marié et père de famille. Le recensement de 1681 lui donne 55 ans et lui attribue deux bêtes à cornes et six arpents en valeur. Il est décédé à l'île d'Orléans le 28 décembre 1687. [10 enfants]

RANTON

Immédiatement au sud-est de Curçay-sur-Dive. Le portail de l'église Saint-Martin est du XIIe siècle. Près du cimetière, la chapelle date du XVe.

Paul Dazé. Voir n° 13 à Loudun.

Au centre du Loudunais, 20 migrants sont originaires du canton de Loudun :

VÉNIERS

Ce hameau situé au nord-est de Loudun en fait maintenant partie. Dans les ruines de la forteresse du Bois-Gourmond bâtie au XIIIe siècle, se dresse un donjon à mâchicoulis du XVe.

7 - Jacques Lebou (...), «de Véniers près de Montmorillon[5]». Garçon armurier âgé de 25 ans, il s'engage à La Rochelle, le 23 février 1723, pour l'île Saint-Jean, moyennant un salaire de 200 livres par an. Il n'a pas laissé de traces en Acadie. [Sans alliance] RHAF, vol. XIII (1959), p. 556-557.

8 - Jacques Robin dit Saint-Ours (f Louis & Marie Bastien), «de la paroisse de Venié dans le diocèse de Poitiers». Soldat de

---

5.   Il n'existe pas d'autres Véniers dans la Vienne.

la compagnie de Repentigny en 1724, il se fait meunier à Lachenaie en 1728. À l'âge de 40 ans, il se marie à Pointe-aux-Trembles, dans l'île de Montréal, le 15 juillet 1724, soit un mois avant la naissance d'un premier fils. Veuf en 1728, il se remarie à Lachenaie, le 20 avril 1729, après dispense de trois bans. Il semble encore vivant à Mascouche en mai 1752. [3 + 0 enfants]

Le château de Loudun après son démantèlement, en 1569. D'après un manuscrit ancien. (Archives départementales de la Vienne. Photo : Christien Vignaud, Musées de Poitiers)

LOUDUN

Située au centre du Loudunais, Loudun est également chef-lieu du canton. Au XVIIe siècle, on y trouvait trois paroisses : Saint-Pierre-du-Marché (XIIIe et XVe siècles), Sainte-Croix (XIIe) et Saint-Pierre-du-Martray (XIVe siècle). Loudun avait une imposante forteresse dont le seul vestige intact demeure l'imposante Tour carrée construite au XIe siècle.

9 - René Daloux dit Desormeaux (...), «de Loudun». À La Rochelle, il s'engage pour trois ans comme soldat, le 13 avril 1643. Témoin à un contrat de mariage le 18 octobre 1643, il était encore en Nouvelle-France en octobre 1647, et disparaît par la suite. [Sans alliance]

10 - Louis Lahaie ou Delahaye (...), «de Loudun». Listé parmi les passagers du navire du *Noir-de-Hollande*, il débarque à Québec le 25 mai 1664. En 1667, il possède à Charlesbourg une habitation ayant deux arpents en valeur à la côte Notre-Dame-des-Anges, et sera encore cité à Québec en novembre 1672. Il semble rentrer en France par la suite. [Sans alliance]

11 - Bastien Roy (...), «de Loudun». Il s'engage, le 23 mars 1665 à La Rochelle, à partir sur le *Cat-de-Hollande* pour un terme de trois ans en Nouvelle-France, où il n'a pas laissé de traces de sa venue. [Sans alliance]

12 - Mathieu Laurendin (...), «de Loudun». Il s'engage comme le précédent et aux mêmes conditions. Qualifié de taillandier, il est inscrit à Québec aux recensements de 1666 et de 1667, âgé de 22 et de 26 ans, travaillant alors comme domestique chez un maître taillandier. Il a dû rentrer en France après son terme. [Sans alliance]

13 - Paul Dazé (Paul & Anne Queniot), «de la ville de Loudun dans l'évêché de Poitiers». Baptisé à Ranton (p. 77) le 19 octobre 1647[6], il est arrivé, vers 1667, à Montréal où on le trouvera au service de Jeanne Mance l'année suivante[7]. Confirmé le 11 mai 1668 et marié le 14 avril 1671, on le dira maréchal âgé de 35 ans au recensement de 1681, alors en possession d'un fusil, de sept bêtes à cornes et de dix arpents en valeur. Il ira ensuite s'établir, en 1685, à Rivière-des-Prairies dans l'île de Montréal, où il sera inhumé le 18 février 1715. [1 enfant]

14 - Simon Mondignon (...), «de Loudun dans l'évêché de Tours». Il est décédé à 40 ans à l'Hôtel-Dieu de Québec, le 16 septembre 1703. [Sans alliance]

15 - Pierre Guédon ou Guindon (François & Marie Mollay ou Mollé), «de Saint-Pierre de Loudun, dans l'évêché de Poitiers». Baptisé à Saint-Pierre-du-Martray, paroisse de Loudun, le 24 septembre 1662[8], on le retrouve à Québec lorsqu'il s'engage avec son frère, le 6 août 1688, au service du marchand François Hazeur, pour travailler à la Malbaie. Marié à Montréal le 21 novembre 1706, il ira s'établir dans l'île Jésus où il vivait encore en février 1711. [3 enfants]

16 - Jean Guédon ou Gesdon (frère du précédent), «de St-Pierre à Loudun[9]». À Québec, le 6 août 1688, il s'engage avec son frère au service du marchand François Hazeur, pour aller travailler au moulin alors en construction à la Malbaie. Âgé de 30 ans, il sera hospitalisé durant 19 jours, en octobre-novembre 1689, à l'Hôtel-Dieu de Québec où, au cours de

---

6. Communication de Mme Lucienne Recouppé-Blanchard, de la Maison de l'Acadie.
7. *Registre de Bailliage de Montréal*, 06 MT 1 1/1, le 14 août 1668.
8. Communication de Mme Lucienne Recouppé-Blanchard, de la Maison de l'Acadie. Charles et François, les frères du migrant, ont aussi été baptisés au même endroit, les 24 octobre 1663 et 14 mars 1665.
9. *Registre des malades* de l'Hôtel-Dieu de Québec, le 10 novembre 1689.

séjours subséquents, il sera qualifié de volontaire le 20 septembre 1693, puis de boulanger le 1er avril 1696. Il est peut-être retourné en France puisqu'il ne laisse plus de traces par la suite. [Sans alliance]

17 - André-Antoine Fardeau (Antoine & f Françoise George), «de la paroisse de Saint-Pierre-du-Martray à Loudun». Baptisé dans cette paroisse le 15 mars 1689[10], il se marie à Québec le 29 octobre 1729. Il est père l'année suivante et décède au même endroit le 15 mars 1732. [1 enfant]

ARÇAY

Située au sud-ouest de Loudun, Arçay possède des mégalithes. Les ruines du château de Chassigny remontent au XVIIe siècle.

18 - Marguerite Boileau (René Boileau, sieur de la Goupillière, écuyer, & Joachine Seran). Elle épouse, vers 1663 à Château-Richer, Jean Serreau dit Saint-Aubin (n° 623), lequel, après un meurtre passionnel et une vie scandaleuse, deviendra seigneur de Pesmoncadie, sur la rivière Sainte-Croix, en Acadie. Elle est décédée après 1692 à Saint-Jean dans l'île d'Orléans. [3 enfants] GNA, p. 332; SVL, p. 405-409.

19 - Marie Boileau (sœur de la précédente), «de St-Jean d'Arcé dans l'évêché de Poitiers[11]». À 16 ans, en 1666, elle est servante chez Pierre Denis de la Ronde à Québec. Elle se mariera à trois reprises à l'île d'Orléans : d'abord avant 1668, puis à l'église de Sainte-Famille le 28 novembre 1669, et à celle de Saint-François le 4 avril 1690. Elle sera inhumée au même endroit le 20 juillet 1721. [1 + 8 + 1 enfants] GNA, p. 332.

LA VOYETTE

Hameau de la commune de Ceaux-en-Loudun situé au nord-est de Loudun, à la limite du département de la Vienne.

20 - Jean Puybaro ou de Puybaro (Jean & Françoise Mener), «de la paroisse de Lavoyon dans l'évêché de Poitiers». Confirmé à Québec le 15 août 1670, il se marie à Trois-Rivières, âgé

---

10. Communication de Mme Lucienne Recouppé-Blanchard, de la Maison de l'Acadie.
11. Greffe de Claude Rageot, le 11 juillet 1667. Jean-Marie Germe, de l'Association Falaise-Acadie-Québec, suppose que sa famille devait être de la Goupillère, à Ballan, au sud-ouest de Tours.

de 30 ans, le 25 novembre 1681. Il s'installera vers 1683 à Boucherville où il décédera en 1687. [2 enfants]

CEAUX

Située à 12 kilomètres à l'est de Loudun, Ceaux-en-Loudun est formé des anciennes paroisses de Ceaux et de Joué. Du château de Ceaux, il ne reste que des vestiges. On y trouve aussi des pigeonniers.

21 - Anne Dequain (f Florimond & Henriette Fermilis), «du Bourg du Sceau dans l'évêché de Poitiers», ce qui peut aussi correspondre à Ceaux-en-Couhé (p. 215) ou à Usseau au nord-est de Châtellerault. Mariée à Québec le 28 octobre 1669, elle avait 34 ans lors du recensement de 1681, résidant alors dans la haute ville de Québec. Hospitalisée à l'Hôtel-Dieu de cette ville durant 12 jours au printemps de 1698, elle habitait à Petite-Rivière-Saint-Charles à son décès, le 6 février 1734. [6 enfants] LFR, p. 303-304.

22 - Henri Regnez, sieur Dupain (...), «paroisse de Saux au Poitou[12]», ce qui peut aussi correspondre à Ceaux-en-Couhé (p. 215). Lieutenant réformé de la compagnie de monsieur de Monic, il est hospitalisé durant huit jours, à l'âge de 24 ans, à l'Hôtel-Dieu de Québec en juin 1690. Nulle autre mention. [Sans alliance]

JOUÉ

La paroisse de Joué, située à l'est de Loudun, a fusionné avec celle de Ceaux pour former la commune de Ceaux-en-Loudun. Les villages de Joué et de Ceaux sont reliés par la Départementale n° 40.

23 - Jacques Chauson (...), «de Jouhé en Poitou», ce qui pourrait également désigner Jouhet, commune de l'arrondissenent de Montmorillon (p. 201). Après un contrat de mariage rédigé le 20 mars 1638 à La Rochelle, il s'engage avec sa femme, le 27 mars, pour trois ans à l'île du Cap-Breton, en qualité de scieur de bois. Il devait traverser à bord du *Soleil*, mais il ne semble pas être resté en Acadie. [Sans postérité] RHAF, vol. II (1952), p. 222.

24 - Jeanne Chesson (...), épouse du précédent. Elle s'engage avec lui pour l'Acadie, le 27 mars 1638. [Sans postérité]

---

12. *Registre des malades* de l'Hôtel-Dieu de Québec, le 23 juin 1690.

25 - François Gouin (...), «de Jouy près de Loudun». Qualifié de laboureur, le 16 avril 1642, il s'engage pour deux ans à Miscou, sur la Baie-des-Chaleurs. Comme les précédents, il n'a pas laissé de traces de son passage en Acadie. [Sans alliance]

ROSSAY

À 4,5 kilomètres au sud-est de Loudun par la Départementale n° 14. Les pèlerins vers Saint-Jacques-de-Compostelle s'abritaient dans le mur d'enceinte du château de Bois-Rogue.

Laurent Gouin. Voir n° 31 à Angliers.

CLAUNAY

Situé au sud-est de Loudun sur la Départementale n° 47, Claunay a fusionné avec le Bouchet en 1972, pour former la commune de La Roche-Rigault. L'abside, le clocher, la coupole sur pendentifs ainsi que les chapiteaux ornés de l'église Saint-Germain sont remarquables.

26 - Charles Choquard, Chognard ou Cognard (f Pierre & Marie-France Garbau), «de la paroisse Saint-Germain de Claunais dans l'évêché de Poitiers». On le trouve à Verchères où il se marie le 4 mars 1737. Il y sera cité jusqu'au 26 février 1748, et décédera avant le 19 février 1759. [2 enfants]

Au sud du Loudunais, mais vers l'ouest, 48 migrants sont originaires du canton de Moncontour :

ANGLIERS[13]

Sur la Nationale n° 147, au sud de Loudun. La porte et le clocher de l'église sont gothiques. Le château du XVIIᵉ siècle a été restauré au XIXᵉ.

27 - René Fillastreau (f Vincent & Nicole Robinelle), «de la paroisse St-Antoine d'Englées dans le diocèse de Poitiers». Né vers 1625, il était originaire du lieu-dit de Saint-Antoine, dans le bourg Angliers. Il prend à bail la terre Saint-Jean, en banlieue de Québec, le 26 juillet 1655. Coureur de bois en 1657-1658, il décide de s'installer à Montréal où il se fait scieur de long, et épouse Jeanne Hérault (n° 263), le 22 octobre 1658.

---

13. Je parle abondamment d'Angliers et de ses ressortissants René Fillastreau, Pierre Lorin et son épouse, ainsi que des frères Gouin dans mon ouvrage *Quatre cousins loudunais en Nouvelle-France*, Montréal, Éditions du Méridien, 1992. Y sont également reproduits plusieurs documents d'archives les concernant.

Ayant reçu en 1665 une terre à Longue-Pointe, en banlieue de Montréal, il gagnera principalement sa vie comme voyageur et scieur de long. Il est décédé le 27 juin 1678, à l'Hôtel-Dieu de Montréal. [4 enfants]

28 - Pierre Lorin dit La Chapelle (...), cousin du précédent et des frères Gouin qui suivent. À cause de son surnom, il est peut-être originaire de la Chapelle-Bellouin, au nord-est d'Angliers. Né vers 1628, il débarque à Québec, avec son épouse, à l'automne de 1655. Le couple avait été recruté en France pour s'occuper d'une ferme dans la seigneurie Notre-Dame-des-Anges, puis s'installera à Montréal en 1658. Veuf et père d'un enfant, Lorin s'y remarie le 20 octobre de l'année suivante. Il exploitera plusieurs terres dans l'île de Montréal, mais gagnera principalement sa vie comme scieur de long. Il est décédé à Montréal durant l'été de 1685. [1 + 10 enfants]

29 - Françoise Hulin (...), épouse du précédent. Elle traverse en Nouvelle-France avec son mari en 1655. Elle vit d'abord en banlieue de Québec et décède le 22 novembre 1658, quelques semaines après s'être installée à Montréal. [1 enfant]

30 - Mathurin Gouin (f Vincent & Charlotte Gauthier), «*ex parocia* d'Anglier *in Pictavia*», cousin de Fillastreau et de Lorin. Il est dit de Loudun et âgé de 22 ans à son engagement, le 10 avril 1657 à La Rochelle, mais, à deux reprises en Nouvelle-France, il précisera être d'Angliers. Débarqué à Québec en 1657, il semble accomplir son terme de trois ans à Trois-Rivières où il se marie le 20 novembre 1663. Il reçoit une concession, le 17 mars 1665, à la Pointe-de-Champlain où il habitera jusqu'en 1673, pour ensuite s'établir à Sainte-Anne-de-la-Pérade où il deviendra un important propriétaire foncier et un homme très considéré. Il y est décédé entre 1692 et 1700. [5 enfants]

31 - Laurent Gouin (frère du précédent), «natif de la paroisse d'Angliers près de Loudun en Poitou». Il fut en réalité baptisé le 26 février 1636 à Rossay, à cinq kilomètres au nord-est d'Angliers[14]. Il s'engage avec son frère, en 1657, et semble aussi accomplir son contrat d'engagement dans la région de

---

14. Communication de M. Jean-Marie Germe, de l'Association Falaise-Acadie-Québec.

Trois-Rivières. Il reçoit par la suite une terre à la Pointe-de-Champlain, près du fort de La Touche, dans lequel il se marie le 22 octobre 1665. Il exploitera sa terre jusqu'à sa mort, le 13 novembre 1686. [Sans postérité]

MARTAIZÉ

À six kilomètres au sud-ouest d'Angliers. L'église Saint-Maurice, reconstruite au XVIIᵉ siècle, possède toujours son clocher-porche roman du XVIᵉ siècle.

32 - Louis Remeneuil dit Lafranchise (f Mathieu & Jeanne Bonivet), «de Martezé en Poitou». Il était boulanger à l'époque de son mariage à Québec, le 16 août 1736. On le dira cependant journalier âgé de 45 ans, à son inhumation au même endroit, le 30 mars 1748. [7 enfants]

AULNAY

À trois kilomètres au sud-est de Martaizé. L'ancienne seigneurie du Perron appartenait à Descartes. Reconstruite au XIXᵉ siècle, l'église Notre-Dame conserve néanmoins une abside romane.

33 - Charles de Menou d'Aulnay et de Charnizay (René de Menou de Charnizay, conseiller d'État sous Louis XIII, & Nicole de Jousserand), cousin d'Isaac de Razilly (n° 1). Menou d'Aulnay tirait son titre de l'immense seigneurie d'Aulnay[15], laquelle appartenait en réalité à sa mère[16]. Il est né vers 1603, vraisemblablement au château de Charnizay, tout juste à l'extérieur du Loudunais, en Touraine. La seigneurie de Charnizay ayant été vendue en 1612, Nicole de Jousserand alla habiter à Poitiers où sa présence est attestée en 1619[17], puis à Loudun, et à Aulnay à partir de 1624. À la même époque, son mari René de Menou de Charnizay vivait à Paris. Il semble que Charles de Menou d'Aulnay, quant à lui,

---

15. G. MASSIGNON, «La seigneurie de Charles de Menou d'Aulnay, gouverneur de l'Acadie, 1635-1650», *Revue d'histoire de l'Amérique française*, vol. XVI (mars 1963), p. 469-501.

16. Comment Charles de Menou pouvait-il accoler le titre d'Aulnay à son nom? Dans son testament de 1643, Nicole de Jousserand, la véritable dame d'Aulnay, confirme qu'elle laissera cette seigneurie en héritage à son fils, lequel ne fut donc véritablement seigneur d'Aulnay que les quelques années précédant sa mort.

17. Sur les différents lieux de résidence de Menou d'Aulnay, voir *Le messager de l'Atlantique*, n° 17 (avril 1992), p. 9 à 19. Voir aussi les nᵒˢ 19 (octobre 1992), p. 6 à 9, et 20 (janvier 1993), p. 1 et 8.

habitait tantôt dans sa famille (soit en Touraine, soit en Loudunais dans le château de Billy près de Saint-Jean-de-Sauves), tantôt à Paris chez son père, tantôt à La Rochelle chez ses collaborateurs, et tantôt chez sa mère (soit à Poitiers, soit en Loudunais où il fut notamment parrain en 1628 et 1629 à Loudun et à La Chaussée). Il s'embarque pour l'Acadie en 1632, sous les ordres de son cousin, Isaac de Razilly, dont il prendra la succession. Lieutenant général du roi en Acadie en 1638, puis gouverneur en 1647, il engagea des sommes considérables dans l'entreprise acadienne, et livra une guerre ruineuse au sieur Charles de Latour. Marié en Acadie en 1638, il fit quelques voyages en France, et mourut de froid et d'épuisement le 24 mai 1650, après avoir chaviré en canot d'écorce dans le haut de la rivière Port-Royal. [8 enfants]

34 - Jean ou Pierre Isambardt dit La Garenne (f Jacques & Marguerite Michel), «de la paroisse d'Aulnay dans le diocèse de Poitiers». Confirmé le 20 mai 1669 à Chambly, il vivait à Contrecœur où il est mort, âgé de 35 ans, le 20 février 1685. [Sans alliance]

35 - Étienne Gilbert (f Henri & Renée Maye), «de la paroisse d'Aunas dans l'évêché de Poitiers». Il a vécu à Neuville entre 1681 et 1697, et s'y est marié, âgé de 30 ans, le 1er mars 1683. En 1697, il séjourne à l'Hôtel-Dieu de Québec pour ensuite s'installer à Saint-Augustin où il meurt le 8 octobre 1714. [13 enfants]

36 - Jean Richard (Austrille & Marie Pillard), «de la paroisse d'Aulnay dans l'évêché de Poitiers». Il avait 34 ans en février 1698, lors d'un séjour de quatre jours à l'Hôtel-Dieu de Québec. Marié à l'Ange-Gardien le 18 octobre 1700, il est allé s'établir dans l'île Jésus où il est décédé à Saint-François, le 24 avril 1715. [2 enfants]

LA CHAUSSÉE[18]

Immédiatement au sud-est d'Aulnay. L'église Notre-Dame, construite au XVe siècle, possède une belle voûte, ainsi qu'un clocher de pierres finement terminé en flèche. À côté, il faudra aussi visiter la Maison de l'Acadie.

---

18. Le chapitre suivant traitera de l'immigration loudunaise vers l'Acadie. Ne seront rapportés ici que les migrants acadiens dont on a formellement retrouvé la trace à La Chaussée.

37 - Martin le Godelier, sieur du Bourg. Né vers 1590, il était écuyer et seigneur du Bourg, à La Chaussée, où il semble qu'il s'intéressait particulièrement à l'agriculture. Veuf vers 1637, il épouse Marie Mathieu en secondes noces, et participe financièrement à l'entreprise acadienne de Charles de Menou d'Aulnay (n° 33) avec lequel il était apparenté. On suppose qu'il fit aussi du recrutement en Loudunais, mais, chose certaine, il partit lui-même pour l'Acadie avec son fils et un valet. Il y est décédé en septembre 1642, deux mois après son arrivée. [3 enfants[19]]

38 - René le Godelier (fils du précédent et de Madeleine Sanglier). Il souffrait d'épilepsie et ne savait pas signer, contrairement aux autres membres de sa famille. Ayant accompagné son père en Acadie, il y est décédé après 1649. [Sans postérité]

39 - Jeanne Chebra (Antoine & Françoise Chaumont). Baptisée le 5 février 1627 à La Chaussée[20], on suppose que c'est la même que l'on retrouve à Port-Royal en 1671[21]. Elle avait épousé, vers 1648 en Acadie, Jean Poirier puis Antoine Gougeon, vers 1655. [2 + 1 enfants]

40 - Vincent Brun (...), «de la Grande-Chaussée». Il a immigré en Acadie avec sa famille, entre 1646 et 1650[22]. Qualifié de laboureur, il est recensé à Port-Royal en 1671. Âgé alors de 60 ans, il possédait dix bêtes à cornes, quatre brebis et cinq arpents en valeur. [5 enfants]

41 - Renée Braud ou Braude (...), épouse du précédent. Elle a immigré en Acadie dans les mêmes circonstances, et était âgée de 55 ans à Port-Royal en 1671. [5 enfants]

---

19. Tous les renseignements sur Martin le Godelier et son fils sont tirés de N. T. BUJOLD et M. CAILLEBEAU, *Les origines françaises des familles acadiennes. Le sud loudunais*, Poitiers, Imprimerie l'Union, 1979, p. 29 et suivantes.
20. G. MASSIGNON, *Les parlers français d'Acadie*, tome 1, Paris, C. Klincksieck, 1961, p. 37.
21. *Le Recensement nominal de l'Acadie* est reproduit dans B. SULTE, *Histoire des Canadiens français*, tome IV, Montréal, Wilson & Cie, 1882, p. 150-153.
22. G. MASSIGNON, *op. cit.*, p. 36-37.

42 - Madeleine Brun (fille des précédents). Baptisée à La Chaussée le 25 janvier 1645, elle émigrera peu après avec ses parents en Acadie. Elle épouse, vers 1665 à Port-Royal, le maréchal Guillaume Trahan dont elle sera veuve vers 1682. Elle épousera ensuite Pierre Bézier vers 1684. [5 + 1 enfants]

43 - Andrée Brun (sœur de la précédente). Baptisée à La Chaussée le 21 août 1646, elle suit ses parents en Acadie où elle épousera Germain Terriau, à Port-Royal, vers 1668. Veuve vers 1676, elle épousera Emmanuel Hébert vers 1678. [3 + 6 enfants]

VIGNOLLES

Hameau situé immédiatement au nord-est de Moncontour. On y trouve des maisons «en bousilli» dont les murs sont faits avec de la terre détrempée.

44 - Clément Boutin dit Vignolle (...), «de Vignolle dans l'évêché de Poitiers[23]». Soldat âgé de 36 ans, il fut hospitalisé durant deux mois à l'Hôtel-Dieu de Québec au cours de l'été de 1692. [Sans alliance]

MONCONTOUR

Située à la limite ouest du Loudunais, Moncontour est chef-lieu du canton. La forteresse, érigée au XIe siècle, fut reprise aux Anglais par Du Guesclin en 1372. Le duc de Guise y vaincra l'amiral de Coligny en 1569.

45 - André Thibault (...), «de la paroisse de Moncontour dans l'évêché de Poitiers». Il est inhumé à Montréal, le 14 février 1688, à l'âge de 22 ans. [Sans alliance]

SAINT-JEAN-DE-SAUVES

Au sud-ouest du Loudunais. On trouvera un sarcophage mérovingien derrière la mairie. Dans cette église construite au XIIIe siècle, un vase gallo-romain en granit sert de baptistère. Édifiée sur une butte, la chapelle Notre-Dame-de-la-Roche domine un vaste horizon.

46 - René Binet (f Mathurin, laboureur, & Marie Proute), «de St-Jean-Sauve dans l'évêché de Poitiers». Il s'engage, le 23 mars 1665, à partir sur le *Cat-de-Hollande* pour un engagement de trois ans. On le dit de Loudun à son engagement et à sa

---

23. *Registre des malades* de l'Hôtel-Dieu de Québec, le 19 juillet 1692.

confirmation, mais, à son mariage, il précisera être de Saint-Jean-de-Sauves où sa famille fut d'ailleurs retracée[24]. Âgé de 25 ans en 1666, il est domestique à Québec où il sera confirmé le 31 mai de l'année suivante. Ayant reçu, le 16 mars 1666, une terre à Petite-Auvergne, l'un des villages de Charlesbourg dans la seigneurie Notre-Dame-des-Anges, il se marie à Québec le 19 octobre 1667. En 1672, il s'installera à Beauport où il semble cultiver différentes terres après avoir vendu la sienne le 3 août 1673. Il y est décédé le 15 mai 1699. [6 enfants] NA, vol. XX, p. 6-15.

47 - François Blanchard (René & Marie Brault, mariés à la chapelle Notre-Dame-de-la-Roche, le 28 février 1724), «de la paroisse de St-Jean-de-Sauve dans le diocèse de Poitiers». Baptisé à Saint-Jean-de-Sauves le 28 février 1731, Marie Guillou ou Guillon fut sa marraine et non pas sa mère ainsi qu'il l'a déclaré à son mariage[25]. Déjà mentionné à Montréal, alors témoin à un mariage le 10 novembre 1760, lui-même se marie au même endroit, le 30 août 1762. Décédé le 14 avril 1790 à l'Hôtel-Dieu de Montréal, il fut inhumé le lendemain à l'église Notre-Dame. [2 enfants]

LA GRIMAUDIÈRE

À la limite sud-ouest du Loudunais. L'église Notre-Dame-d'Or, maintenant rattachée mais paroisse distincte au XVIIIe siècle, possède un sanctuaire gothique avec piscine, ainsi que des colonnes à chapiteaux romans. On y a trouvé une cachette d'armes de bronze contenant aussi une broche à rôtir ornée d'un quadrupède, et une roue dentée de l'époque néolithique.

48 - Louis Garnauld ou Garneau (Pierre & Jeanne Barault), «de la paroisse de La Grimaudière dans l'évêché de Poitiers». Il est probablement ce Louis Guérineau, journalier de 22 ans, engagé à La Rochelle le 11 avril 1656. Confirmé à Québec le 24 février 1660, il revend, le 5 décembre 1661, sa part d'une terre qu'il avait achetée conjointement, le 30 novembre 1657, à la côte de Beaupré. Le 23 décembre 1662, il acquiert une

---

24. Communication de Jean-Marie Germe, le 22 septembre 1988. M. Germe préfère ne pas en révéler davantage.

25. Une sœur, Marie, fut baptisée le 20 juillet 1725. Leur grand-père maternel doit être ce Pierre Braud mort à Sauves à l'âge de 70 ans, le 10 décembre 1719. Marie Guillou s'est mariée le 21 avril 1738. Communication de Mme Lucienne Recouppé-Blanchard, de la Maison de l'Acadie.

autre terre au même endroit, à l'Ange-Gardien, où il se marie le 23 juillet de l'année suivante. Ayant 32 ans en 1667, il prend à bail, à partir de 1676, la terre voisine de la sienne qu'il finira par acheter le 22 septembre 1687. En 1667, il avait 13 arpents en culture, mais il en possédera 25 en 1681 ainsi que 10 bêtes à cornes. Hospitalisé durant neuf jours à l'Hôtel-Dieu de Québec en 1995, il fait donation de ses biens à ses enfants le 2 avril 1698, et décédera avant 1713. [8 enfants] NA, vol. XXIV, p. 51-59.

Du canton de Monts-sur-Guesnes, c'est-à-dire de la partie sud-est du Loudunais, sont venus les 4 migrants suivants :

POUANT

Dans le nord du canton, à l'est de La Roche-Rigault. Le clocher de l'église et le portail en arc brisé sont du XIIe siècle. On y a trouvé une statuette romaine représentant une colombe.

49 - Jacques Maillocheau (...), «de Saint-Pouan en Poitou». Il est dit journalier âgé de 20 ans, à son engagement pour trois ans à La Rochelle, le 9 juin 1673. Il s'est noyé au Sault-Saint-Louis le 21 août 1682. [Sans alliance]

VERRUE

Vers le sud du canton, à l'est de la Nationale n° 147. Il fut trouvé dans l'ancienne église Saint-Blaise, maintenant disparue, un reliquaire en plomb du XIe ou XIIe siècle.

50 - Vincent Larbre ou Large (Charles & f Marie Gauthier), «de la paroisse de Verrue dans le diocèse de Poitiers». Il est dit résident de Montréal et âgé de 25 ans lors de son mariage, célébré au Sault-au-Récollet le 14 février 1763, après en avoir reçu la permission du grand vicaire. Il semble résider au Sault-au-Récollet par la suite. [1 enfant]

CHOUPPES

Au centre-sud du Loudunais, mais du côté ouest de la Nationale n° 147. L'église Saint-Saturnin est partiellement antérieure au XIe siècle.

51 - Vincent Dugas dit Lafontaine (Vincent, marchand, & Perrine Babin), «de Chouppe dans le diocèse de Poitiers». Il est cité le 4 janvier 1682 à Lachine, alors domestique du gouverneur de Montréal. Il se marie au même endroit, le 27 septembre 1683, mais semble s'installer à Montréal où il était aubergiste en 1684. Après un mois de veuvage, il y contracte un deuxième mariage le 4 novembre 1686. Sa présence est notée en 1687 et 1689 à Lachine, où il tient auberge et fait ouvertement le commerce illégal de l'eau-de-vie avec les Amérindiens. Il est décédé à Montréal le 24 décembre 1698, âgé de 45 ans. [2 + 5 enfants] SVL, p. 113, 140 et 162-164.

VERRINE

Hameau au sud-ouest de Chouppes et à l'extrémité sud-ouest du canton de Monts-sur-Guennes.

52 - **Toussaint-Augustin Beaudry** (René & Élisabeth Gauthier), «de la paroisse de Verrines dans le diocèse de Poitiers», ce qui peut aussi correspondre à l'ancienne commune de Verrines maintenant intégrée dans celle de Celles-sur-Belle en Deux-Sèvres (p. 265). Il fut qualifié de trafiquant de Québec à son mariage à cet endroit le 20 février 1748, et de journalier âgé de 43 ans à son décès à l'Hôtel-Dieu de Québec le 31 décembre 1749. [Sans postérité]

Les limites de l'ancien Haut-Poitou débordaient des limites départementales de la Vienne et des Deux-Sèvres. Aussi faut-il ajouter 5 Loudunais originaires d'un territoire aujourd'hui situé dans le département d'Indre-et-Loire :

RICHELIEU

Chef-lieu de canton situé à 19 kilomètres à l'est de Loudun. À partir de 1631, le cardinal de Richelieu créa cette ville pour y loger sa cour dans l'immense château qu'il faisait alors construire et dont il ne reste que bien peu de choses.

53 - **Augustin Defelteau dit Saintonge** (Augustin & Renée Angélium), «de la paroisse de St-Pierre de Richelieu dans le diocèse de Poitiers». Après en avoir obtenu la permission du grand vicaire, il se marie le 13 octobre 1755 à Lavaltrie où il résidait depuis un certain temps. En 1759, il déménage à Montréal où il sera qualifié de courrier le 18 février 1760. [3 enfants]

54 - **Vincent Champigny** (Antoine & Marie Marni), «de la ville de Richelieu dans le diocèse de Poitiers». Marié à Saint-Laurent dans l'île de Montréal le 6 octobre 1760, il vivait encore au même endroit en 1765, puis s'est installé à Montréal où il est mort, âgé d'environ 60 ans, le 7 décembre 1786. [5 enfants]

BRASLOU

Immédiatement au sud-est de Richelieu.

55 - Gilles Ménard (...), «de Branlou près de Richelieu[26]». Cité dès le 25 septembre 1650 à la mission des jésuites de Sillery alors qu'il assistait au baptême d'une Amérindienne, on le retrouve inscrit au recensement de 1667, âgé de 30 ans, et serviteur des jésuites de Québec. Il est dit habitant de Québec dans un acte d'abjuration du 6 novembre 1678, et le recensement de 1681 précise qu'il était «frère donné aux jésuites de Québec» où il aurait enseigné au collège des jésuites[27]. Qualifié de frère gris des révérends pères jésuites, il fut hospitalisé à l'Hôtel-Dieu de Québec où il est mort trois semaines plus tard, le 23 octobre 1690.

BRAYE-SOUS-FAYE

Dans le canton de Richelieu, à trois kilomètres à l'ouest de Braslou, et à trois kilomètres au sud-est du chef-lieu du canton.

56 - Florent Leclerc (Jean & Jeanne Lucia), «de la paroisse de Lebray dans l'évêché d'Angers». Travaillant déjà à Trois-Rivières à son mariage le 4 février 1658, il y est décédé, âgé d'environ 45 ans et ayant reçu tous les sacrements, en janvier 1664. [3 enfants] NA, vol. IV, p. 95-101.

FAYE-LA-VINEUSE

Dans le canton de Richelieu, tout de suite au sud de Braye-sous-Faye. Fortifiée au XIe siècle, cette baronnie relevait du duché de Richelieu. On y trouve plusieurs demeures du XVe au XVIIe siècle. La crypte de l'église Saint-Georges est remarquable.

57 - Pierre Piché, Pichet ou Picher dit Lamusette (Pierre & Anne Pinot). Il fut baptisé dans la paroisse Saint-Georges le 18 août 1632[28]. Trois mois après son arrivée en Nouvelle-France en 1662, une lettre de son frère[29] lui annonçait le décès de son épouse, Marie Lefebvre, qu'il avait laissée en France. Après avoir trouvé de l'embauche dans la seigneurie de Sillery,

---

26. *Registre des malades* de l'Hôtel-Dieu de Québec, le 7 octobre 1690.
27. A. LAFONTAINE, *Recensements annotés de la Nouvelle-France, 1666-1667*, Sherbrooke, (s.e.), 1985, p. 115.
28. L'acte de baptême est reproduit dans *Le messager de l'Atlantique*, n° 18 (juillet 1992), p. 4.
29. Son frère, Louis Picher, était garçon de garde-robe du duc d'Avignon, selon une déclaration faite devant Sainfray et Le Semelier, notaires au Châtelet de Paris, le 22 avril 1672.

il reçoit une concession dans celle de Lirec à l'île d'Orléans, qu'il vendra le 8 août 1665. Remarié à Québec le 25 novembre 1665, il est qualifié de chapelier en 1665 et 1666, habitant alors dans la seigneurie Notre-Dame-des-Anges sur une terre qu'il vendra le 23 janvier 1667. Puis il se fera fermier à la côte Saint-Michel à Sillery, pour ensuite acheter une terre dans la seigneurie de Dombourg, à Neuville, le 2 mars 1670. Apprenant en 1671 que sa première épouse vivait encore, il va la chercher, mais elle mourra durant la traversée l'amenant en Nouvelle-France. Il fait alors réhabiliter son deuxième mariage par l'Église le 9 septembre 1673, et par l'État deux jours plus tard. Encore qualifié de chapelier en 1681, il possédait deux vaches, ainsi que dix arpents en valeur à Neuville. Les ayant vendus, le 31 décembre 1700, pour s'installer dans la seigneurie de Boucherville, il se fixera dans celle de Saint-Sulpice en 1708. Il fut inhumé à cet endroit, le 31 octobre 1713. [0 + 8 enfants] NA, vol. XIII, p. 146-161; SVL, p. 426-427.

Chapitre III

La question d'un peuplement massif loudunais en Acadie

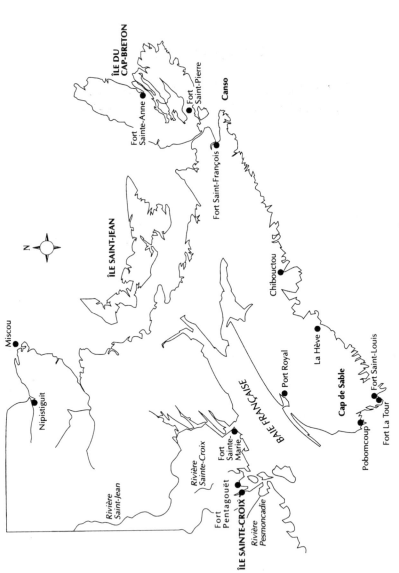

Lieux d'établissement et postes de traite en Acadie.

Charles de Menou d'Aulnay (n° 33), cousin et successeur en Acadie d'Isaac de Razilly (n° 1), tirait son titre de l'immense seigneurie d'Aulnay en Loudunais[1]. Or, s'il faut en croire Geneviève Massignon, l'émigration loudunaise dans les années 1640-1650 se serait principalement faite vers l'Acadie[2]. Elle a nommément identifié, parmi les premiers colons de l'Acadie, certaines personnes issues de La Chaussée, paroisse de la seigneurie d'Aulnay[3]. Cette découverte l'a conduite à supposer que Menou d'Aulnay aurait procédé à un intense recrutement sur les terres de sa mère. L'hypothèse ne s'est trouvée corroborée que par la coïncidence d'une vingtaine de noms de famille des laboureurs de la seigneurie d'Aulnay, identifiés en Loudunais entre 1634 et 1650, avec les noms des familles recensées à Port-Royal en 1671.

Plusieurs, dont Bona Arsenault[4], ont transformé en certitude ce qui n'était qu'une hypothèse établie sur de simples coïncidences. Ainsi, les ancêtres acadiens Antoine Babin, Antoine Béliveau, Clément Bertrand, Vincent Brault[5], Michel

1. Voir p. 84.
2. G. MASSIGNON, *Les parlers français d'Acadie, enquête linguistique,* 2 volumes, Paris, C. Klincksieck, 1961. *Id.,* «La seigneurie de Charles de Menou d'Aulnay, gouverneur de l'Acadie, 1635-1650» dans *Revue d'histoire de l'Amérique française,* vol. XVI, n° 4 (mars 1963), p. 469-501. *Id.,* «À propos du peuplement de l'Acadie» dans *Bulletin de la Société des Antiquaires de l'Ouest,* 1er trimestre de 1964, tome VII, 4e série, p. 399-402.
3. Voir page 85-87.
4. B. ARSENAULT, *Histoire et généalogie des Acadiens,* Montréal, Leméac, 1978, 6 volumes.
5. On m'a communiqué l'acte de baptême, le 28 mai 1629 dans la paroisse de Saint-Clément de Saint-Jean-de-Sauves, de Vincent Brault, fils de René Brault et de Marie Renaulme. Il ne doit pas s'agir de l'ancêtre acadien puisqu'on retrouve ce même Vincent Brault et sa mère témoins à un mariage célébré à Coussay en 1675 (voir *Mémoires de la Société généalogique canadienne-française,* vol. XXXIV, septembre 1983, p. 212). M. Yves Beaulu, président de l'Association des Cousins acadiens du Poitou, a attiré mon attention sur le Vincent Breault cité à Québec en 1647 (voir M. TRUDEL, *Catalogue des immigrants 1632-1662,* Montréal, Hurtubise HMH, 1983, p. 177). Il s'agit d'une obligation d'Isaac Blineau à Vincent Breau, passée à Québec le 11 août 1647, devant le notaire Laurent Bermen. Vincent Breau, maçon demeurant à Québec, vend alors un abri à Isaac Blineau, «travaillant demeurant en ce pays». Blineau sera encore cité à Québec en janvier 1648 (*ibid.,* p. 177), mais on ne trouve aucune autre mention de ce Vincent Breau, qui signe et qui pourrait bien être l'Acadien.

Dupeux dit Dupuis, François Girard, René Landry (l'aîné), Louis Robichaud... sont présumés originaires de La Chaussée. Les villages voisins de Martaizé et de Guesnes seraient aussi de véritables pépinières de l'Acadie. Les ancêtres Jean Blanchard, Antoine Bourc, Jean Gaudet, François Gauterot, Jacques Joffriau, Jérôme Guérin, Daniel Leblanc, Pierre Morin, Jean Poirier, François Savoie, Jean Thériault, Pierre Thibaudeau, Pierre Vincent... seraient tous originaires de Martaizé.

Gabriel Debien, voulant sans doute nuancer les affirmations de Geneviève Massignon, a quelque peu embrouillé la question en concluant que l'émigration de groupes vers l'Acadie était peu probable[6]. Sa conclusion est peut-être juste, mais elle ne découle pas logiquement de son argumentation. De prime abord, la possibilité d'une émigration loudunaise massive vers l'Acadie demeure vraisemblable quoique très hypothétique. En réalité, nous ne savons rien de l'origine de la population acadienne de 1671, sinon qu'elle a bien peu à voir avec tous ces salariés recrutés à La Rochelle et rapportés par Debien pour prouver son point[7]. Ce qu'il dit est bien vrai, certes, mais les quelques recrutés de La Rochelle ne furent en fait qu'une main-d'œuvre temporaire, et c'est ailleurs qu'il faut chercher et reconnaître ceux qui s'établirent véritablement en Acadie pour constituer l'origine de la population actuelle. Geneviève Massignon croit qu'ils ont pu venir du Loudunais, Debien opine que cela est peu probable. Tant que l'on ne prouve rien, l'opinion de l'un vaut autant que celle de l'autre.

L'historien est ici confronté à la rareté et à la confusion des sources. Ainsi, Rameau de Saint-Père compare l'œuvre de peuplement de Menou d'Aulnay à celle de Robert Giffard[8]. Un mémoire affirme en effet que Menou d'Aulnay entretenait à Port-Royal

«200 hommes tant soldats laboureurs que autres artisans, sans compter les femmes et les enfants, ni les Capucins ni les enfants

6. G. DEBIEN, chronique «Bibliographie» dans *Bulletin de la Société des Antiquaires de l'Ouest*, 2e trimestre de 1963, tome VII, 4e série, p. 153-161.
7. *Ibid.*, p. 157-161.
8. E. RAMEAU DE SAINT-PÈRE, *Une colonie féodale en Amérique. L'Acadie 1604-1681*, 2 volumes, Paris et Montréal, Plon et Granger, 1889, vol. I, p. 91-123.

sauvages. Il y a en outre vingt ménages français qui sont passés avec leurs familles pour commencer à peupler les pays[9].»

Michel Boudrot, qui recueille en 1687 les dépositions des pionniers du pays, déclare :

«Nous, Michel Boudrot, lieutenant général en Acadie avec les anciens habitants du pays [... certifions que] ledit défunt [Menou d'Aulnay] ramena de France, à ses dépens, plusieurs familles dont la plus grande partie existe encore; qu'il établit et entretient à ses propres frais[10] [...]»

Le mémoire, écrit sous la dictée de Menou d'Aulnay, a souvent été mis en doute tandis que Michel Boudrot, écrivant 40 ans après l'arrivée des familles pionnières, attribue peut-être à Menou d'Aulnay des mérites revenant plutôt à Isaac ou à Claude de Razilly.

Par contre, Clarence-J. d'Entremont se fonde sur le témoignage partial et injuste de Nicolas Denys[11], et sur un *Factum* de 1647 auquel le roi n'accorde aucune valeur, pour reconnaître à Menou d'Aulnay bien peu d'efforts de colonisation[12]. Chacune des deux thèses contradictoires repose donc sur des documents qui se contredisent entre eux, et dont la fiabilité et l'impartialité peuvent facilement être mises en doute.

---

9. Bibliothèque nationale, nouvelles acquisitions françaises, fonds Margry, Ms 9281, folios 104-105.

10. État des travaux exécutés en Acadie par le sieur d'Aulnay; lequel état, dressé le 15 octobre 1687 par les notables de Port-Royal, a été déposé et certifié à Paris le 27 décembre 1688, par-devant deux notaires au Châtelet. RAMEAU DE SAINT-PÈRE, *op. cit.*, vol. II, p. 302-303.

11. Ce jugement apparaît suspect parce qu'il est porté au moment où Nicolas Denis est en conflit avec Menou d'Aulnay dans une affaire pour laquelle il est le seul à témoigner. De plus, ces propos se rapportent à l'année 1636 et, s'il y a vraiment eu arrêt de la colonisation cette année-là, celui-ci doit être imputé à Claude de Razilly dont Menou d'Aulnay n'était que le lieutenant. (Voir M. TRUDEL, *Histoire de la Nouvelle-France*, vol. III : *Les événements*, Montréal, Fides, 1979, p. 71-72.

12. C. D'ENTREMONT, *Histoire du Cap-Sable. De l'an mil au traité de Paris (1763)*, 5 volumes, Eunice (Louisiane), Hebert Publications, 1981, vol. II, p. 659-661. L'auteur rapporte aussi la commission que La Tour, en 1651, réussit à obtenir, de façon pour le moins surprenante, et dans laquelle est mentionné le besoin d'établir des colonies françaises en Acadie, ce qui ne signifie aucunement qu'il n'y en avait pas déjà une à Port-Royal. Une commission tout à fait semblable, mais émise en faveur de Menou d'Aulnay en février 1647 avec confirmation le 13 avril suivant, fait d'ailleurs allusion à la colonie que Menou d'Aulnay avait «commencé à former».

Comme Giffard et La Dauversière, Menou d'Aulnay aurait très bien pu faire du recrutement parmi ses compatriotes. L'hypothèse paraît logique et conforme à la façon de faire de l'époque, mais Geneviève Massignon n'a pu la faire corroborer que par un ensemble de faits et de documents qui ne suffisent malheureusement pas. Si sa thèse demeure plausible, son argumentation pour convaincre que le Loudunais serait véritablement le berceau de l'Acadie est loin d'être irréfutable[13].

Poussant encore plus loin les hypothèses de Geneviève Massignon, Nicole T. Bujold et Maurice Caillebeau avancent que Martin Le Godelier, seigneur du Bourg (nº 37), ainsi que le notaire Vincent Landry auraient participé activement au recrutement de colons loudunais pour l'Acadie[14]. Cette théorie est aussi très séduisante mais elle s'échafaude, en attendant les preuves, sur bien des suppositions[15].

Pour ma part, je suis davantage porté à écarter tous ces échafaudages pour aborder la question de l'origine loudunaise des premiers Acadiens d'un point de vue démographique. Les lettres du 7 novembre et du 12 décembre 1641 du père Pacifique de Provins, préfet des missions capucines, indiquent que cette année-là, au moment où Menou d'Aulnay allait bientôt succéder à Claude de Razilly et prendre charge de l'Acadie, l'ensemble du territoire acadien comptait 120 hommes et 40 soldats[16]. Quelques mois plus tard, en 1643, le mémoire déjà cité affirmait que Menou d'Aulnay entretenait à Port-Royal 200 soldats, laboureurs et artisans incluant 20 familles nouvellement installées. À la mort de Menou d'Aulnay en 1650, les historiens estiment la population fran-

---

13. Voir C. D'ENTREMONT, *op. cit.*, p. 657-659.
14. N. T. BUJOLD et M. CAILLEBEAU, *Les origines françaises des premières familles acadiennes. Le sud Loudunais*, Poitiers, Imprimerie de l'Union, 1979.
15. On m'a dit, à la Maison de l'Acadie, à La Chaussée, que cela n'était qu'une hypothèse de travail, que les recherches se poursuivaient et qu'on pensait bientôt pouvoir en démontrer la véracité.
16. Lettres citées dans *Revue d'histoire de l'Amérique française*, vol. XI (1957), p. 235.

çaise d'Acadie à 300 personnes, soit une cinquantaine de familles[17]. Cette estimation est obtenue par évolution régressive à partir du recensement acadien de 1671. La conquête anglaise de 1654 a certainement provoqué le départ des soldats, mais les familles établies sont demeurées de sorte que lorsque l'Acadie fut remise officiellement à la France, on y recensa environ 400 habitants. Parmi eux, exactement 359 étaient établis à Port-Royal, là où Menou d'Aulnay avait fait assécher une grande prairie fertile.

Or, si des 300 Français vivant en Acadie en 1650 nous retranchons 50 épouses et une centaine d'enfants, nous revenons à peu de choses près aux 120 hommes et 40 soldats de 1641! Il s'ensuit qu'il n'y eut donc pas d'accroissement démographique significatif sous l'administration de Menou d'Aulnay. Si le nombre d'habitants semble relativement stable entre 1641 et 1650, on pourra tout de même avancer qu'un certain nombre de militaires et de salariés de passage ont pu être remplacés par des laboureurs, ou même par des familles, venus se fixer définitivement. Peut-être, mais jusqu'à un certain point; et rien ne prouve encore que ces hypothétiques nouveaux arrivants soient tous venus du Loudunais. L'immigration massive de familles loudunaises installées en Acadie par Menou d'Aulnay ne se manifeste guère de façon évidente; les 20 familles nouvellement établies, et rapportées en 1643, paraissent le plus haut maximum possible, pour ne pas dire impossible. Il reste en effet beaucoup plus simple d'envisager que la majorité de la population acadienne stable avait été établie à Port-Royal avant novembre 1641, c'est-à-dire sous l'administration d'Isaac et Claude de Razilly.

Une chose demeure toutefois certaine. Après la mort de Menou d'Aulnay en 1650, le recrutement de Loudunais vers la Nouvelle-France se fait sur une base individuelle et presque exclusivement vers la vallée du Saint-Laurent où l'immigration venue du Sud-Loudunais met en relief ce que je serais tenté d'appeler une certaine tradition migratoire. Charles Menou d'Aulnay en aurait-il été à l'origine? Il demeure certes

---

17. M. TRUDEL, *Les événements, op. cit.*, p. 102; René BAUDRY, «Charles d'Aulnay et la Compagnie de la Nouvelle-France», *Revue d'histoire de l'Amérique française*, vol. XI (1957), p. 235.

très hasardeux de l'affirmer. Mais le fait qu'entre 1650 et 1700, seulement sur le territoire de la seigneurie d'Aulnay, pas moins de cinq migrants de la paroisse d'Angliers et trois autres de celle d'Aulnay vont poursuivre leur destinée dans la vallée du Saint-Laurent pourrait inciter à le croire[18].

---

18. D'Angliers : René Fillastreau, Pierre Lorin, Françoise Hulin, Mathurin et Laurent Gouin (n°s 27 à 31); d'Aulnay : Jean Isambardt, Étienne Gilbert et Jean Richard (n°s 34 à 36).

Chapitre IV
Le Châtelleraudais

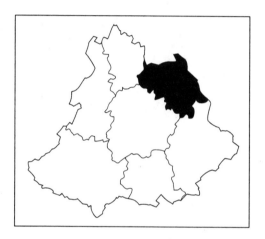

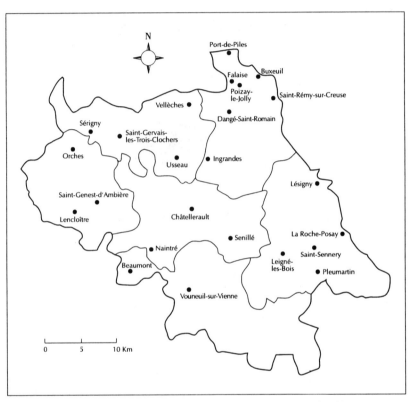

Lieux de provenance des migrants châtelleraudais dans le département de la Vienne.

Dans le département de la Vienne, les anciens arrondisse-ments de Loudun et de Châtellerault ont été réunis en 1926 pour former l'arrondissement actuel de Châtellerault. Le Châtelleraudais est donc délimité ici par l'arrondissement initial de Châtellerault, soit une superficie de 1 125 km^2 ou 112 478 hectares comprenant les cantons de Dangé-Saint-Romain, Saint-Gervais-les-Trois-Clochers[1], Lencloître, Châtellerault, Pleumartin et Vouneuil-sur-Vienne.

Gabriel Debien avait remarqué que, sur un millier de travailleurs poitevins partant vers l'Amérique, personne n'était originaire de la campagne châtelleraudaise mis à part les 13 immigrants originaires de Châtellerault[2]. Ceux-ci s'enga-gèrent tous vers les Antilles à l'exception d'un seul pour l'Acadie[3]. Il y eut certes d'autres Châtelleraudais en Nouvelle-France mais force est de reconnaître qu'ils furent relativement peu nombreux comparativement, par exemple, à ceux venus du Sud-Loudunais.

Un minimum de 38 migrants sont venus du Châtelleraudais. Ils sont présentés de la même façon : du nord vers le sud, selon leur région d'origine. Pour un même lieu de provenance, les immigrants sont listés selon l'ordre probable de leur migration.

Dans la pointe nord du Châtelleraudais, 10 migrants sont originaires du canton de Dangé-Saint-Romain[4] :

---

1. Leigné-sur-Usseau fut autrefois le chef-lieu de ce canton.
2. G. DEBIEN, «L'émigration poitevine vers l'Amérique au XVIIe siècle» dans *Bulletin de la Société des Antiquaires de l'Ouest*, tome II de la 4e série, 4e trimestre de 1952, p. 280.
3. *Id*, «Engagés pour le Canada au XVIIe siècle, vus de La Rochelle», dans *Revue d'histoire de l'Amérique française*, vol. VI (1952), p. 177-233 et 374-407. Pierre Chedeau (n° 78) s'engage pour l'Acadie. En réalité, il y avait aussi Nicolas Picard (n° 70) et François Leroux dit Cardinal (n° 86) qui s'engagent pour la vallée du Saint-Laurent, mais dont Debien ignorait la provenance.
4. À ces 10 migrants, il faudrait rajouter Mathurin Parent (Thomas & Marie Marnay), baptisé à Leugny-sur-Creuze le 22 novembre 1655, et marié à Montréal le 12 janvier 1688. Trouvé au dernier moment, il n'est pas inclus dans les compilations présentées à la fin de cet ouvrage. *Herage*, bulletin du Cercle généalogique poitevin, septembre 1994, p. 10-11.

PORT-DE-PILES

Situé au Bec-des-Deux-Eaux, c'est-à-dire au confluent de la Vienne et de la Creuse, à la limite nord du Châtelleraudais. L'église Saint-Nicolas est du XIIe siècle alors que la Maison, dite d'Aliénor d'Aquitaine, remonte au XVe.

58 - Charles Laurent (f Charles & f Marie Piraude), «de la ville de Porteville dans le diocèse de Poitiers», frère de Louis Laurent cité plus loin (n° 63). Arrivé en Nouvelle-France vers 1730, il sort de l'ombre le 19 août 1743 pour assister à un mariage à Saint-Vallier. Âgé de 43 ans, il est au pays depuis 30 ans et demeure depuis sept ans chez l'évêque de Québec, lorsque le chanoine vicaire général du diocèse, qui le connaît depuis 15 ans, lui donne la permission de se marier le 27 mars 1760. Il se marie le 14 avril à Québec où je perds aussitôt sa trace. [Sans postérité]

FALAISE

Lieu-dit actuellement situé dans la commune de Les Ormes sur la Nationale n° 10, à la limite nord de l'arrondissement. Le château de Falaise abrite maintenant le musée de l'Association Falaise-Acadie-Québec. Voir en particulier le très beau retable de la chapelle.

59 - Louis de Gannes, sieur de Falaise (Louis, gendarme d'une compagnie du roi, & Françoise de Bloy, mariés à Beaulieu près de Loches le 26 juillet 1656), frère du suivant et oncle de Georges de Gannes (n° 69). Né le 9 octobre 1658 au château de Falaise, Louis de Gannes fut baptisé le 15 avril 1659 à l'église de Buxeuil[5]. Garde-marine à Rochefort en 1683, il fut nommé lieutenant et envoyé en Nouvelle-France, le 17 mars 1687, où il recevra, le 20 septembre 1694, la seigneurie de Saint-Denys-sur-Richelieu dont il se départira peu avant sa mort. Marié en 1691, il se remarie le 12 juillet 1695 à Montréal et revient en France pour être nommé, le 17 mars 1696, capitaine en Acadie où il contractera un troisième mariage à la Rivière-Saint-Jean, le 5 août 1700. Major de l'Acadie le 1er mai 1704, et chevalier de Saint-Louis depuis le 28 juin 1713, il s'embarque, étant nommé major de l'île Royale, pour aller

---

5.   Voir son acte de baptême ainsi que la généalogie des De Gannes dans *Le messager de l'Atlantique*, publié par l'Association Falaise-Acadie-Québec, n° 5 (avril 1989), p. 14-15. Les nunéros 2, 3, 4, 5 et 21 de cette revue sont aussi à consulter sur cette famille.

chercher des troupes stationnées à Oléron et décède en arrivant à La Rochelle, le 25 février 1714. [1 + 0 + 13 enfants][6] BRH, vol. XXXI (1925), p. 275-279.

60 - François de Gannes (frère du précédent et oncle de Georges de Gannes (n° 69). Baptisé le 23 juillet 1675 à Buxeuil, il est garde-marine à Rochefort en 1693, devient enseigne en Acadie le 1er mars 1696, puis lieutenant le 4 mai 1700. Ayant épousé à Montréal la fille d'Isaac Nafrechou (n° 513) le 30 novembre 1713, il est nommé capitaine à l'île Royale le 1er janvier 1714, et reviendra comme capitaine au Canada le 7 juin 1715. Chevalier de Saint-Louis le 28 juin 1718, il est nommé major de Trois-Rivières le 11 avril 1727, et de Montréal le 16 mars de l'année suivante. Finalement lieutenant du roi à Trois-Rivières en 1733, puis à Montréal en 1743, il est décédé à cet endroit le 26 septembre 1746. [Sans postérité] BRH, vol. XXXI (1925), p. 279-280.

SAINT-RÉMY-SUR-CREUSE

Juste au sud de Buxeuil par la Départementale n° 5. D'anciennes habitations troglodytes sont creusées dans les falaises de ce bourg fondé par Richard Cœur de Lion.

61 - Mathurin Mercadier dit Lahaye (Georges & f Charlotte Maurier), «de la paroisse de St-Rémy de Busseil dans l'évêché de Poitiers». Marié à Montréal le 14 octobre 1670, il était décédé au moment de la naissance d'une deuxième fille en décembre 1672. [2 enfants]

62 - Jean Vergnault (...), «de St-Rémy en Poitou», ce qui peut aussi correspondre à Saint-Rémy dans le canton de Niort. Cloutier âgé de 26 ans, il est engagé par le capitaine du *Lys* le 4 juin 1749 à La Rochelle. Il n'a pas laissé de traces de sa venue en Nouvelle-France. [Sans alliance]

POIZAY-LE-JOLLY

Ce hameau, situé juste à l'ouest de Saint-Rémy-sur-Creuse, fait maintenant partie de la commune Les Ormes. On y trouve une vieille ferme.

63 - Louis Laurent (Charles & f Marie Pirau), «de Poisé Joly dans l'évêché de Poitiers», frère de Charles Laurent, de Port-de-

---

6.   Voir *Le messager de l'Atlantique*, n° 2 (juillet 1988), p. 3 à 6, et *Bulletin de recherches historiques*, vol. XXXI (1925), p. 271-279.

Piles (n° 58). Navigateur, il se marie le 18 novembre 1737 à Québec où il possédait son domicile. Il est décédé au même endroit le 13 avril 1758, âgé d'environ 65 ans. [3 enfants]

64 - Vincent Plinguet dit Saint-Vincent (Vincent & Louise Bouillie ou Bouillez). Il se marie, à l'âge de 29 ans, à Montréal le 18 janvier 1751, puis au même endroit le 16 mai 1774. Décédé le 28 février 1789 à l'Hôpital général de Montréal, il fut inhumé le 2 mars à l'église Notre-Dame. [5 + 0 enfants]

INGRANDES

À mi-chemin entre Dangé-Saint-Romain et Châtellerault. Un souterrain gaulois servait de refuge à la Saulnerie. On peut aussi y voir des bornes milliaires de la voie romaine entre Poitiers et Tours, ainsi que des sarcophages mérovingiens derrière l'église Saint-Pierre-et-Saint-Paul.

65 - Charles-Henri Aloigny, marquis de La Groix (f Louis, capitaine de cavalerie et premier marquis de La Groix, & Charlotte Chasteigner de Saint-Georges), «de la paroisse d'Ingrande du pays de Châtellerault en la province et diocèse de Poitiers». Appartenant à la maison de La Groix, dont subsistent encore les restes du château d'Allogny à Saint-Rémy-sur-Creuse (p. 105), il fut nommé garde-marine à Rochefort le 13 avril 1683, lieutenant au Canada le 29 juillet 1688, capitaine le 1ᵉʳ mars 1693, major des troupes de la colonie le 1ᵉʳ avril 1702, et commandant de ces troupes du 15 mai 1704 jusqu'à sa mort. Fait chevalier de Saint-Louis le 15 juin 1705, il fut aussi nommé lieutenant de vaisseau le 18 juin 1707, capitaine de frégate le 29 septembre de la même année, et capitaine de vaisseau le 28 juin 1713. Marié à Québec le 5 novembre 1703, il est décédé à l'automne de 1714 dans le naufrage du *Saint-Jérôme* sur l'Île-de-Sable. [Sans postérité] DBC, vol. II, p. 15-16; BRH, vol. XL (1934), p. 188-189.

66 - Pierre Léger dit Lajeunesse (f Pierre & Louise Perreaux), «de la paroisse d'Ingrande dans l'évêché de Poitiers». Il avait été soldat dans la compagnie de Pierre Petit, sieur de Levilliers, avant son mariage à Québec le 7 janvier 1711. Il se fait ensuite maître cordonnier et élève sa famille, d'abord à l'île d'Orléans, puis à Montréal en 1714, et finalement à Québec à partir de 1727. C'est là qu'il décédera, le 4 mars 1737, à l'âge de 60 ans. [11 enfants]

67 - Charles Leblond dit Lafortune (f Jean & Marie Touré), «de la paroisse d'Ingrande dans le diocèse de Poitiers». Résidant à Québec, il était sergent de la compagnie de Raymond à son mariage, le 16 juin 1749. Il occupait encore la même fonction en 1755. [7 enfants]

Au moins 4 migrants sont venus du canton de Saint-Gervais-les-Trois-Clochers :

VELLÈCHES

Commune immédiatement à l'ouest de Dangé-Saint-Romain par la Départementale n° 22. L'église Notre-Dame fut construite au XIIe siècle dans le style gothique angevin. Le château de Marmande présente un donjon roman et des ruines du XIVe siècle.

68 - Louis Véronneau (honorable Louis, greffier de Saint-Martin de Cande, & Marie Jahan de la Ronde), «de Saint-Jean de Chartereau dans l'évêché de Poitou», ce qui correspond à la paroisse Saint-Jean-l'Évangeliste de Châtellerault. Il fut toutefois baptisé àVellèches le 14 mars 1679[7]. À son arrivée en Nouvelle-France, il fut intégré à la compagnie du sieur Raymond Blaise des Bergères dans laquelle il était sergent en 1704 à Montréal. Marié au Cap-de-la-Madeleine le 17 août de l'année suivante, il s'établit à Saint-François-du-Lac, sur la rive sud du Saint-Laurent, où il décédera le 7 juin 1759. [4 enfants]

69 - Georges de Gannes de Chemallé (Georges de Gannes, écuyer seigneur de Montdidier, baptisé à Vellèches le 19 juin 1656, & Catherine Durand, mariés à Dolus [Indre-et-Loire] le 5 février 1704), «de la paroisse d'Aulus dans le diocèse de Tours», neveu de Louis et François de Gannes (n°s 59 et 60). On lit sur une plaque, dans le bourg de Vellèches, que Georges de Gannes y serait né en 1705[8], mais c'est à Dolus qu'il fut baptisé le 10 mai 1705[9]. En 1732, il passe au Canada où il avait déjà

---

7. *Herage,* bulletin du *Cercle généalogique poitevin,* n° 38 (septembre 1992), p. 19. Voir aussi *Le messager de l'Atlantique,* n° 3 (octobre 1988), p. 17. Le frère du pionnier québécois Léon Levrault (n° 88) demeurait à 500 mètres de la maison des Véronneau, si je comprends bien le sens de la communication du 17 novembre 1987 de M. Jean-Marie Germe.
8. *Le messager de l'Atlantique,* n° 3 (octobre 1988), p. 17.
9. *Bulletin de recherches historiques,* vol. XXXI (1925), p. 338-339.

un oncle et plusieurs cousins. Nommé enseigne en second le 26 avril 1736, puis enseigne le 27 avril 1741, il se retrouvera au fort Saint-Frédéric en 1746 et 1749, pour ensuite devenir aide-major à Trois-Rivières en 1750, et capitaine d'infanterie le 15 mars 1755. Marié le 24 mai 1751, il rentre en France après la Conquête et se retire à Loches où il meurt vers la fin de 1775. [5 enfants] BRH, vol. XXXI (1925), p. 338 et 339.

SÉRIGNY

Commune située juste à l'ouest de Saint-Gervais-les-Trois-Clochers. Sérigny conserve de nombreux pigeonniers. L'église Saint-Étienne, dont une partie remonte au XIIIe siècle, possède une dalle funéraire et des tableaux intéressants.

70 - Nicolas Picard (...), «de Sérigny en Poitou». Qualifié de laboureur à son engagement à La Rochelle le 14 avril 1656, il passe une obligation à Québec en 1662. Recensé âgé de 26 ans à Québec en 1667, il est encore cité le 6 octobre 1670, et semble rentrer en France après cette date. [Sans alliance] TCI, p. 345.

REMENEUIL

Ancienne paroisse maintenant rattachée à Usseau au nord-ouest de Châtellerault. L'ancien prieuré Saint-Pierre remonte aux XIIIe et XVe siècles. Le château du XVe siècle a été restauré au XIXe.

71 - Vincent Chamaillard (Jean, traiteur, résidant à Remeneuil, & Françoise Renar, résidant à Antran), «de Remerneuil dans le diocèse de Poitiers[10]». Arrivé en Nouvelle-France en 1665 comme soldat dans le régiment de Carignan, il se fait ensuite sabotier à Montréal après sa démobilisation. Il s'y marie le 23 septembre 1676 et reçoit une concession de 60 arpents, le 15 avril 1680, au Sault-Saint-Louis dans l'île de Montréal où, âgé de 35 ans, il déclare quatre arpents en valeur en 1681. Il est décédé à Lachine le 13 novembre 1688. [7 enfants]

---

10. C'est à tort que le *Dictionnaire généalogique des familles du Québec* de R. JETTÉ le dit originaire de la région d'Usseau dans l'arrondissement de Niort puisqu'on a retrouvé le mariage de ses sœurs en Châtelleraudais. Communication du 6 mai 1991 de Jean-Marie Germe, de l'Association Falaise-Acadie-Québec. Malheureusement, M. Germe préfère ne pas préciser davantage.

Au moins 6 migrants sont originaires du canton de Lencloître :

ORCHES

À la jonction des Départementales n°s 14 et 757. Le polissoir appelé «pierre Saint-Martin», à Beauregard, est de l'époque néolithique.

Léon Levrault, sieur de Langis. Voir n° 88 à Naintré.

72 - Louis Gilbert (Vincent & Vincente Delaunay), «d'Auche dans l'évêché de Poitiers». Il épouse la veuve de Laurent Gouin (n° 31) le 7 janvier 1687 à Champlain. Veuf en juin 1699, il fait son testament en octobre et disparaît par la suite. [Sans postérité]

73 - Louis Chefdevergne dit Larose (Marc & Nicole Gaudinne), «d'Orze dans l'évêché de Poitiers[11]». Il était déjà établi à Bécancourt à son mariage en 1688. Il y est décédé avant 1723. [8 enfants]

74 - Vincent Oudar (...), «de la paroisse de Horche en Poitou». Faux saunier tiré de la prison de Châtellerault, il fut embarqué en mars 1731 sur le vaisseau *Le Héros*, étant exilé au Canada pour le reste de ses jours. Veuf de Jeanne Hannebo, il se remarie le 2 mai 1733 à Québec où il sera cité jusqu'en 1737. En juillet 1673, on le retrouvera à Saint-Joseph-de-Bauce où il sera qualifié d'habitant l'année suivante. Il s'y noiera le 21 juin 1764. [Sans postérité]

SAINT-GENEST-D'AMBIÈRE

Immédiatement à l'est de Lencloître. La vieille église est du XIVe siècle. Voir également le dolmen d'Aillé.

75 - François Vocelle dit Potvin (f Jean & f Marguerite...), «de la paroisse de Saint-Genest dans l'évêché de Poitiers», oncle de Jean Vocelle, de la paroisse de Saint-Michel de Poitiers (n° 289). Marié à Québec le 8 janvier 1729, il y élèvera sa famille et gagnera sa vie comme journalier. Il est décédé avant 1787. [9 enfants]

76 - François Berge (Mathurin & Françoise Servante), «de St-Genest dans l'évêché de Poitiers». Faux saunier, il fut tiré de la prison de Châtellerault et embarqué en mars 1731 sur le

---

11. Le 25 novembre 1660 fut baptisé à Orches un certain Louis Chefdevergne, fils de Marc et d'Éliette Allain. S'agit-il du même? Communication de Mme Lucienne Recouppé-Blanchard, de la Maison de l'Acadie.

vaisseau *Le Héros*, étant déporté au Canada pour le reste de ses jours. Marié après une dispense de deux bans à l'Hôpital général de Québec le 2 juillet 1733, il est décédé à Saint-Vallier, chez Antoine Coupy, le 16 janvier 1734. [1 enfant]

77 - Vincent Niquet, Nétier ou Niqué (f Antoine & Vincente Nodin), «de la paroisse de St-Gené en Poitou[12]». Il se marie, à l'âge de 42 ans, à Berthier le 7 août 1752. Il semble s'installer à Lavaltrie, puis à Nicolet vers 1756. [3 enfants]

Pas moins de 12 migrants sont du canton de Châtellerault :

CHÂTELLERAULT

Chef-lieu de l'arrondissement, Châtellerault comptait cinq paroisses : Notre-Dame, Saint-Jacques, Saint-Jean-Baptiste, Saint-Romain et Saint-Jean-l'Évangeliste. Le pont Henri-IV a été construit de
1575 à 1611. Une section de l'Hôtel Sully retrace l'histoire des
Acadiens et de leur retour en Poitou après le «Grand Dérangement».

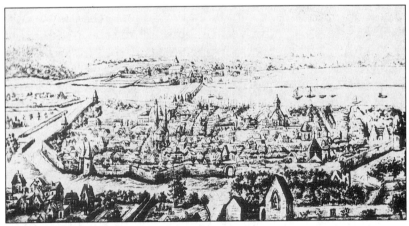

Vue générale de Châtellerault à la fin du XVIIe siècle, d'après un dossier à la plume de Godard. (Hôtel Sully, Musée municipal de Châtellerault. Photo : Berthrand Renaud, Musées de Niort)

---

12. Greffe de Cyr de Monmerqué, le 26 juillet 1752. Seule la mention «St-
    Gené» est parfaitement lisible sur le document microfilmé. Je n'ai pas
    trouvé, sur le même microfilm, un autre contrat de mariage qui aurait
    été rédigé par le même notaire le 10 janvier 1752. L'acte de son mariage
    au registre de Sainte-Geneviève de Berthier ne mentionne pas sa
    provenance.

78 - Pierre Chedeau (...), «de Châtellerault». À 26 ans, il s'engage comme boulanger pour la Rivière-Saint-Jean, en Acadie, le 8 avril 1642. Il a dû rentrer en France par la suite. [Sans alliance]

Michel Roy dit Châtellerault. Voir n° 87 à Senillé.

79 - Louis Bonnodeau dit Châtellerault (f René & Catherine Arnault), «de Chastelleros, paroisse de Saint-Jacques dans l'évêché de Poitiers». Il reçoit une concession à Neuville le 20 mars 1667, se marie à Québec le 26 octobre 1671, et acquiert la terre voisine de la sienne le 23 mars 1676. Le recensement de 1681 le dit âgé de 40 ans et lui attribue 10 bêtes à cornes et 14 arpents en valeur à Neuville. Il est décédé avant le baptême de sa fille le 3 septembre 1685. [5 enfants] GNA, p. 359.

80 - Jean Picard (Pierre & Marie Gagnon), «de Chatellerot». Selon son contrat de mariage, il habitait à Rivière-des-Prairies, mais il s'installera à Montréal après son mariage à l'église Notre-Dame le 3 août 1688. Son épouse étant morte en couches d'un septième enfant en février 1706, il se remarie, âgé de 45 ans, le 9 mai de la même année et décède au même endroit, le 1er mai 1728. [7 + 0 enfants]

Louis Véronneau. Voir n° 68 à Vellèches.

81 - Pierre Doffin dit Montorgueil ou Montorgeville (...), «de Châtelraux au Poitou[13]». Enseigne de vaisseau âgé de 29 ans, il est peut-être décédé à la fin d'un séjour de deux mois à l'Hôtel-Dieu de Québec à l'été de 1691. [Sans alliance]

82 - Pierre Guignon dit Lafranchise (...). Il est dit de la région de Châtellerault lors de sa mort, le 18 février 1717, à l'Hôtel-Dieu de Québec. Il avait 35 ans. [Sans alliance]

83 - Claude-Vincent Rousset dit Châteaufort (f Vincent & f Marie-Thérèse Hesnin), «de la paroisse St-Jacques de Chatelleraud dans le diocèse de Poitiers». Il se marie à Québec le 7 janvier 1732 et y élève sa famille. Il est décédé avant septembre 1763. [5 enfants]

84 - Jean Giroux dit Bellétoile (René & Marie Vartine), «de la paroisse de St-Jacques de Châtellereau dans le diocèse de

---

13. *Registre des malades* de l'Hôtel-Dieu de Québec, le 1er juillet 1691.

Poitiers». Âgé de 25 ans, il était soldat dans la compagnie de monsieur de Lavaltrie à son mariage à Montréal le 1ᵉʳ juin 1757. Il épousait alors une esclave, vraisemblablement affranchie, de la tribu des Panis, domestique de madame de Lavaltrie. Encore soldat en décembre 1758, il est recensé en 1765 à Saint-Laurent dans l'île de Montréal avec sa femme et un enfant. [2 enfants]

85 - Charles Tenault ou Thenault (Jean & Jeanne Hérault), «de la paroisse Notre-Dame de Châtellerault dans le diocèse de Poitiers». Maître tanneur âgé de 32 ans, il se marie à Montréal avec dispense de deux bans, le 15 novembre 1773. Il se remariera à Yamachiche, le 29 septembre 1800. [Sans postérité]

Jean Requiem. Voir n° 729.

SENILLÉ

Au sud-est de Châtellerault. L'église Saint-André, construite au XIIᵉ siècle, a été restaurée au XIXᵉ; l'enfeu date du XVᵉ et le retable fut sculpté au XVIIIᵉ siècle.

86 - François Leroux dit Cardinal (Jean & Jeanne Leblanc), «de Senilé dans le diocèse de Poitiers». Il dit cependant provenir de Haut-le-Moutier près de Loches lors de son engagement, à l'âge de 25 ans, les 14 et 15 mai 1658 à La Rochelle[14]. Recensé à Beaupré en 1666, il fait aussi une donation, le 24 mars de la même année, aux fabriques de Château-Richer et de Sainte-Anne-du-Petit-Cap. Marié à Québec le 25 octobre 1668, il gagne sa vie comme travailleur au Bourg-Royal, à Charlesbourg, où il déclare deux vaches et huit arpents en valeur en 1681. Hospitalisé durant huit jours à l'Hôtel-Dieu de Québec en février 1690, il est décédé au bout d'un second séjour de trois mois dans cet hôpital, le 20 octobre 1691. [5 enfants]

87 - Michel Roy dit Châtellerault (Michel & Louise Chevalier). Il se dit lui-même originaire de Senilet dans l'évêché de Poitiers où sa famille était effectivement domiciliée vers 1660,

---

14. Il faut lire Esve-le-Moutier près de Loches en Touraine. Esve-le-Moutier, située entre Ligueil et Loches, en Indre-et-Loire, est intimement lié aux biographies de Mᵍʳ de Laval, de son successeur Mᵍʳ de Saint-Vallier, de Pierre de Voyer d'Argenson, et à toute l'histoire de la Nouvelle-France. Voir *Le messager de l'Atlantique*, n° 18 (juillet 1992), p. 3 à 10.

mais c'est à la paroisse Saint-Jacques de Châtellerault qu'il fut baptisé le 9 janvier 1644[15]. Michel Roy était soldat dans la compagnie de La Noraye du régiment de Carignan à son arrivée en Nouvelle-France en 1665. Confirmé à Québec le 24 septembre 1665, il épousera, après son licenciement, une Fille du roi au même endroit, le 8 octobre 1668. Il obtient, le 11 novembre suivant, une terre à Sainte-Anne-de-la-Pérade alors que le seigneur du lieu le nomme en même temps notaire seigneurial. Il sera pendant 40 ans cultivateur, notaire, procureur, huissier, marguillier et commandant de milice. Il est décédé le 13 janvier 1709. [5 enfants][16] DBC, vol. II, p. 610.

NAINTRÉ

À sept kilomètres au sud-ouest de Châtellerault. On y trouve un menhir avec des inscriptions celtiques, les vestiges d'une cité romaine importante, ainsi que les restes spectaculaires d'un grand théâtre antique partiellement dégagé du sol.

88 - Léon Levrault, sieur de Langis et de La Maisonneuve (Pierre Levrault, écuyer, sieur de La Maisonneuve, & Anne Aigron, mariés le 9 mars 1666 à la paroisse Saint-Hilaire d'Orches), «de la paroisse de Naitré dans l'évêché de Poitiers». Né le 18 décembre 1666 à Naintré, il ne fut cependant baptisé que le 29 octobre 1669 à Orches (p. 109). Il entre dans les cadets à Besanson en 1682, passe en Nouvelle-France en 1687, devient enseigne en 1691, et lieutenant réformé le 25 mai 1696. À Batiscan, il épouse Marguerite Trottier le 25 novembre 1705, puis Catherine Jarret le 23 février 1718. Son corps fut inhumé dans l'église de Batiscan, le 21 mars 1740. [6 + 4 enfants] MSGCF, vol. I (1944-1945), p. 43-47.

DOMINE

Hameau de la commune de Naintré, situé au sud-est, sur les rives du Clain. Près de là, des fouilles ont montré une occupation gauloise antérieure à l'occupation romaine.

89 - Michel Dugay (f Pierre & Marie Sacard ou Savard), «du bourg de Dovine dans l'évêché et province de Poitou». Soldat

---

15. Son acte de baptême est reproduit dans *Le messager de l'Atlantique*, n° 13 (avril 1991), p. 3-4.
16. Ami du loudunais Mathurin Gouin (n° 30), je parle abondamment de Michel Roy et de ses enfants dans mon ouvrage *Quatre cousins loudunais en Nouvelle-France*, Montréal, Éditions du Méridien, 1992.

âgé de 26 ans, il est en service depuis 11 ans dans la compagnie de Mombray du régiment de La Reine lorsqu'il obtient, le 31 août 1762, la permission de se marier. Il se marie le 20 septembre à l'Ancienne-Lorrette où il est encore cité en octobre 1764. [2 enfants]

Les 4 migrants suivants sont originaires du canton de Pleumartin :

LÉSIGNY

Au nord-est de Châtellerault, sur la Départementale n° 14, à la limite du département de la Vienne. On y trouve des sépultures mérovingiennes et des maisons du XVIe siècle.

90 - Charles Brouillard (Louis & Marie Chaunière), «de la paroisse de Ligrigny dans le diocèse de Poitiers». Il se marie à Montréal le 18 mars 1688, et décède peu après la naissance d'un fils à Oka en avril 1690[17]. [1 enfant]

LA ROCHE-POSAY

À six kilomètres au nord-est de Pleumartin par la Départementale n° 3. On peut y observer des vestiges néolithiques et paléolithiques. L'église Notre-Dame a intégré une partie des anciennes fortifications; son clocher roman date du XIe siècle.

91 - Jean Leproust (Antoine, chirurgien, & Marie-Anne Riou), «de La Roche-Pozay[18]», frère d'Antoine-Claude Prou (n° 322). Tailleur d'habits âgé de 19 ans, il s'engage à La Rochelle le 8 juin 1739. Il reçoit, en 1746, une commission de notaire à Trois-Rivières où il exercera jusqu'en 1761. Marié le 25 septembre 1747, il se remarie au même endroit en 1757, et y sera recensé en 1760. Il est décédé avant mars 1762. [2 + 0 enfants]

SAINT-SENNERY

Dans la commune de Pleumartin, le hameau de Saint-Sennery est juste au-dessus de Russais et à l'est de Vaux.

92 - Pierre Petitclerc (f Jean & Marie Pouize), «de la paroisse de St-Severy dans l'évêché de Poitiers». Né à Mézeray le

---

17. Une note dans un dossier de la Société généalogique canadienne-française indique qu'il aurait été sergent dans la compagnie du sieur de Guyenne ou du sieur de Beauchenne. Je n'ai rien pu trouver qui puisse le confirmer.
18. Selon son contrat d'engagement.

8 février 1638, il est baptisé à l'abbaye de Saint-Sennery[19] et se marie à Québec le 11 septembre 1673. Il élève sa famille à la côte Saint-Ignace à Sillery, puis déménage à Sainte-Foy, en banlieue est de Québec, après 1688. Confirmé à Québec le 26 mai 1681, il est décédé à Sainte-Foy le 31 mai 1711. [11 enfants]

LEIGNÉ-LES-BOIS

À l'ouest de Saint-Sennery. Un ensemble de petites arcades décore le clocher-porche roman du XIIe siècle de l'église Saint-Rémi.

93 - Vincent Pichereau (Vincent & Françoise Langoumoisse), «de la paroisse de Ligné les Boins dans l'évêché de Poitiers». Ayant obtenu une dispense de deux bans et un certificat de liberté au mariage, il se marie à Saint-François-du-Lac le 12 juillet 1762. Il semble habiter à Sainte-Anne-de-la-Pérade en février 1766. [3 enfants]

Au moins 2 migrants sont du canton de Vouneuil-sur-Vienne :

VOUNEUIL-SUR-VIENNE

Chef-lieu du canton situé au sud de Châtellerault. Charles Martel y repoussa les Sarrasins en l'an 732. Dans le village, le château du Fou doit son nom à Yves du Fou qui le fit construire au XVe siècle. François Ier y rencontra Charles Quint en 1539.

René Plourde. Voir n° 128 à Traversay.

94 - Étienne Giraud dit Brindamour (f Jacques & Louise Cailleau), «natif du bourg de Voneil, province de Poitou dans l'évêché de Poitiers[20]», ce qui peut aussi correspondre à Vouneuil-sur-Biard dans la région de Poitiers (p. 119). Léveillé, sergent de la compagnie de La Touche du régiment de La Reine, l'a enrôlé à Poitiers en 1750 avec son ami Louis Guinault (n° 319). S'étant ainsi retrouvé en Nouvelle-France pendant la guerre de Sept Ans, il obtient, à 34 ans, un certificat de liberté au mariage émis le 5 novembre 1760, et se marie à Sainte-Foy le 24 du même mois. Il y résidait encore en mars

19. *Le messager de l'Atlantique*, n° 23 (octobre 1993), p. 24, et n° 25 (2e trimestre 1994), p. 5-6.
20. Selon son certificat de liberté au mariage; son acte de mariage le dit de la paroisse de Devoneust dans le diocèse de Poitiers.

1763. [2 enfants] MSGCF, vol. X (1959), p. 54, et vol. XXV (1974), p. 28.

Le château de Chitré à Vouneuil-sur-Vienne. (Archives départementales de la Vienne. Photo : Christian Vignaud, Musées de Poitiers)

BEAUMONT

Sur l'autoroute de l'Aquitaine, à la limite est du Châtelleraudais. Le château de Rouhet appartenait à Charles de Bourbon, frère d'Henri IV. D'époque romane, l'église Notre-Dame a été restaurée au XVe siècle dans un style gothique flamboyant. Le tabernacle en bois doré date du XVIIe siècle.

95 - Charles Déséry dit Latour (François & Antoinette Lizabois), «de la paroisse de Beaumont dans l'évêché de Poitiers». Soldat dans la compagnie de Jean Bouillet, sieur de La Chassaigne, il épouse, à Montréal le 25 octobre 1705, Françoise Lorin, fille du loudunais Pierre Lorin (n° 28). Il est alors âgé de 36 ans. Il vit d'abord à Montréal puis, à partir de 1723, à Saint-Laurent dans l'île de Montréal, pour revenir terminer sa vie près du fleuve, à la côte Sainte-Marie. C'est là qu'il est décédé six jours après sa femme, le 13 février 1750. [10 enfants]

Chapitre V

La région de Poitiers

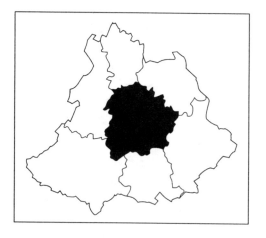

Lieux de provenance des migrants de la région de Poitiers.

La région de Poitiers correspond à l'arrondissement actuel de Poitiers, d'une superficie de 1 911 km², en y excluant cependant la ville dont la contribution au peuplement de la Nouvelle-France sera rapportée au chapitre suivant. Le territoire est subdivisé en neuf cantons présentés du nord vers le sud : Mirebeau, Neuville-de-Poitou, Saint-Georges-les-Baillargeaux, Poitiers, Vouillé, Saint-Julien-l'Ars, La Villedieu-du-Clain, Vivonne et Lusignan. En plus des 136 ressortissants de la ville même de Poitiers, au moins 86 migrants sont originaires de la région environnante.

Au nord de Poitiers, près de la limite du Loudunais, 17 migrants sont originaires du canton de Mirebeau :

MIREBEAU

Chef-lieu de canton situé à 28 kilomètres au nord de Poitiers par la Départementale n° 147. Cette ville, partiellement ceinte d'anciens remparts, possède de nombreux souterrains. Les églises Notre-Dame et Saint-André ont été respectivement reconstruites dans le style des XVe et XVIe siècles, et dans le style romano-byzantin.

96 - Barthélémy Chasteau (...), «de Mirebeau». Il s'engage comme armurier pour deux ans à Port-Royal le 10 juin 1646. Il n'a laissé aucune trace de son séjour en Acadie. [Sans alliance]

97 - Joseph Prieur (...), frère de Jean Prieur (n° 99) et cousin de Louis Chamballon et de François Aubert (nᵒˢ 102 et 106). Après le baptême d'un fils le 9 mars 1682 à l'église Notre-Dame de Mirebeau[1], il débarque à Québec avec son épouse vers 1685. Avec son frère, il fait au moins un voyage de traite chez les Outaouais, avant de devenir huissier audiencier dans la basse ville de Québec. Il y sera inhumé, âgé de 55 ans, le 14 août 1706. [10 enfants]

98 - Hélène Méchin (...), épouse du précédent. À Mirebeau, elle donne naissance, en 1682, à un fils prénommé Pierre avant d'émigrer à Québec vers 1685. Elle avait 53 ans au recensement de 1716 dans la basse ville de Québec, où elle est décédée le 17 juillet 1728. [10 enfants]

---

1. Communication de M. Jean-Marie Germe, de l'Association Falaise-Acadie-Québec.

99 - Jean Prieur dit Lafleur (frère de Joseph Prieur), cousin de Louis Chamballon et de François Aubert (n°s 102 et 106). Il était veuf de Louise Forestier à son arrivée en Nouvelle-France où il participe avec son frère à un voyage de traite en 1688; leur canot «a été perdu pour avoir été pillé par les Iroquois au pays des Outaouais[2]». Jean Prieur est ensuite cité, le 15 septembre 1696, à Montréal où il se remarie âgé de 40 ans, le 5 mars 1704. Il s'établit à Côte-des-Vertues, dans la paroisse Saint-Laurent de l'île de Montréal, et décède, âgé de 60 ans, à l'Hôtel-Dieu de cette ville le 8 septembre 1714. [2 enfants]

100 - Jean Méchin (...), frère d'Hélène Méchin (n° 98). Il n'est mentionné qu'une seule fois lorsqu'il apparaît au recensement de 1716 à Québec. Résidant chez sa sœur, il est alors qualifié de huissier âgé de 43 ans. [Sans alliance]

101 - Pierre Millier ou Millet (f Vincent, chapelier, & Claude Perrine), «de Mirbault, paroisse Notre-Dame». Cité à Lauzon dès le 25 juillet 1687, on le retrouvera à Québec chez le taillandier Jean Charron dit Laferrière. Il s'y marie le 13 novembre 1690, et vivra à Québec pendant quelques années avant de s'installer à Saint-Laurent dans île d'Orléans où il se remariera le 20 novembre 1702. Il acquiert la moitié d'une terre, soit un arpent et demi, à cet endroit le 24 avril 1703, mais il la revendra le 26 avril 1704 pour finalement acquérir l'autre moitié le 2 avril 1710. Il est décédé à l'île d'Orléans le 15 octobre 1715. [4 + 8 enfants]

102 - Louis Chamballon (f Louis, marchand, & Marie Prieur), cousin de Joseph et Jean Prieur ainsi que de François Aubert (n°s 97, 99, 106). Baptisé à Notre-Dame de Mirebeau le 12 mars 1663[3], on le retrouve marchand à Québec en 1688. Il se marie à cet endroit le 12 juin 1691, devient notaire royal en janvier suivant, perd sa femme en avril 1694, et se remarie le 9 août de la même année. Seigneur de Restigouche depuis le 17 juin 1698, il est décédé à Québec le 14 juin 1716. [2 + 0 enfants] DBC, vol. II, p. 135-136.

---

2. Greffe de Louis Demeromont, le 26 mai 1689.
3. Communication de M. Jean-Marie Germe, de l'Association Falaise-Acadie-Québec.

103 - Louis Chartron dit Cartilles (...), «de Notre-Dame de Mirebaux près de Poitiers[4]». Âgé de 40 ans en novembre 1690, il fit un séjour d'environ un mois à l'Hôtel-Dieu de Québec. Nulle autre mention. [Sans alliance]

104 - Vincent Arnou (...), «de la ville de Mirebeau». Il avait 21 ans le 15 juin 1696[5], à La Rochelle, lorsqu'il se mit pour trois ans au service de Charles Aubert de la Chenaye en même temps que Joseph Aubert qui suit. Il n'a guère laissé de traces de sa venue en Nouvelle-France. [Sans alliance]

105 - Joseph Aubert (...), «de Mirebeau en Poitou[6]». À 22 ans, et en compagnie du précédent, il se met pour trois ans au service de Charles Aubert de la Chenaye le 15 juin 1696. Il fut hospitalisé durant quatre jours à l'Hôtel-Dieu de Québec en avril 1699, et rentra probablement en France peu après. [Sans alliance]

106 - François Aubert (...), cousin de Louis Chamballon ainsi que de Joseph et Jean Prieur (n°s 102, 97 et 99). Commis marchand, il fait, en 1699, un enfant à une servante de Chamballon et semble rentrer en France par la suite. [1 enfant] DBC, vol. II, p. 135-136.

107 - Jacques Chalion dit Château (f Jacques & f Gabrielle Bonnivet), «de St-André de Mirbeau dans l'évêché de Poitiers». Il se marie à Sainte-Anne-de-la-Pérade le 12 novembre 1736, et y réside jusque vers 1745. Un fils posthume naît le 26 avril 1747 à l'Ancienne-Lorrette. [7 enfants]

108 - Charles Bizard (Charles & Marie Charbonnier), «de Notre-Dame de Mirambaux dans l'évêché de Poitiers». Marié à Sainte-Foy le 10 novembre 1737, il fait baptiser une fille à Québec l'année suivante, puis semble rentrer en France. [1 enfant]

---

4. *Registre des malades* de l'Hôtel-Dieu de Québec, le 1er décembre 1990.
5. Ce pourrait être ce Vincent Arnou qui fut baptisé le 20 novembre 1673 à l'église Notre-Dame de Mirebeau. Il était le fils d'Émur (Émeri?), marchand, et de Marie Maret. Communication de Mme Paulette Lacorre, de la Maison de l'Acadie.
6. Le 13 juin 1673, à l'église Notre-Dame de Mirebeau, fut baptisé: Joseph Aubert, fils de Louis Aubert, boulanger, et d'Andrée Fuseau. Est-ce le même? Communication de Mme Paulette Lacorre, de la Maison de l'Acadie.

109 - Gabriel Dumont dit Poitevin (Jacques & Catherine Péchaux), «de la paroisse St-André de Mirebeau dans le diocèse de Poitiers». Sergent dans la compagnie de Daniel Migeon de La Gauchetière, il se marie âgé de 36 ans à Montréal, le 25 novembre 1743. Il vit à Montréal où il est inhumé le 29 septembre 1770. [4 enfants]

VOUZAILLES

Juste à l'ouest de Champigny-le-Sec, cette ancienne commune est située au sud-ouest de celle de Mirebeau dans laquelle elle a été intégrée. Dans l'église partiellement romane, le tabernacle est du XVIIᵉ siècle.

110 - Hilaire Sureau dit Blondin (Jacques & Honorée Pouzet), «de la paroisse St-Hilasire du bourg de Vouzaille dans l'évêché de Poitiers»; son contrat d'engagement le dit spécifiquement natif de Vouzailles[7]. Baptisé à Vouzailles le 4 avril 1650[8], il s'engage à La Rochelle, le 30 avril 1683, comme laboureur au service, pendant trois ans, des prêtres du Séminaire de Montréal. On le retrouvera ensuite à Québec où François Hazeur l'engage, le 15 juin 1688, pour aller travailler à La Malbaie. Revenu à Québec, il s'y marie le 18 juin 1691 et exercera pendant une quinzaine d'années le métier de charretier, en plus d'accepter, le 3 août 1701, de nettoyer les rues de la ville moyennant un salaire de quatre livres par journée de travail. Il décide, le 10 juin 1703, de travailler aux îles de Boucherville, après quoi il prendra à bail pour trois ans, le 15 novembre 1704, la ferme Saint-Gabriel des seigneurs de Montréal. Il décédera à l'Hôtel-Dieu de cette ville, le 6 mai 1708. [8 enfants]

---

7.   La notice biographique sur Hilaire Sureau a grandement bénéficié des informations communiquées par un de ses descendants, le généalogiste Yves Blondin.

8.   On trouve, à Vouzailles, les baptêmes, les 4 avril 1650 et 2 février 1657, d'Hilaire Sureau et de son frère également nommé Hilaire. Communication de Mᵐᵉ Paulette Lacorre, de la Maison de l'Acadie. Puisque le migrant est dit âgé de 30 ans à son engagement, il doit donc s'agir de l'aîné. On donnait souvent aux enfants le prénom de leur parrain de sorte qu'il était fréquent de trouver dans une même famille deux frères partageant le même prénom. Ainsi, le migrant René Fillastreau (n° 27) avait un frère homonyme resté en France, et son cousin Pierre Lorin (n° 28) a eu deux fils que les documents désignaient Joseph l'aîné et Joseph le jeune. Voir R. LARIN, *Quatre cousins loudunais en Nouvelle-France*, Montréal, Éditions du Méridien, 1992.

THURAGEAU

Au sud-est de Mirebeau par la Départementale n° 15. L'église romane du XVᵉ siècle a été restaurée au XIXᵉ. On trouvera des croix hosannières au cimetière ainsi que des sépultures gallo-romaines à l'ouest de l'église.

111 - Nicolas Pion dit Lafontaine (f Nicolas & Catherine Bredons). Il est dit «né à Thurageau» lors de son engagement, le 1ᵉʳ avril 1665, à partir pour une période de trois ans à Québec à bord du *Cat-de-Hollande*. À son mariage, le 4 septembre 1673 à Québec, il se déclare cependant de Saint-Pierre-du-Boile en Touraine[9]. Il est recensé âgé de 42 ans à Lavaltrie en 1681, alors en possession de deux bêtes à cornes et de quatre arpents en valeur. Il semble avoir vécu à Saint-Ours, Sorel, Verchères, Lavaltrie, Montréal et Québec. Cité à l'Hôtel-Dieu de Québec en 1696, il résidait dans cette ville au moment de la vente de sa terre de Lavaltrie, le 3 novembre 1701. Il fut inhumé à Québec le 3 mars 1703. [8 enfants]

CHAMPIGNY-LE-SEC[10]

À l'est de Vouzailles, c'est-à-dire à sept kilomètres au sud-ouest de Mirebeau par la Départementale n° 7. La maison noble a été fortifiée en 1460. Le dolmen de Fontenailles et le pigeonnier de la Puye sont également dignes d'intérêt.

112 - Jacques Grimault (Denis & Renée Tart), «de Champigné-le-Sec à une lieue de Mirebeau en Anjou[11]». À La Rochelle, alors âgé de 23 ans le 27 juin 1659, ce laboureur s'engage pour trois ans. Devenu scieur de long, il se marie à Québec le 10 novembre 1664, et possède trois arpents en valeur à Notre-Dame-des-Anges en 1667. Il est décédé à Charlesbourg avant le 26 novembre 1668. [2 enfants] L'AN, vol. XX (1994), p. 168.

Vers le sud, dans le canton de Neuville-de-Poitou, 13 migrants sont venus de :

---

9. Dans le département d'Indre-et-Loire.
10. Au moment d'aller sous presse, je constate l'oubli de Jean-Baptiste Hérigault (François & Thérèse Babinette), marié à Charlesbourg le 15 janvier 1787. Les compilations présentées à la fin de cette étude ne tiennent pas compte de lui.
11. Selon son contrat de mariage. L'acte de mariage le dit de la paroisse de Champigny dans le diocèse de Poitiers.

MARIGNY-BRIZAY

Au nord-est du canton, à neuf kilomètres au sud de Lencloître. Le château de Signy présente une porte monumentale. L'église romane Saint-Étienne possède une coupole sur pendentifs et des chapiteaux décorés d'oiseaux.

113 - René Bisson dit Lépine (f René & Roberte Verdin ou Vredin), «de la paroisse de St-Étienne de Marnier dans l'évêché de Poitiers». Baptisé le 7 avril 1635 à la paroisse Saint-Étienne de Marigny-Brisay, il semble, en 1667, travailler pour les jésuites à Sillery, mais réside à Petite-Rivière-Saint-Charles au moment de son mariage à Québec le 16 septembre 1670. Il reçoit une concession, le 12 janvier 1671, et une seconde, le 15 février 1679, à Petite-Auvergne dans Charlesbourg où il possédera, à l'âge de 44 ans, 12 arpents en valeur en 1681. Il se remarie à Charlesbourg le 5 novembre 1685, mais sa sépulture sera cependant enregistrée à Québec le 21 mars 1728. [3 + 3 enfants] GNA, p. 295.

CHENECHÉ

À l'ouest de Marigny-Brisay, et à sept kilomètres au nord-est de Neuville. Gilles de Rais dit Barbe-Bleue fut seigneur du lieu, lequel passa ensuite à la famille royale.

114 - Étienne Bellinier dit Laruine (f Pierre & Catherine Nourisseur ou Nourrissonneau), «de la paroisse de Cheneché dans l'évêché de Poitiers». Âgé de 26 ans, il est confirmé à Québec le 23 mars 1664. Deux ans plus tard, il travaille à Beaupré chez Pierre Maufils, en plus de posséder une habitation au Petit-Ruisseau et de faire un voyage commandé. Travailleur volontaire en 1667, il habitait à l'île d'Orléans à son mariage le 4 octobre 1669. Il reçoit, en mars 1670, une concession dans la paroisse Saint-Laurent qu'il vendra le 19 octobre 1673. Il est sans doute rentrer en France puisqu'il disparaît ensuite avec sa famille. [1 enfant] MSGCF, vol. I (1945), p. 249-250.

CHABOURNAY

À 15 kilomètres au nord de Poitiers. Le retable de l'église Saint-Martin date du XVIIe siècle.

115 - Louis Bossé (Jean & Anne Guillon), «de Saint-Martin à Chabourné dans l'évêché de Poitiers». Confirmé à Château-

Richer en 1669, il reçoit, le 4 février 1673, une concession qu'il revendra dans les années suivantes. Le 25 février 1678, il prend à bail une terre au cap Saint-Ignace et accepte une concession au même endroit où il sera aussi domestique de Jean Couillard en 1681. De 1686 à 1690, il fait la traite des fourrures chez les Outaouais pour ensuite se marier, âgé d'environ 42 ans, au cap Saint-Ignace, le 14 février 1692. C'est à cet endroit que seront baptisés tous ses enfants. Hospitalisé à l'Hôtel-Dieu de Québec en 1696, il contracte un deuxième mariage, vers 1727 à Saint-Roch-des-Aulnaies, pour être inhumé à Québec le 12 septembre 1736. [10 + 0 enfants] GNA, p. 365-366.

116 - Mathurin Pélozeau (...), «de Chabournay en Poitou». Le 30 juin 1668 à La Rochelle, il s'engage comme journalier auprès du marchand Pierre Gaigneur pour le compte de la Compagnie des Indes occidentales. N'ayant pas laissé de traces en Nouvelle-France, il n'y est peut-être pas allé. [Sans alliance]

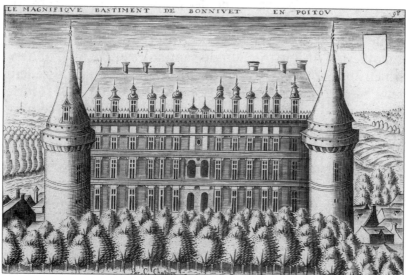

Reconstitution du château de Bonnivet, à Vendeuvre. L'amiral de Bonnivet, compagnon de François Ier, est mort à la bataille de Pavie en 1525. (Archives départementales de la Vienne. Photo : Christian Vignaud, Musées de Poitiers.)

CHARRAIS

Immédiatement au nord-ouest de Neuville-en-Poitou par la Départementale n° 84. L'église médiévale Saint-Martin a été restaurée; son portail et le tabernacle sont du XVIIe siècle. Le cimetière contient des tombes anciennes.

117 - Mathurin Morillon (Mathurin & Jeanne Ferret), «de Haret dans l'évêché de Poitiers». Il a 30 ans à son mariage, le 28 juillet 1710 à Rivière-Ouelle. Il élèvera sa famille à l'Islet à la Peau, près de La Pocatière, pour se remarier en 1728 à Saint-Roch-des-Aulnaies, où il sera inhumé le 29 juillet 1757. [5 + 0 enfants]

NEUVILLE-EN-POITOU

Chef-lieu de canton situé à 12 kilomètres au nord de Poitiers par la Départementale n° 147. On y trouve des traces d'occupation préhistorique dont le dolmen de la Pierre-Levée. Zone d'Appellation d'origine des vins du Haut-Poitou, autrefois promus par Aliénor d'Aquitaine.

118 - René Alarie dit Grandalarie (f Antoine & Anne Cheber), «de la paroisse Notre-Dame-de-Neufville dans l'évêché de Poitiers». Il se dit âgé de 25 ans lorsqu'il se met au service du Séminaire de Québec, le 2 décembre 1674. Menuisier, il travaillera à la construction du séminaire en 1678. Il obtiendra ensuite une concession à Saint-Augustin où il possédera deux bêtes à cornes et huit arpents en culture en 1681. Marié le 17 février de la même année, il sera inhumé le 16 décembre 1700 «trouvé mort dans son lit après une maladie de trois jours». [10 enfants] GNA, p. 126.

119 - Jean Dansac (...), «de Neuville (diocèse de) Poitiers[12]». Confirmé à l'âge de 25 ans le 3 juin 1664, le recensement de 1681 le situera au couvent de Québec comme donné aux Récollets. Qualifié de volontaire le 1er janvier 1692, il fit quelques séjours à l'Hôtel-Dieu de Québec en 1689, 1692 et 1696. Son acte de sépulture est inexistant. [Sans alliance]

---

12. *Registre des malades* de l'Hôtel-Dieu de Québec, les 1er janvier et 1er février 1992. Le même registre le dit aussi de la paroisse de Tonne et de la paroisse de Jonnes, les 25 août et 1er septembre 1689.

YVERSAY

Immédiatement au sud-ouest de Neuville-en-Poitou. On pourra y apprécier de vieilles maisons au portail de bois. Le manoir de Rochefort est du XVe siècle, et le pigeonnier, du XVIIIe.

120 - Nicolas Massard (Jean & Marguerite Pimpante), «du Grand Hiversaye en Poitou». Il a 23 ans et se dit de Grand Hivresay, paroisse de Vouillé, lors de son engagement à François Peron, le 14 mai 1658[13]. Arrivé en Nouvelle-France le 6 août 1658, il reçoit une concession, le 22 octobre 1661, dans la seigneurie de Lauzon où il déclare six arpents en culture en 1667. Il se marie à Québec le 12 octobre 1665, semble vivre quelque temps à Sillery, et se fixe à Lauzon vers 1675, déclarant posséder une vache et cinq arpents en valeur en 1681. Il est décédé à cet endroit durant l'hiver de 1685-1686. [7 enfants]

AVANTON

Au sud-est d'Yversay, près de l'Autoroute n° 10. Un objet d'art en or, datant de l'âge de bronze, fut découvert en 1844.

121 - Jean Paulin (Pierre & Thomasse Clergeuille), «d'Aventon dans l'évêché de Poitiers». À sa première apparition, il est confirmé, âgé de 30 ans le 1er mai 1662, chez les ursulines de Québec. Il obtiendra ensuite une terre, le 10 août, à Sainte-Famille dans l'île d'Orléans. Marié en 1665, il est recensé sur sa terre en 1666 et 1667, et sa présence sera notée à l'île d'Orléans jusqu'en novembre 1673. Résidant dans la basse ville de Québec en 1681, il disparaîtra par la suite. Son épouse est décédée en 1726 à Répentigny. [1 enfant]

CISSÉ

Tout de suite au sud d'Yversay, à 10 kilomètres au nord-ouest de Poitiers. Le village étant situé sur une ancienne voie romaine, on peut y voir différents vestiges gallo-romains.

122 - René Dubois dit Brisebois (Louis & Jeanne Naudin, mariés à Cissé le 21 janvier 1636), «de la paroisse de Sissé dans le diocèse de Poitiers». Baptisé à Cissé le 27 mars 1639, il obtient un emplacement à Beauport en février 1659, ainsi

---

13. Son contrat de mariage le dit aussi de la paroisse de Vouillé au Grand-Hivresay près de Poitiers.

qu'une terre l'année suivante à l'île d'Orléans, laquelle sera ensuite augmentée de la terre voisine le 10 août 1663. Qualifié de laboureur le 25 mai 1662, il semble habiter à la fois Beauport et l'île d'Orléans. Il se marie à Québec le 25 novembre 1665 et achètera, pour les revendre, plusieurs terres dans la région de Québec. Le recensement de 1681 le présente à Petite-Auvergne dans Charlesbourg, en possession de deux bêtes à cornes et de quatre arpents en culture. Le 18 août de la même année, il prend à bail, avec son gendre Jean Janvier (no 188), la ferme du domaine des jésuites du Cap-de-la-Madeleine, pour ensuite devenir, vers 1690, fermier à Gentilly pendant un certain temps. Hospitalisé durant 10 jours à l'Hôtel-Dieu de Québec en février 1692, il recevra la concession d'une île à Saint-François-du-Lac, le 30 novembre 1694. Il y est mort en avril 1700. [10 enfants] NA, vol. XIII, p. 73 à 93, et vol. XXII, p. 112-114; L'AN, vol. IX, n° 1 (septembre 1992), p. 19-22.

123 - Jean Bertin (...), «de Sissé». Il s'engage à partir sur le *Cat-de-Hollande* le 3 avril 1665[14]. Confirmé à Montréal en mai 1666, il s'engage au service d'un armurier de l'endroit le 5 juin 1675. Il fera, à l'âge de 60 ans, un séjour de près de trois semaines à l'Hôtel-Dieu de Québec en 1692. Sur le point d'entreprendre un voyage, il fait donation de ses biens meubles et immeubles le 5 juin 1697, mais sera encore présent à Montréal le 8 octobre 1699, mettant alors sa terre à bail. [Sans alliance]

124 - Pierre Nodin (René & Jeanne Marchande), «de la paroisse de St-Pierre de Cissé dans le diocèse de Poitiers[15]». Il s'est noyé devant la basse ville de Québec le 22 septembre 1679. Il avait alors 22 ans. [Sans alliance]

125 - Martin Abonceau (...), «de Siscé (dans le diocèse de) Poitiers[16]». Il avait 48 ans lors de son hospitalisation durant plus de cinq semaines, au cours de l'été de 1691, à l'Hôtel-Dieu

---

14. Il est dit de Sisay près de Poitiers, dans le *Registre des malades* de l'Hôtel-Dieu de Québec, ce qui exclut l'hypothèse de Sissy (Aisne) avancée par G. Debien. RHAF, vol. VI (1952), p. 396.
15. Était-il parent avec son compatriote René Dubois (n° 122) dont la mère était Jeanne Naudin?
16. *Registre des malades* de l'Hôtel-Dieu de Québec, le 16 juillet 1691.

de Québec. Il y est peut-être décédé puisqu'il n'est plus mentionné. [Sans alliance]

Au nord-est de Poitiers, 13 migrants se rattachent au canton de Saint-Georges-les-Baillargeaux :

SAINT-CYR

À l'extrémité nord-est du canton, au nord-ouest de Vouneuil-sur-Vienne. Non loin d'ici, à Maussais-la-Bataille, Charles Martel écrasa les Sarrasins en l'an 732. Remarquer le menhir de Pierre-Fitte fait en lame de couteau.

126 - François Grémillon dit Saint-Cyr (...), «de Saint-Cyr au Poitou». Soldat âgé de 19 ans, il fut hospitalisé à l'Hôtel-Dieu de Québec de juillet 1693 jusqu'à sa mort, le 22 septembre. [Sans alliance]

127 - Pierre Toussalin dit Léveillé (Antoine & Marguerite Malaine), «de la paroisse de St-Cyr dans l'évêché de Poitiers». Soldat âgé de 20 ans, il est hospitalisé durant quatre jours à l'Hôtel-Dieu de Québec au cours de l'été de 1693. Il réapparaît après un long silence, appartenant à la compagnie du sieur Jean-Louis Lacorne de Chaptes, à son mariage à Saint-François de l'île Jésus, le 22 septembre 1719. Son contrat de mariage lui donnait la possession d'une terre à prendre sur celle de ses beaux-parents. Il est décédé au même endroit le 23 février 1723. [1 enfant]

TRAVERSAY

En suivant le Clain, juste au nord-est de Dissay. Traversay dépend aujourd'hui de la commune de Saint-Cyr, mais relevait à l'époque de la paroisse Saint-Pierre-et-Saint-Paul de Dissay.

128 - René Plourde (f François, baptisé à Dissay le 17 septembre 1632, & f Jeanne Gremillon, mariés à Dissay le 7 février 1663), «de la paroisse de St-Pierre dans l'évêché de Poitiers». Baptisé le 15 juillet 1667 à l'église de Vouneuil (p. 135), située à six kilomètres à l'est de Traversay[17], il résidait déjà depuis un

---

17. Au sujet de découvertes récentes sur cette famille, voir *Le messager de l'Atlantique*, n° 3 (octobre 1988), p. 12 à 15, n° 6 (juillet 1989), p. 11 à 14, n° 13 (avril 1991), p. 27, n° 14 (juillet 1991), p. 16 et 17, et n° 16 (janvier 1992), p. 6 et 7. Par ailleurs, Mme Paulette Lacorre, de la Maison de l'Acadie, m'a communiqué l'ascendance de René Plourde pour quatre générations à Dissay, dans laquelle elle retrouve aussi son ascendance personnelle.

certain temps à Kamouraska lorsqu'il y reçut une concession, le 6 juillet 1695. Le 26 juillet 1698, il se mariait à Rivière-Ouelle, l'église la plus proche, où seront par la suite baptisés ses enfants. Il est décédé vers 1708. [6 enfants] NA, vol. X, p. 117-124.

DISSAY

> À quatre kilomètres au nord-est de Saint-Georges-les-Baillargeaux par la Départementale n° 4. Dans la tour nord-est du château, la chapelle a conservé ses vitraux et son carrelage d'origine aux armes de Pierre d'Ambroise, évêque de Poitiers au XVe siècle. Les peintures murales d'une grande richesse sont du XVIe siècle.

129 - Étienne Paquet ou Pasquier (f Étienne, maître menuisier, & f Jeanne Poussarde), «du bourg d'Isset dans l'évêché de Poitiers». Il arrive en 1665 comme soldat de la compagnie de La Motte du régiment de Carignan. Il se fait jardinier à Charlesbourg l'année suivante où on le dit âgé de 45 ans. Marié à Québec le 6 novembre 1668, il s'établit à Rivière-Saint-Charles où le recensement de 1681 le présente devant six arpents en valeur. Il y est décédé avant juin 1690. [3 enfants]

130 - Gilles Galipeau dit Lepoitevin (Antoine & Perrine Renault inhumée à Dissay le 2 juillet 1654[18]), frère du suivant. Baptisé à Dissay le 6 septembre 1637[19], il reçoit, le 5 avril 1665, une concession à Montréal, à la côte Saint-Martin, où il possédera huit bêtes à cornes et trente arpents en valeur en 1681. Marié depuis le 30 septembre 1678, il mourra à Montréal vers 1705. [2 enfants]

131 - Antoine Galipeau (frère du précédent), «de la paroisse de Dissé dans l'évêché de Poitiers». Ce charpentier semble arriver au pays en 1681 ou 1682. Il se marie le 19 juillet 1688 à Pointe-aux-Trembles, dans l'île de Montréal, où naîtront ses enfants. Il y est décédé, âgé d'environ 76 ans, le 22 juillet 1722. [9 enfants]

132 - Antoine Tesserot ou Texetreau (f Antoine & Jeanne Galipeau, mariés le 6 septembre 1656 à Dissay), «de la

---

18. Communication, en juillet 1991, de M. Jean-Marie Germe, de l'Association Falaise-Acadie-Québec.
19. Communication de M. Jean-Marie Germe, de l'Association Falaise-Acadie-Québec.

paroisse d'Ycé dans l'évêché de Poitiers». Baptisé à Dissay le 17 avril 1659[20], on le retrouvera le 30 avril 1683 lors de son engagement, à La Rochelle, pour trois ans au service des prêtres du Séminaire de Montréal. Son contrat le dit laboureur, mais il se fera charpentier en Nouvelle-France. Marié à Montréal le 3 mars 1699, puis le 19 mai 1704, il s'était établi à Lachine quoiqu'il sera inhumé à Montréal le 1er janvier 1733. [0 + 4 enfants]

133 - Louis Provost ou Prévost (Louis, notaire royal, & Jeanne Viau), «de la paroisse de Dissaix dans l'évêché de Poitiers». Soldat âgé de 19 ans, il fut hospitalisé en août-septembre 1693 à l'Hôtel-Dieu de Québec. Après un long silence, il sera cité à Montréal le 6 décembre 1718, et s'y mariera le 2 mai 1719. Il semble ensuite disparaître. [Sans postérité]

JAUNAY-CLAIN

En suivant le Clain, à 7,5 kilomètres au nord-est de Poitiers par la Nationale n° 10. Y subsistent plusieurs vestiges d'occupation gallo-romaine : murs décorés, aqueduc, temple, nécropole et mosaïques à proximité de l'église.

134 - François Bastard (...), «de Jaunné en Poitou», ce qui pourrait aussi correspondre à Jaunay, hameau d'Azay-le-Brulé (p. 251). Il est inscrit au rôle des passagers du navire *Noir-de-Hollande* pour l'année 1664, mais ne semble pas être resté au pays. [Sans alliance]

135 - Pierre Courtigny de Chandalon (Louis, écuyer, & Françoise Coineau), «natif du bourg de Jonay, dans la paroisse de St-François en l'évêché de Poitiers». Cadet dans la compagnie de Guillaume de Lorimier, il est cité à Montréal dès 1708 et, âgé de 28 ans, il était devenu sergent dans la même compagnie à son mariage, le 17 février 1710 à Montréal. Ensuite installé à Varennes, il y possédera son banc dans l'église en 1722. Il y décédera, âgé de 55 ans, le 5 mai 1742. [Sans postérité] MSGCF, vol. XV (1964), p. 244-245.

SAINT-GEORGES-LES-BAILLARGEAUX

Chef-lieu de canton situé immédiatement au sud-est de Jaunay-Clan. On y a trouvé une sépulture contenant bijoux et squelette de l'âge de fer. Le dolmen est classé monument historique.

---

20. Communication de M. Jean-Marie Germe.

136 - Pierre Dansereau (Sébastien & Catherine Noël), «de la paroisse de Saint-Georges dans l'évêché de Poitiers[21]». Marié à Varennes le 19 juin 1708, c'est cependant à Saint-François-Xavier, dans la seigneurie de Verchères, qu'il vivait et élèvera sa famille. Il se remarie le 30 avril 1743 à Lanoraie, et sera inhumé, âgé de 90 ans, dans l'église de Verchères, le 24 février 1757. [14 + 0 enfants]

137 - Louis Tardif (f Jean, laboureur, & Michelle Villain), «de St-Georges près de Poitiers». Il se marie en 1669 à Trois-Rivières où lui naîtra une fille l'année suivante. Il acquiert une terre à la rivière Nicolet le 24 avril 1673, puis semble ensuite disparaître avec sa famille. [1 enfant] L'AN, vol. XV, n° 7 (mars 1989), p. 256-257.

MONTAMISÉ

Au sud de Saint-Georges-les-Baillargeaux, et à cinq kilomètres au nord-est de Poitiers. Le château de la Roche-de-Bran, qui existait déjà en 1324, et dont on ne voit plus que les restes, fut détruit par l'armée allemande en 1944.

138 - Claude Bernard dit Léveillé (Jacques & Louise Rabier), «de la paroisse de Montamisé dans le diocèse de Poitiers». Ce soldat de la compagnie du sieur Jean-Baptiste Hertel de Rouville se marie à Québec le 7 août 1713, et semble par la suite disparaître. [Sans postérité]

Au centre de l'arrondissement, en dehors de la ville, au moins 3 migrants sont originaires du canton de Poitiers :

---

21. J'écarte l'hypothèse de Saint-Georges-de-Noisné en Deux-Sèvres. Les registres de Saint-Georges-les-Baillargeaux font lacune, empêchant d'y trouver l'origine de Pierre Dansereau. Le généalogiste québécois Henri Dansereau, après plusieurs séjours d'étude, m'assure que la famille Dansereau est bien issue de cette paroisse comme en ferait foi le livre de Raymond Dubois : *Histoire de Saint-Georges-les-Baillargeaux*. Des recherches dans les actes notariés ont permis de repérer un certificat de 1597 pour une maison et métairie au village de Peu, entre Grémillon et Bastien Dansereau qui serait le père de l'ancêtre. Henri Dansereau se promet bien d'explorer, au cours d'un prochain séjour, le greffe de François Mousnier dans lequel il pense faire des découvertes importantes.

SAINT-BENOÎT

Tout juste au sud de Poitiers. L'abbaye bénédictine remonte au VIIe siècle, mais ce que l'on voit aujourd'hui date des XIe et XIIe siècles, alors que la flèche du clocher fut élevée au XIVe. À l'intérieur, le tabernacle et les boiseries sont des XVIIe et XVIIIe siècles.

139 - Louis Baptiste (f Jean Baptiste, charpentier, & Michelle Michault), «de Saint-Benoît près de Poitiers[22]». Il est aussi dit d'Ansac, paroisse de Confolan dans l'évêché de Poitiers[23], ce qui désigne Ansac-sur-Vienne, autrefois en Angoumois (p. 205). À 25 ans, le 3 décembre 1689, il fait rédiger un contrat de mariage qui n'aura pas de suite. En septembre 1690, il sera hospitalisé pendant 18 jours à l'Hôtel-Dieu de Québec, puis disparaîtra. [Sans alliance]

140 - Nicolas Debreha (...), «de Saint-Benoit au Poitou[24]». Matelot âgé de 43 ans, il fut hospitalisé à l'Hôtel-Dieu de Québec durant août et septembre 1692. Nulle autre mention. [Sans alliance]

141 - André Charoux dit Laliberté (François & f Catherine Marigrot), «de St-Benoit dans la ville et diocèse de Poitiers». Soldat dans la compagnie du sieur de Saint-Pierre, le baron de Longueuil lui donne, le 15 mai 1752 à Québec, la permission de se marier. On le retrouve à Montréal en 1757, et il habite à Trois-Rivières en 1764. [5 enfants]

VOUNEUIL-SOUS-BIARD

Immédiatement à l'ouest de Poitiers. On y voit notamment les traces d'un aqueduc romain.

Étienne Giraud dit Brindamour. Voir n° 94 à Vouneuil-sur-Vienne.

Au nord-est de Poitiers, au moins 6 migrants sont originaires des communes du canton de Vouillé :

MAILLÉ

À la limite nord du canton, immédiatement au sud de Vouzailles par la Départementale n° 40. À ne pas confondre avec Saint-Pierre-de-Maillé (p. 195). L'église Notre-Dame est d'époque moderne.

---

22. *Registre des malades* de l'Hôtel-Dieu de Québec, le 13 septembre 1690.
23. Greffe de François Genaple, le 3 décembre 1689.
24. *Registre des malades* de l'Hôtel-Dieu de Québec, le 12 août 1692.

L'abbaye Saint-Martin de Ligugé. La première abbaye fut fondée en l'an 361 par saint Martin, futur évêque de Poitiers. (Archives départementales de la Vienne. Photo : Christian Vignaud, Musées de Poitiers.)

142 - Léonard Montreau de (ou dit) Francœur (f Léonard & Jeanne Canin), «de Maillau au Poitou[25]». Il arrive en juin 1665 comme soldat de la compagnie de Froment du régiment de Carignan et se marie à Montréal le 1er mars 1668. Confirmé à Chambly le 20 mai 1669, il reçoit une concession à Grondines qu'il vendra en 1674, pour ensuite s'installer à Sainte-Anne-de-la-Pérade où il en recevra une autre en 1676. Il décide de vendre en 1681, alors âgé de 35 ans, pour s'établir à Varennes où il possédait une vache et un arpent en valeur. Il vendra encore, en avril 1683, pour se faire fermier à Boucherville et finalement accepter, le 5 février 1695, une concession de 60 arpents dans le fief du Tremblay où il décédera le 25 février 1699. [1 enfant] MSGCF, vol. XVI (1965), p. 292-293.

VOUILLÉ

Chef-lieu de canton situé à 13 kilomètres à l'ouest de Poitiers par la Nationale n° 149. On y trouve plusieurs vestiges de présence préhistorique et gallo-romaine. En l'an 507, Clovis vainquit Alaric II, roi des Wisigoths.

25. Il est dit du diocèse de Poitiers à sa confirmation, ce qui exclut Maillé, en Vendée, situé dans le diocèse de La Rochelle.

Nicolas Massard. Voir n° 120 à Yversay.

143 - Jean Jourdain (...), «de Vouillé en Poitou», ce qui peut également correspondre à Vouillé-les-Marais en Vendée dans le Bas-Poitou ou à Vouillé près de Niort. Il est dit «garçon farinier» âgé de 20 ans, lorsqu'il s'engage, le 4 mai 1718 à La Rochelle, à venir au Canada ou dans les Îles. Je n'ai pas retrouvé sa trace en Nouvelle-France. [Sans alliance]

CHIRÉ-EN-MONTREUIL

À 2,5 kilomètres à l'ouest de Vouillé par la Départementale n° 62. L'église Saint-Jean-Baptiste, construite en pierres du pays au XIIᵉ siècle, est du plus authentique style roman.

144 - François Noël (Pierre & Élisabeth Augustin), «du bourg de Chiray dans l'évêché de Poitiers». Confirmé à l'âge de 20 ans à Québec, le 23 mars 1664, il passera le reste de sa vie à l'île d'Orléans. Travaillant chez Gabriel Gosselin en 1666, puis chez Jacques Roy l'année suivante, il recevra en 1668 une terre dans l'arrière-fief de Mesnou dans la paroisse Saint-Laurent. Marié à l'église de Sainte-Famille le 22 octobre 1669, il recevra en concession, le 2 mars 1670, la terre voisine de la sienne qu'il revendra en deux parties en 1670 et 1677. Il possédait, en 1681, cinq bêtes à cornes et cinq arpents en culture dans l'arrière-fief de Mesnou. S'étant donné à son fils Ignace le 9 septembre 1707, il fut inhumé le 26 mai 1725. [10 enfants] NA, vol. IX, p. 148-157.

LATILLÉ

La commune suivante à l'ouest par la Nationale n° 62. Dès le Moyen Âge, on y tenait une foire importante qui s'y tient encore les derniers lundis du mois.

145 - Jacques-Hyacinthe Bouchet dit Saint-Amour (f Pierre, marchand, & Renée Damour), «de la paroisse de La Tillié dans l'évêché de Poitiers[26]». Maçon et tailleur de pierre, il travaille à Montréal dès mars 1691, et recevra une concession à la côte Saint-Laurent, le 5 avril 1700, ainsi qu'un emplacement en 1707, dans la ville même, qu'il rétrocédera cependant aux seigneurs en 1711. Marié à l'âge de 38 ans le 16 juin 1709, il

---

26. Son contrat de mariage précise qu'il était natif de la paroisse de Latellier, à quatre lieues de Poitiers, dans l'évêché dudit Poitiers.

est décédé à Saint-Laurent le 30 août 1739. [5 enfants] GNA, p. 401.

QUINÇAY

À 10 kilomètres à l'ouest de Poitiers. Des objets de l'âge de pierre furent trouvés dans des grottes.

146 - Jean Caillot (Jean & Anne Giraud), «de la paroisse de St-Antoine de Quencey dans le diocèse de Poitiers». Il se marie, âgé de 30 ans, le 24 juillet 1758 à Montréal, et poursuit sa vie au même endroit où il sera encore cité le 12 octobre 1761. [2 enfants]

BÉRUGES

Au sud de Quinçay et à l'ouest de Poitiers. On y trouve des vestiges celtes, gallo-romains et mérovingiens. Saint Louis a démantelé le donjon en l'an 1242.

147 - Pierre Martin dit Jolicœur (...), «de la paroisse de Beruge (dans l'évêché) de Poitiers[27]». Soldat âgé de 25 ans, il fit deux courts séjours à l'Hôtel-Dieu de Québec, en janvier et en septembre 1690. Il est probablement rentré en France par la suite. [Sans alliance]

À la limite ouest de l'arrondissement de Poitiers, 9 migrants sont originaires du canton de Saint-Julien-l'Ars :

BONNES

Sur les rives de la Vienne, à 20 kilomètres à l'est de Poitiers. Le château de Touffou fut bâti du XIIe au XVe siècle. La tour Saint-Jean possède des fresques murales naïves représentant les quatre saisons. L'église Saint-André est également classée monument historique.

148 - Étienne Dauphin (Étienne & Julienne Richard), «de Bonnes dans le diocèse de Poitiers[28]». À 29 ans, il vivait à Beauport où il s'est marié dans la chapelle le 15 novembre 1665. Il y reçoit de Joseph Giffard, le 9 mars 1667, une concession sur laquelle il sera recensé en 1681, alors en

---

27. *Registre des malades* de l'Hôtel-Dieu de Québec, le 12 janvier 1690.
28. La vérification, à Bonnes, du registre couvrant les années 1606 à 1690 n'a permis d'y trouver la trace ni d'Étienne Dauphin ni de Pierre Martin. Ce registre est cependant incomplet. Communication du 19 mars 1993 de Pascal Claveau, membre de la Maison de l'Acadie.

possession de deux fusils, de huit bêtes à cornes et de trente arpents en valeur. Il est décédé le 31 août 1693 à l'Hôtel-Dieu de Québec, après une hospitalisation d'une dizaine de jours. [8 enfants]

149 - Pierre Martin (René & Perrine Girodon), «de la paroisse de St-André de Baulne dans l'évêché de Poitiers». Marié le 2 juillet 1685 à Montréal, il meurt peu après dans des circonstances inconnues. Sa veuve se remarie l'année suivante. [Sans postérité]

150 - Catherine Barroux (...), «née en 1697 à Torfou en Poitou», ce qui doit correspondre au château de Touffou à Bonnes. Elle est arrivée en Louisiane en 1720, débarquant de la *Gironde* avec son mari, Jean-Baptiste Becquet, serrurier de la paroisse de Saint-Sulpice de Paris. Recensée à Kaskaskia en 1726, elle est décédée le 23 janvier 1760 au fort de Chartres sur les rives du Mississippi. [5 enfants]

151 - François Arsendeau (...), «de Torfou (ou Toufou) en Poitou». À 18 ans, il s'engage, le 20 mai 1715 à La Rochelle, pour trois ans comme laboureur en Nouvelle-France où il n'a pas laissé de traces de sa venue. [Sans alliance]

BIGNOUX

À 10 kilomètres à l'est de Poitiers par la Départementale n° 6. Voir les châteaux de Lirec et des Martins. L'église Saint-Hilaire est du siècle dernier.

152 - Marie Bouart (f François, laboureur, & Jacqueline Bilaude), «de Baignou dans l'évêché de Poitiers». Le 16 août 1668, elle se marie à Québec, apportant des biens estimés à 300 livres, et s'installe à Portneuf avec son mari. Remariée en 1672 à Batiscan, où elle fonde une nouvelle famille, le recensement de 1681 lui donnera 40 ans. À nouveau veuve en 1688, elle se remarie le 6 février de l'année suivante pour mourir au même endroit, le 15 septembre 1712. [1 + 7 + 0 enfants] LFR, p. 281.

SAINT-JULIEN-L'ARS

Chef-lieu de canton, sur la Nationale n° 151, à 12 km à l'est de Poitiers. Le château, fortifié au Moyen Âge, est cerné de douves avec une tour coiffée en poivrière à chaque angle. Au centre, une demeure sobre fut élevée au XVIIe siècle.

153 - Jean Roy ou Leroy dit Lapensée (Jean & Anne Brunet), «de Saint-Julien dans le diocèse de Poitiers». Arrivé en 1665 comme soldat de la compagnie de Lafredière du régiment de Carignan, on le dira âgé de 20 ans l'année suivante, lorsqu'il se fera domestique à l'Hôpital général de Montréal. Il se marie à Montréal le 11 août 1676, mais s'établira dans le fief de Verdun, à Lachine, où le recensement de 1681 précise qu'il était charpentier et possédait un fusil ainsi que dix arpents en valeur. Lors d'un second mariage, le 16 février 1716, il était cependant devenu résident de Châteauguay, à Montréal, où il mourra à l'Hôtel-Dieu le 14 avril 1719. [4 + 0 enfants]

154 - Pierre Roy dit Poitevin (François et Marie-Louise...), «de la paroisse de Saint-Julien dans l'évêché de Poitiers». Soldat de la marine cantonné à Montréal, il était dans la compagnie d'Alleboust de Mantelet en 1710, puis dans celle de Chalus en 1712. Il vit à Montréal où il se marie le 11 décembre 1712, âgé de 30 ans. Il semble rentrer en France avec sa famille puisque leurs traces se perdent après 1720. [4 enfants]

155 - Charles Labadie (Pierre & Marie Rabot), «de Saint-Julien en Poitou», ce qui pourrait aussi correspondre à Saint-Julien-des-Landes dans l'arrondissement des Sables-d'Olonnes en Bas-Poitou. Soldat de la compagnie de Noyan, il convole au fort Saint-Frédéric, au nord du lac Champlain (maintenant Crown Point dans l'État de New York), le 22 janvier 1742. Encore cité au même endroit le 16 octobre de l'année suivante, il habitait à Saint-Laurent dans l'île de Montréal lors de la naissance de son deuxième enfant en 1747. C'est peut-être lui, nommé Charles Labadie dit Saint-Birlieu, qui fut parrain au fort Saint-Frédéric le 24 décembre 1748. On cite aussi une veuve Labadie en 1751 qui ne semble pas être son épouse. [2 enfants]

POUILLÉ

À six kilomètres au sud-est de Saint-Julien-l'Ars. Située sur une ancienne voie romaine, Pouillé conserve, au nord de la commune, les restes d'une importante villa, ainsi qu'un sarcophage mérovingien encastré dans un des murs de l'église Saint-Martin construite au XIIe siècle.

156 - Jean Latouche (...), «de Pouillé en Poitou», ce qui peut aussi correspondre à Pouillé près de Fontenay-le-Comte en

Bas-Poitou. Chirurgien âgé de 18 ans, il s'engage à Nantes pour venir travailler au Québec, le 1er juillet 1729. Il n'a pas laissé de traces de sa venue. [Sans alliance]

Complètement au sud de l'arrondissement de Poitiers, 4 ressortissants viennent du canton de La Villedieu-du-Clain :

FLEURÉ

Sur la Nationale n° 147, à 18,5 kilomètres au sud-est de Poitiers. On y a trouvé : couteaux, flèches, poteries et ossements d'âge préhistorique. L'église romane Saint-Martin, très restaurée au XIXe siècle, possède des tombes du XIIIe.

157 - **Vincent Poupeau** (François & Jacquette Meneau), «de la paroisse de Furée au Poitou». Cité à Montréal dès septembre 1686, il fait un voyage de traite en 1688, se marie à Verchères le 27 avril 1690, et meurt quatre ou cinq ans plus tard. [1 enfant]

158 - **René Duchesneau dit Sansregret** (Pierre, ex-sergent royal, & Marie-Charlotte Roy, de la paroisse Saint-Michel de Poitiers), «de la paroisse St-Martin Fleuray». Il avait 25 ans et était soldat de Louis-Joseph Le Gouez de Grais, lorsqu'il fut hospitalisé à l'Hôtel-Dieu de Québec en juillet 1694. Marié à Charlesbourg le 14 février 1695, les jésuites lui donneront l'année suivante une concession sur le bord de la rivière Saint-Charles, qu'il vendra, le 12 février 1699, pour en recevoir une autre, la même journée, mais à Pincourt, de l'autre côté de la rivière, où il mourra le 9 mai 1740. [13 enfants] NA, vol. IX, p. 31-37.

DIENNÉ

Immédiatement au sud de Fleuré. Le logis de Grassouillet date partiellement du XVIIe siècle.

159 - **Jean Péladeau dit Saint-Jean** (...), «natif de la paroisse Danés dans le diocèse de Poitiers[29]». Charpentier, il arrive le 18 juin 1665 comme soldat de la compagnie de La Fouille du régiment de Carignan, et se marie le 26 janvier 1670 dans la

---

29. *Registre d'entrée des pauvres* de l'Hôpital général de Montréal, dans *Mémoires de la Société généalogique canadienne-française*, vol. XX (1969), p. 238.

chapelle du fort Saint-Louis à Chambly[30]. Il était établi à proximité du fort où, âgé de 40 ans, il possédait cinq bêtes à cornes et dix arpents en valeur en 1681. Il déménage à Montréal en décembre 1689, et se fera bâtir l'année suivante, rue Saint-Vincent. S'étant donné aux frères Charron de l'Hôpital général de Montréal depuis le 29 mai 1707, il est dit meunier de profession lorsqu'il y décède, octogénaire, le 25 novembre 1719. [7 enfants] NA, vol. XII, p. 135-143.

VERNON

Immédiatement à l'ouest de Dienné, c'est-à-dire à 5,5 kilomètres au sud-ouest de Fleuré par la Départementale n° 2. On y a découvert des tombes et des pièces de monnaie gallo-romaines. Le château fut construit au VIIe siècle.

160 - Antoine Boutin dit Laplante (Jean & Georgette Raimbaut ou Bonneau), «de Vernon au Poitou». Tambour dans la garnison du château Saint-Louis à Québec, il reçoit vers 1663 un terrain de 10 arpents près de la rivière Saint-Charles. Il est confirmé, âgé de 22 ans, le 23 mars 1664 et se marie à Québec le 3 novembre de l'année suivante. Ses beaux-parents lui donnent une pièce de terre à Sillery, mais il préfère accepter une concession à Neuville, le 20 mars 1667, où il décédera en 1676 ou 1677. [5 enfants] GNA, p. 444-445; NA, vol. XII, p. 39-46.

Au sud-ouest de Poitiers, 8 migrants sont venus du canton de Vivonne :

ITEUIL

À 10 kilomètres au sud de Poitiers par la Départementale n° 4. On dit qu'un trésor wisigoth reposerait dans la rivière, mais on y a découvert des outils préhistoriques, ainsi que des vestiges de fortifications romaines.

161 - Michel Bounilot (Denis & Françoise Cadine), «de la paroisse d'Iteuse dans l'évêché de Poitiers». Domestique du Séminaire de Québec, il s'est marié à L'Ange-Gardien le 27 novembre 1688, et décéda à Québec dans les mois qui suivirent. [1 enfant]

---

30. A. LAFONTAINE, *Recensement annoté de la Nouvelle-France, 1681*, Québec 1981, p. 168.

MARÇAY

Entre Iteuil et Lusignan, Marçay est à 15 kilomètres au sud-ouest de Poitiers. On y a trouvé des outils préhistoriques et les restes d'une villa gallo-romaine.

162 - Marguerite Guillebourdeau (Louis & Marie Maguin), «de la paroisse de Macé au Poitou». Ayant épousé Jean Baillargeon à Québec le 20 novembre 1650, elle vivra à cet endroit jusqu'à sa mort, le 20 octobre 1662. [4 enfants]

VIVONNE

Chef-lieu de canton, au sud-ouest de Poitiers par la Nationale n° 10. Calvin y fit son premier sermon en Poitou et Catherine de Vivonne, marquise de Rambouillet, y séjourna.

163 - François Émereau dit Bélair (Jacques & f Françoise Babin), «de Vivonne dans l'évêché de Poitiers». Confirmé le 15 août 1670 à Québec où il se marie le 30 octobre de l'année suivante, on le retrouvera établi d'abord à Nicolet, puis à Laprairie. Il est néanmoins décédé à l'Hôtel-Dieu de Québec, le 23 juillet 1694, à l'âge de 44 ans. [4 enfants]

164 - Pierre Goubault (Jean & Marie Jonat), «de la paroisse de St-Georges de Vivone en Poitou dans le diocèse de Poitiers». Marié le 21 août 1727, après une dispense de trois bans, il sera marchand bourgeois et substitut du procureur du roi à Trois-Rivières. Il est mort à 63 ans à l'hôpital de cette ville, le 7 mars 1737. [4 enfants]

165 - Jean-Baptiste Duberger dit Sanschagrin (Jean-Baptiste & Marie-Louise Gauthier), «de la paroisse St-Georges de Vivonne». Il se marie le 27 juillet 1761 à Détroit, au Michigan, où il a élevé sa famille. Il est décédé avant 1793. [9 enfants]

CHÂTEAU-LARCHER

Sur les rives de la Clouère, à 20 kilomètres au sud de Poitiers. Ce bourg pittoresque a conservé les vestiges de son enceinte et de son château dont l'une des grosses tours s'appuie sur l'église romane délicatement ornée. Dans le cimetière, la lanterne des morts cylindrique date du XIIe siècle.

166 - Marie Guyet (Jean & f Françoise Guillon), «de St-Jean de Chasteaularcher dans le diocèse de La Rochelle». Mariée à Québec le 9 octobre 1668 en apportant des biens évalués à 200 livres, elle vit avec sa famille à Charlesbourg et à Québec quoiqu'elle sera recensée à l'île d'Orléans, âgée de 40 ans, en 1681. Hospitalisée à l'Hôtel-Dieu de Québec pendant près d'un mois en avril 1692, elle sera inhumée dans cette ville le 2 janvier 1701. [4 enfants] LFR, p. 324.

MARNAY

À quatre kilomètres au sud-est de Château-Larcher. L'église Saint-Pierre possède une abside romane et une façade dissymétrique.

167 - Jean Goidin (...), «de Saint-Pierre-de-la-Selle près de Poitiers», ce qui désigne Saint-Pierre-de-la-Celle, lieu-dit de la paroisse de Marnay[31]. Âgé de 30 ans le 15 juin 1659, il s'engage à La Rochelle au service, pendant trois ans, de Jean Bourdon, moyennant un salaire de 72 livres par an. On ne sait s'il est véritablement venu, car il n'a laissé aucune trace dans les archives de la Nouvelle-France. [Sans alliance]

168 - Jacques Goidin (apparemment jumeau du précédent), «de Saint-Pierre-de-la-Salle près de Poitiers». Il a 30 ans lorsqu'il s'engage, le 15 juin 1659 à La Rochelle, à travailler pendant trois ans pour Jean Bourdon, à raison de 72 livres par an. Il n'a laissé aucune trace de son passage en Nouvelle-France. [Sans alliance]

À la limite sud-ouest de l'arrondissement de Poitiers, 16 migrants sont du canton de Lusignan :

SANXAY

Juste à l'est de Ménigoute, à la limite nord-ouest du canton de Lusignan. Lieu de culte celtique, puis gallo-romain, où subsistent encore les ruines des thermes et d'un théâtre gallo-romain pouvant accueillir 10 000 personnes.

169 - Jean Ferron dit Sanssez ou Sancerre (Jacques & Julienne Léger), «de la paroisse de Sanssez dans le diocèse de Poitiers». Marié à Montréal le 9 septembre 1692, il était cordonnier et caporal dans la compagnie de Laporte de Louvigny. Résidant au même endroit, il se remarie, âgé de 40 ans, le 27 novembre 1696. Il fera un voyage de traite dans l'Ouest en 1716, et sera inhumé à Montréal le 4 février 1724. [0 + 9 enfants]

---

31. L. REDET, *Dictionnaire topographique du département de la Vienne comprenant les noms de lieux anciens et modernes*, Paris, Imprimerie nationale, 1881, p. 203.

ROUILLÉ

À la limite du département de la Vienne, à 10 kilomètres au sud de Sanxay et à 6,5 kilomètres à l'ouest de Lusignan par la Nationale n° 11. Les chœurs et le transept de l'église Saint-Hilaire sont romans alors que les chapiteaux et le clocher-porche à flèche gothique sont du XIXe siècle.

170 - Pierre Morel (f Samuel & f Jeanne Denis), «de St-Hilaire de Rouillé dans l'évêché de Poitiers». Il semble arriver au pays en 1663 alors que sa présence est mentionnée le 30 mai à Château-Richer. En 1675, il se marie à Beauport où le recensement de 1681 le dira âgé de 35 ans et en possession de deux vaches. Il est décédé à Beauport le 5 décembre 1699. [10 enfants]

LUSIGNAN[32]

Chef-lieu de canton, à 20 kilomètres au sud-ouest de Poitiers par la Nationale n° 11. La fée Mélusine y aurait construit le château en une seule nuit. L'église de style roman poitevin est du XIe siècle. Le porche, ajouté au XVe, fait face à une intéressante maison de la même époque.

171 - Gabriel Gibault dit Poitevin (Pierre & Renée Lorière), «de Notre-Dame de Lusinan dans l'évêché de Poitiers». Il est confirmé à Québec, âgé de 22 ans, le 24 août 1664. Marié au même endroit le 30 octobre 1667, il ira s'établir à Lavaltrie où naîtront ses enfants. Le recensement de 1681 le présente en effet dans la seigneurie d'Autray en possession de quatre bêtes à cornes et de douze arpents en culture. Il s'y fait aussi meunier. Conduit à l'hôpital de Montréal, il y est décédé le 13 octobre 1700. [9 enfants]

172 - Marie Grusseau ou Groleau (f Hilaire & f Lucrèce Desbouts), «de Lusignan dans l'évêché de Poitiers». En 1667, elle épouse Jean Chénier, veuf et père de six enfants, apportant

---

32. Au cours d'une dernière révision, je constate l'oubli de Guillaume Richard (...), compagnon-charpentier de Lusignan en Poitou, engagé à Paris le 15 mars 1606, pour aller travailler pendant un an à Port-Royal en Acadie. Louis Hébert et Marc Lescarbot arriveront en même temps que lui. Toute la colonie de Port-Royal est rentrée en France au printemps de 1607. Guillaume Richard serait donc à ajouter à la liste des travailleurs ayant séjourné en Acadie. Les compilations présentées à la fin de cet ouvrage ne tiennent pas compte de lui. M. TRUDEL, *Histoire de la Nouvelle-France*, vol. II : *Le comptoir*, Montréal et Paris, Fides, 1966, p. 55.

à son mariage des effets estimés à 120 livres. Elle vit à ses côtés à Neuville où elle sera recensée, âgée de 40 ans, en 1681. Veuve en 1699, elle se remariera l'année suivante à Québec et décédera à Neuville, le 8 septembre 1712. [2 + 0 enfants] LFR, p. 321.

173 - Claude Guérin dit Lafontaine (Michel & Jeanne Veron), «de Lusignan dans l'évêché de Poitiers». Soldat de la compagnie de Pierre-Jacques Payen, sieur de Noyan, il habite déjà à Laprairie lorsqu'il se marie à Montréal, le 19 novembre 1696, à l'âge de 28 ans. Le 11 juin 1699, les jésuites lui concèdent la terre qu'il occupait depuis 1694 dans la côte Fontarabie à Laprairie. Il prendra aussi des terres à bail en 1698 et 1704. Il est décédé à Laprairie le 30 mars 1708. [4 enfants] MSGCF, vol. V (1952-1953), p. 239-240.

174 - Gabriel Despeignes (Pierre, maître apothicaire à Rouillé, & Suzanne Thibault), «de Notre-Dame de Lusignan en Poitou[33]». Il était sergent de la compagnie de Legardeur de Courtemanche à son décès à Trois-Rivières, le 25 mai 1719. [Sans alliance]

175 - Jean Bernard dit Lusignant (Jacques & Marie Brande dite Dionelle), «de la paroisse de Notre-Dame de la ville de Lusignant dans l'évêché de Poitiers». Veuf de Jeanne Bibaud, il habite à Québec où il se remarie le 12 janvier 1739, et à nouveau le 30 octobre 1742. Il disparaît après qu'on l'eut qualifié, en 1744 à Québec, de cabaretier âgé de 40 ans. [0 + 4 + 1 enfants]

176 - Philippe Baronet (Jacques, marchand et fabricant, & Jeanne Barotte), «natif de Lusignan en Poitou dans la juridiction de Poitiers». Soldat, il réside à Deschambault lorsqu'il s'y

---

33. Pierre Despeignes, le père du migrant, était apparenté (peut-être le frère) à Urbain Despeignes, curé de Saint-Hilaire de Rouillé de 1673 à 1675. Ce curé, assassiné dans un cabaret de Lusignan le 10 avril 1675, fut inhumé le lendemain à l'église de Saint-Pierre-et-Saint-Paul de Pranzay-lès-Lusignan. Le précédant curé de Rouillé, de 1650 à 1673, avait été Gabriel Thibault, l'oncle maternel du migrant à qui il a donné son prénom. Il fut ensuite curé de Lusignan jusqu'à sa mort en 1677. Source : Archives départementales de la Vienne, B6, 38. Communication de M. Yves Couturier, instituteur honoraire à Poitiers, retransmise par Gilbert Tanneau.

marie le 2 novembre 1760. Il semble retourner en France peu après. [Sans postérité]

PRANZAY

Cette ancienne paroisse rurale à majorité protestante couvrait une grande partie de la commune actuelle de Lusignan. L'église Saint-Pierre-et-Saint-Paul se trouvait là où est maintenant le cimetière offrant d'intéressantes pierres tombales.

177 - Jean Miel ou Amiel dit Lusignan (Jean & Louise Émonet), «de la paroisse de Pranzays dans l'évêché de Poitiers». Soldat de la marine dans la compagnie de Séraphin Margane, sieur de Lavaltrie, il a dû obtenir la permission écrite du gouverneur de Callière pour se marier, à l'âge de 28 ans, le 27 avril 1699 à Boucherville. Il est décédé le 11 janvier 1749 à Contrecœur où il s'était établi. [6 enfants]

178 - Laurent Martin (f Jacques & f Marie Bruneteau), «de la paroisse de Franzay dans le diocèse de Poitiers». Son contrat de mariage le dit de Lusignan. Il est déjà présent le 27 août 1752 à Québec où il se marie le 2 mai 1757, âgé de 27 ans. Il était aubergiste. [2 enfants][34]

CELLE-LÉVESCAULT

À l'est de Lusignan. L'église Saint-Étienne, bâtie au XIIIe siècle, est classée monument historique.

179 - Charles Humier (François et Jeanne Hédon), «de la paroisse de Celles dans le diocèse de Poitiers», ce qui pourrait également correspondre à Celles-sur-Belle (p. 265). Âgé de 27 ans, il était couvreur dans la paroisse Saint-Nicolas de La Rochelle au moment de son engagement, en 1720, pour l'île Saint-Jean en Acadie. Il partira avec René Grenot et sa femme, ainsi que Marie Saupoy (n° 181), leur alliée agée de 16 ans. Marié à l'île Saint-Jean le 3 août 1722, une fille sera baptisée le 22 mai 1723. [1 enfant] RHAF, vol. XIII (1959), p. 411.

180 - Jacques Garcin (...), «de Celles en Poitou», ce qui peut aussi désigner Celles-sur-Belle (p. 265). Scieur de long âgé de 30 ans, il est engagé en 1720 à La Rochelle avec Marie Saupoy, sa fiancée, afin d'aller travailler à l'île Saint-Jean, en Acadie, pour un salaire de 150 livres par an. Qualifié d'habitant au

---

34. Ses deux filles se marieront respectivement à Québec en 1775 et à Berthier en 1690.

baptême de son fils, le 6 août 1722, j'ignore ce qu'il est ensuite devenu. [1 enfant] RHAF, vol. XIII (1959), p. 411.

181 - Marie Saupoy (...), fiancée du précédent. Elle a 16 ans, en 1720, lorsqu'elle s'engage avec son fiancé à La Rochelle. Il semble qu'elle se soit installée avec lui en Acadie où ils ont fait baptiser un enfant à l'île Saint-Jean, le 6 août 1722. [1 enfant] RHAF, vol. XIII (1959), p. 411.

182 - Jacques Chartier (...), «de Celles en Poitou», ce qui peut aussi correspondre à Celles-sur-Belle (p. 265). Âgé de 20 ans, il s'engage comme «garçon de service», le 24 mai 1722 à La Rochelle, pour aller à l'île Saint-Jean en Acadie, où il n'a pas laissé de traces. On lui avait promis un salaire annuel de 60 livres. [Sans alliance] RHAF, vol. XIII (1959), p. 554.

183 - Jean-Baptiste Marot dit Larose (Sébastien & Marie Fleury), «de la paroisse de Lacelle dans le diocèse de Poitiers», ce qui peut aussi correspondre à Celles-sur-Belle. Âgé de 29 ans et soldat dans la compagnie du défunt monsieur Lapérière, il se marie à Montréal, le 1er août 1743, alors que «les susdits époux ont reconnu pour leur enfant et légitime Jean-Baptiste, baptisé le dix-neuf octobre dernier». Ensuite journalier à Montréal, il mourra après mai 1744. Sa veuve se remariera en avril 1752. [2 enfants]

Henri Beaudouin. Voir n° 499 à Celles-sur-Belle.

SAINT-SAUVANT

À mi-chemin entre Lusignan et Lezay. L'église romane fut construite au XIIe siècle. Le sanctuaire et la nef d'inspiration gothique remontent cependant au XIIIe siècle.

184 - Pierre Brunelot dit Lapierre (...), «natif de St-Sauvent à trois lieues de Niort[35]». Le 25 janvier 1759, il est depuis cinq ans en service dans la compagnie de Montreuil du régiment de La Reine, lorsqu'André Brillan (n° 606) et lui servent de témoins à Louis Saillant (n° 605). [Sans alliance]

---

35. Selon le témoignage de liberté au mariage de Denis Saillant, le 25 janvier 1759. Saint-Sauvent est en réalité à 10 lieues de Niort.

Chapitre VI

La ville de Poitiers

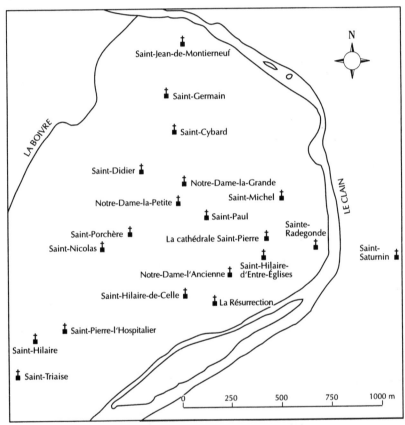

Les paroisses de Poitiers au XVIIe siècle.

Poitiers s'est installé dès les premiers siècles de notre ère sur un promontoire formé par le confluent de la Boivre et du Clain. Par commodité, j'ai subdivisé la ville selon le découpage des paroisses actuelles, lesquelles ont intégré d'anciennes paroisses des XVIIᵉ et XVIIIᵉ siècles. Cette façon de procéder aura l'avantage de permettre de se repérer aussi facilement dans le Poitiers du XVIIᵉ siècle que dans celui du XXᵉ.

Voici le relevé des 136 concitoyens de Poitiers distinctement identifiés dans la population de la Nouvelle-France. Ils ont été regroupés en familles lorsque c'était le cas, dans leur paroisse d'origine lorsque celle-ci était connue, et selon l'ordre vraisemblable de leur arrivée en Nouvelle-France. Précisons qu'il fut assez difficile de reconstituer la carte paroissiale de Poitiers au XVIIᵉ siècle; non seulement plusieurs paroisses, églises et chapelles étaient sous un même vocable, mais, de prime abord, les sources à ma disposition étaient incomplètes, pas toujours complémentaires et parfois même divergentes. Un séjour à Poitiers, d'ailleurs fort agréable, m'a finalement permis de mettre en place chacune des pièces du puzzle.

J'ai souvent pu constater que les migrants présentés comme étant, par exemple, de la paroisse Saint-Pierre dans le diocèse de Poitiers, venaient précisément de la paroisse Saint-Pierre de la ville de Poitiers; par contre, il pourrait aussi occasionnellement arriver que l'un d'eux puisse provenir d'une autre paroisse Saint-Pierre du diocèse, ou encore de Saint-Pierre-de-Maillé. Ces cas de mentions de provenance ambiguës demeurent tout de même assez peu nombreux; le lecteur sera en mesure de les détecter et de réévaluer mes choix. Par ailleurs, les listes de confirmés de l'époque indiquent généralement l'origine diocésaine plutôt que paroissiale, et le *Registre des malades* de l'Hôtel-Dieu de Québec fait occasionnellement de même. Aussi, ai-je cru prudent de placer au chapitre XII, parmi les cas indéterminés, 28 migrants venus de Poitiers, mais au sens probable d'évêché de Poitiers.

Dans le secteur ouest de la presqu'île de Poitiers, seulement une douzaine de migrants sont originaires du territoire couvert par la paroisse actuelle de Saint-Hilaire-le-Grand dont la très belle église romane, construite avant l'an 1050 sur l'emplacement d'un ancien cimetière gallo-romain, apparaît tout de suite, à l'ouest, sur les anciens plans de la ville. C'était, au XVIIe siècle, une église collégiale et royale dont le roi était d'ailleurs abbé[1]. Aucun migrant vers la Nouvelle-France ne doit cependant être associé à ce Saint-Hilaire[2] qui ne devint paroisse, qu'avec le Concordat de 1801. Saint-Hilaire-le-Grand engloba alors les anciennes paroisses de Sainte-Triaise, de Saint-Pierre-l'Hospitalier, qui nous ont envoyé respectivement 3 et 8 ancêtres, ainsi que Notre-Dame-de-la-Chandelière. Il faudra aussi ajouter un autre migrant se disant de Saint-André, qui ne fut cependant jamais une paroisse. Au total, ce secteur n'a donc donné que 12 immigrants à la Nouvelle-France, peut-être parce qu'étant situé en dehors de l'enceinte de la ville, il devait être moins urbanisé et moins populeux.

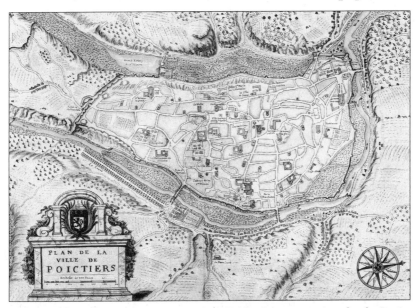

Plan de la ville de Poitiers en 1699. (Bibliothèque nationale de Paris, collection Gaignières. Photo : Bibliothèque nationale, Paris.)

---

1.   H. BEAUCHET-FILLEAU, *Pouillé du diocèse de Poitiers*, Niort, L. Clouzot, et Poitiers, H. Oudin, 1868, p. 354.
2.   Il y avait deux autres paroisses de ce nom à Poitiers.

SAINTE-TRIAISE

L'église de Sainte-Triaise, détruite après 1800, se trouvait un peu au sud de Saint-Hilaire-le-Grand, c'est-à-dire au numéro 7 bis de l'actuelle rue Jules-Ferry[3].

185 - Charles Chevriez (...), «de St-Triesse à Poitiers[4]». À 21 ans, il est hospitalisé durant quelques mois à l'Hôtel-Dieu de Québec, entre septembre 1689 et avril 1690. Il y est peut-être décédé. [Sans alliance]

186 - Gabriel Bertrand (f Simon & Françoise Aimée ou Aymés), «de la paroisse de Ste-Therese à Poitiers», frère de Jean Bertrand (n° 361) qui se dit originaire de La Ferrière-Airoux en Civraisien. Marié à Montréal le 22 septembre 1690, il meurt, peut-être dans l'Ouest, en 1699 ou 1700. [Sans postérité]

187 - Jean Charpentier (Pierre & Madeleine Bouto), «de Ste-Triaise dans l'évêché de Poitiers». Marié à Québec le 27 juillet 1695 à l'âge de 35 ans, il était habitant de Saint-François-du-Lac lors d'un second mariage, le 9 octobre 1706. Il est décédé le 4 avril 1731 à Lavaltrie où il demeurait depuis l'été 1730. [Sans postérité]

SAINT-PIERRE-L'HOSPITALIER

La paroisse Saint-Pierre-l'Hospitalier comptait 300 communiants en 1786. Sa petite église se trouvait au nord-est de l'église Saint-Hilaire-le Grand dans l'actuelle rue Général-Demarçay. L'église, qui passa par la suite aux Frères des Écoles chrétiennes[5], est maintenant complètement disparue. Les migrants qui se disent de Saint-Pierre de Poitiers sont nécessairement issus de cette ancienne paroisse, et non de la paroisse-cathédrale actuelle comme plusieurs ont été portés à le croire. La cathédrale Saint-Pierre, construite à la fin du XIIe siècle, était exclusivement réservée à l'usage des chanoines du chapitre[6] et ne fut instituée en paroisse que lors du Concordat de 1801 entre le pape Pie VII et Napoléon Ier. Il existait aussi la chapelle Saint-Pierre-le-Puellier, située dans la paroisse Notre-Dame-l'Ancienne, et qui n'était pas non plus une paroisse.

---

3. R. BROTHIER DE ROLLIÈRE, *Poitiers. Histoire des rues et Guide du voyageur*, Poitiers, Éditions Brissaud, 1974 (réimpression de l'édition Levrier de 1907), p. 292.
4. Selon le *Registre des malades* de l'Hôtel-Dieu de Québec, le 10 avril 1690. Il est aussi dit de la paroisse de Liesse à Poitiers, le 1er novembre 1689.
5. H. BEAUCHET-FILLEAU, *op. cit.*, p. 354.
6. H. BEAUCHET-FILLEAU, *op. cit.*, p. 347.

188 - Jean Janvier (f Jean & Renée Dupeu), «de la paroisse de St-Pierre dans la ville et évêché de Poitiers». En 1676-1677, il exploitait conjointement une barque faisant du cabotage sur le fleuve Saint-Laurent. À partir du 7 novembre 1676, il fut meunier, jusqu'en 1681, du moulin à vent que possédait l'intendant Jean Talon à la Pointe-aux-Lièvres, dans Charlesbourg. Le 14 avril 1679, il acquiert au village de Saint-Michel, dans la seigneurie de Beauport, une terre qu'il revendra le 16 août 1681. Âgé de 30 ans, il épouse à Québec, le 22 janvier 1680, la fille de René Dubois (n° 122), et sera recensé l'année suivante à Petite-Auvergne dans la seigneurie de Charlesbourg, en possession d'une cavale et de deux arpents en valeur, peut-être situés sur la terre de son beau-père. Le 18 août 1681, il prend à bail, conjointement avec ce dernier, la ferme des jésuites du Cap-de-la-Madeleine où il décédera prématurément, le 15 janvier 1688, après avoir reçu tous les sacrements. [4 enfants] NA, vol. XX, p. 109-114.

189 - Jacques Barbeau (f Jacques & Marie Trouvé), «de la paroisse de St-Pierre dans l'évêché de Poitiers». Ce sabotier était déjà présent, le 24 août 1671, au mariage à Québec de Francois Barbeau (n° 267) avec lequel il était probablement parent. Il a 60 ans à son mariage, le 9 février 1681 à l'Ange-Gardien, où le recensement de la même année le déclare en possession de deux bœufs et de quinze arpents en culture. Il est décédé au même endroit le 18 novembre 1687. [Sans postérité]

190 - Pierre Gorgeaux ou Gouzeaux (Pierre & Madeleine Fournier), «de la paroisse de St-Pierre dans l'évêché de Poitiers.» Il se marie à l'âge de 28 ans, à Neuville, le 13 novembre 1689. Le *Registre des malades*, lors d'un séjour d'un mois à l'Hôtel-Dieu de Québec au printemps de 1691, le dira de la paroisse de Nice dans l'évêché de Poitiers. Habitant à Saint-Augustin au moment d'un second séjour d'au moins deux mois à la fin de 1694, il avait ensuite déménagé à Québec où on le retrouve en 1707. Il est mort dans les années qui suivirent puisque sa veuve se remarie en 1720. [1 enfant]

191 - René Poudret (...), «de St-Pierre dans l'évêché de Poitiers». Il est décédé à 43 ans, le 21 août 1708, à l'Hôtel-Dieu de Québec. [Sans postérité]

192 - François Roy (Émery & Marie-Anne de Londière), «de la paroisse St-Pierre du diocèse de Poitiers». Perruquier âgé de 25 ans, il s'engage le 4 juin 1738 à La Rochelle pour un salaire de 300 livres de sucre brut. Il se marie le 5 janvier 1743 à Montréal où il sera qualifié de marchand de cette paroisse le 2 octobre 1745. Il semble disparaître par la suite. [3 enfants]

193 - Jacques Beausier dit Tranchemontagne (Pierre & f Jeanne-Catherine Laporte), «de la paroisse de St-Pierre de la ville de Poitiers». Enrôlé à Poitiers avec André Thierry qui suit, il demeure depuis huit ans en Nouvelle-France lorsqu'il obtient la permission de se marier, le 19 avril 1758. Il était alors à la fois potier chez monsieur Fornel et soldat de la compagnie de Gaspé. Il se marie le 24 avril 1758 à Québec où il habitait, et où sa trace se perd après septembre 1759. [1 enfant]

194 - André Thierry dit Saint-André (...), «natif de la rue de Paris dans la paroisse de Saint-André[7]». Il s'est enrôlé vers 1749 à Poitiers en même temps que le précédent ayant dû arriver avec lui en Nouvelle-France en 1750. Il est encore soldat le 19 avril 1750, et il assiste au mariage de Jacques Beausier à Québec, le 24 avril 1758. [Sans alliance]

195 - Jacques Michel (...), «de la paroisse Saint-Pierre-de-Poitiers». «Apprenti chaisier» âgé de 20 ans, le capitaine de la goélette l'*Échappé* l'engage, le 26 mars 1754 à La Rochelle, pour aller travailler à Louisbourg en Acadie, où je n'ai pas retrouvé sa trace. [Sans alliance] RHAF, vol. XIV (1960), p. 586.

SAINT-ANDRÉ

La chapelle Saint-André était située un peu en avant de la basilique Saint-Hilaire. Sa démolition fut ordonnée par le Chapitre en 1772 à cause de l'état dans lequel elle se trouvait[8].

196 - Louis Auriot ou Oriot (f Charles & Marie Bordier), «de la paroisse de St-André dans la ville et évêché de Poitiers». Déjà cité à la côte de Lauzon le 30 janvier 1672, il se marie dans la chapelle de l'endroit, le 21 septembre de l'année suivante, et reçoit une concession, le 2 mars 1676, au Cap-Saint-Claude à

7. Témoignage de liberté au mariage de Jacques Beausier (n° 193), le 19 avril 1758.
8. *Bulletin de la Société des Antiquaires de l'Ouest*, tome VII de la deuxième série, Poitiers, 1985, p. 261-262.

Beaumont où, âgé de 39 ans, il possédera une vache et quatre arpents en valeur en 1681. Il est décédé la même année puisque sa veuve se remarie le 24 août 1681. [5 enfants]

Vers le nord-est, 8 migrants sont venus de la paroisse de Saint-Porchaire, alors qu'un autre se dit de Saint-Nicolas. À l'intérieur de la paroisse de Saint-Porchaire, il existait en effet une chapelle Saint-Nicolas bien indiquée sur les anciens plans, au sud-ouest de l'église paroissiale, ainsi que dans le Dénombrement du fief d'Anguitard de 1674[9]. C'était un ancien prieuré augustin qui ne fut cependant jamais une paroisse.

SAINT-NICOLAS

Cette chapelle, aujourd'hui détruite, était précisément sur l'actuelle rue Saint-Nicolas donnant sur la place du Maréchal-Leclerc[10]. On a pu en voir les derniers vestiges lors de la construction du magasin Shopy.

197 - Pierre Perrin dit Saint-Pierre (Jean & Marie-Louise... ou Pierre & Marguerite Fouchaux), «de la paroisse de Saint-Nicolas dans la ville de Poitiers». Il s'est marié âgé de 26 ans, le 19 octobre 1764, à Saint-Antoine-sur-Richelieu, après que le grand vicaire eut fourni un certificat de liberté au mariage en sa faveur. Remarié au même endroit le 16 août 1770, il vivait encore à Saint-Antoine en novembre 1789. [0 + 6 enfants]

SAINT-PORCHAIRE

Saint-Porchaire est une paroisse importante de Poitiers dont l'église romane est remarquable par son imposant clocher-porche du XIe siècle.

198 - Jean Boesmé (f Pierre & Andrée Bounet), «de St-Porchère dans l'évêché de Poitiers». Son nom figure sur le rôle des passagers du navire *Noir-de-Hollande* en 1664. Arrivé le 25 mai, il reçoit une concession à Charlesbourg le 25 février 1665; mais c'est cependant à Québec qu'il se marie le 7 janvier 1668, et

---

9. *La topographie de Poitiers et de ses paroisses au XVIIe siècle par le Toisé de 1691* et *Le dénombrement du fief d'Anguitard de 1674*, publiés et annotés par François Eygun, dans *Archives historiques du Poitou*, vol. LIV, Société des archives historiques du Poitou, 1947. Le fief d'Anguitard relevait de la tour de Maubergeon et s'étendait sur une partie de la ville ainsi qu'à l'extérieur de Poitiers.
10. Place Royale sur le plan de Poitiers de 1699.

qu'il fera baptiser ses premiers enfants. Le recensement de 1681 le dit âgé de 40 ans et lui attribue cinq bêtes à cornes et quinze arpents en valeur à Charlesbourg où il décède le 13 juillet 1703. [9 enfants]

199 - Pierre Ménage ou Mesnage (f François, marchand, & Françoise Lunette), «de la ville et évêché de Poitiers»; il est également dit de St-Porche[11]. Confirmé le 23 avril 1669 à Québec, où il achète une habitation à la rivière Saint-Charles la même année, ce maître charpentier se marie à Québec le 13 mars 1673, et ira s'établir dans la haute ville où il sera recensé en 1681, âgé de 36 ans. Il a bâti plusieurs maisons importantes de Québec, notamment pour les jésuites, pour Philippe Gaultier de Comporté (n° 472), et pour les ursulines; en plus de participer aux constructions de la cathédrale, de l'Hôtel-Dieu et du château Saint-Louis. Hospitalisé durant plus de trois semaines au cours de l'été de 1692, il est décédé à Québec le 16 avril 1715. [11 enfants] DBC, vol. II, p. 487.

200 - Jean-Robert Duprac (Jacques, maître sculpteur, & Françoise Lamoureux), «de St-Porchère dans la ville de Poitiers». Maçon de métier, il se marie en 1675 à Beauport où, âgé de 34 ans, il possède cinq bêtes à cornes et deux arpents en culture en 1681. Il devient notaire seigneurial à Beauport le 1er décembre 1693, pour bientôt aussi devenir notaire et greffier de la seigneurie voisine de Notre-Dame-des-Anges. Il est décédé à Beauport le 29 août 1726. [9 enfants] DBC, vol. II, p. 214.

201 - Claude Chauchetière (...). Né à Saint-Porchaire de Poitiers le 7 septembre 1645[12], il entre chez les jésuites à Bordeaux le 7 septembre 1663, et étudie la philosophie à Poitiers de 1665 à 1667. À son arrivée en Nouvelle-France, il passe un an à la mission huronne d'Ancienne-Lorrette pour ensuite devenir missionnaire chez les Iroquois du Sault-Saint-Louis (Kanesetake) en 1678. Après la mort de Kateri Tekakouitha, il peint le portrait de la sainte et écrit, en 1687, une courte biographie du *Lys des Agniers*. Il quitte la mission du

---

11. *Registre des malades* de l'Hôtel-Dieu de Québec, le 1er juillet 1692.
12. J.-B. ALLAIRE, *Dictionnaire biographique du clergé canadien-français*, Saint-Hyacinthe, Imprimerie du *Courrier de Saint-Hyacinthe*, 1934, vol. VI, p. 196.

Sault-Saint-Louis en 1694 pour enseigner la mathématique à Montréal. Il est décédé à Québec le 17 avril 1709 ayant laissé plusieurs écrits. DBC, vol. II, p. 145-146; ADC, vol. VI, p. 196.

202 - René Desnoux dit Léveillé (Jacques & Marie Prévost), «de St-Porchaire dans l'évêché de Poitiers[13]». À 27 ans, en octobre 1695, il est hospitalisé à l'Hôtel-Dieu de Québec, alors soldat de la compagnie de monsieur de Saint-Jean. Encore dans cette même compagnie le 25 juin 1698, il passe dans celle du sieur de L'Estringuant de Saint-Martin quelque temps avant son mariage, à l'Ange-Gardien, le 10 novembre 1698. Il s'installera définitivement à Québec en 1703 et décédera à l'Hôtel-Dieu le 20 décembre 1708. [5 enfants]

203 - Jean Vallée dit Sansoucy (Jean & Élisabeth Proulx), «de la paroisse de St-Porchère dans la ville et évêché de Poitiers». Soldat de la compagnie de Charles Petit, sieur de Le Villiers, il fait baptiser une fille à Montréal le 9 mai 1709, et y épousera la mère 16 juillet 1712. Il avait alors 33 ans. Il est décédé à l'Hôtel-Dieu de Montréal le 9 août 1718. [4 enfants]

204 - Pierre-Charles Sauvage dit Chevalier (f Pierre & Marie Brienne), «de la ville de Poitiers en la paroisse de St-Porchère». Marié le 15 octobre 1724 à Québec où il vit avec sa famille, il décédera après le 15 février 1736. [6 enfants]

205 - Pierre Médard (...), «de la paroisse de St-Porchaire à Poitiers». Il est «garçon cloutier» à La Rochelle lorsqu'il s'engage pour Québec, le 21 avril 1758, en même temps que Pierre Fouissard (n° 259). On lui promet alors un salaire de «300 livres de morue à dix livres le quintal». Je n'ai pas retrouvé sa trace en Nouvelle-France. [Sans alliance]

Au centre-nord de Poitiers, 4 migrants ont quitté la paroisse Notre-Dame-la-Grande. Celle-ci a plus tard intégré les anciennes paroisses de Saint-Didier et de Saint-Cybard qui ont respectivement fourni 12 et 3 migrants à la population de la Nouvelle-France.

---

13. *Registre des malades* de l'Hôtel-Dieu de Québec, le 20 décembre 1708. Il est par ailleurs dit de la ville de Poitiers à son mariage.

SAINT-DIDIER

Située au nord-est de Saint-Porchaire, l'église de Saint-Didier fut vendue en 1791, puis démolie vers 1845. Elle serait aujourd'hui située au centre-ville, aux numéros 3 et 5 de l'actuelle rue du Palais-de-Justice[14].

206 - Louis Chapelain dit Le Tourneur (...). Il se dit lui-même du diocèse de Poitiers[15], mais il a résidé un peu partout, notamment à Saint-Didier, paroisse de Poitiers. Marié vers 1640 à Lubersac, près de Brive-la-Gaillarde en Limousin, où il a aussi résidé durant quelque temps, on le dit tourneur et menuisier de La Rochelle lors de son engagement le 30 avril 1658. Ayant obtenu un emplacement le 27 juin 1661 sur la Côte-de-la-Fabrique dans la haute ville de Québec, où on le qualifie de maître-menuisier, il se fera aussi concéder une terre à l'île d'Orléans le 10 septembre 1661. Confirmé à 44 ans chez les ursulines de Québec le 1er mai 1662, il sera recensé à Charlesbourg en 1667, et dans la basse ville de Québec en 1681. Il est décédé le 1er février 1700 à l'Hôtel-Dieu de Québec. [3 enfants]

207 - Françoise Dechaux (...), épouse du précédent. Originaire de Notre-Dame de Lubersac près de Brive-la-Gaillarde en Limousin, elle a résidé à Saint-Didier de Poitiers vers 1643. Elle émigre avec son époux et ses enfants en Nouvelle-France où elle est citée pour la première fois le 23 juillet 1662. On la dira âgée de 60 ans en 1681. Hospitalisée à l'Hôtel-Dieu de Québec en 1689 et 1692, elle y décédera le 25 janvier 1695. [3 enfants]

208 - Jacques Chapelain (fils des précédents), «de St-Didier dans l'évêché de Poitiers». Lors de son engagement, avec son père le 30 avril 1658, il est qualifié de tourneur et de menuisier à La Rochelle. Il a alors environ 27 ans. Marié à Québec le 14 septembre 1666, il s'installera sur la place d'Armes, dans la haute ville, mais sera cependant confirmé à l'église Sainte-Famille de l'île d'Orléans le 14 février 1669. Il rentre seul en France, ayant obtenu la séparation, le 19 octobre 1692[16]. [Sans postérité] MSGCF, vol. I (1944-1945), p. 174.

---

14. R. BROTHIER DE ROLLIÈRE, *op. cit.*, p. 326-327.
15. À l'Hôtel-Dieu de Québec le 19 août 1697, et à sa confirmation chez les ursulines de Québec le 1er mai 1692.
16. Jacques Chaplain, hospitalisé depuis six jours le 8 décembre 1698, doit donc être son neveu, fils de Bernard Chapelain, né vers 1693.

209 - Bernard Chapelain (frère du précédent). Né à Notre-Dame de Lubersac, il a une douzaine d'années à son arrivée à Québec en 1658 avec sa famille. Confirmé le 1er mai 1662 chez les ursulines de Québec, il s'établit à île d'Orléans pour cependant se marier à Québec le 19 novembre 1671. Il est décédé à Saint-Joseph-de-Deschambault le 25 novembre 1734. [13 enfants]

210 - Françoise Chapelain (sœur des précédents). Elle se marie à 18 ans, le 16 juin 1664, et élèvera sa famille à l'île d'Orléans où elle fut sage-femme. Veuve en 1709, elle deviendra religieuse au Séminaire de Québec où elle décédera le 13 mai 1729. [13 enfants]

211 - René-Antoine de Lafaye (Jacques de Lafaye, lieutenant de la Prévôté de Poitiers et sergent du prévôt de la Maréchaussée du Poitou, & Marie-Judith d'Eguillon ou de Guillon[17]), frère du suivant. Il s'engage, le 30 avril 1683 à La Rochelle, comme laboureur au service du Séminaire de Montréal et deviendra huissier au Bailliage de cette ville. Il épouse la fille de Cybard Courault, sieur de Lacoste, le 13 septembre 1688 à Lachine, mais celle-ci, âgée de 16 ans, a dû mourir des suites de son seul accouchement puisqu'il se remarie en janvier 1690 à Montréal. Il est décédé vers 1695. [1 + 1 enfants]

212 - Pierre-Joseph de Lafaye (frère du précédent), «de la paroisse de St-Didier dans la ville de Poitiers». Tailleur de pierre, il est cité le 10 février 1687 à Québec, et le 13 septembre 1688 à Lachine dans l'île de Montréal. Il se marie à cet endroit, le 22 juin 1698, et reconnaît une fille née deux ans plus tôt à Québec. Il est mort dans les années qui suivirent puisque sa veuve se remarie en 1713. [1 enfant]

213 - Jacques Batreau dit Saint-Amand (...). Ce soldat demeure un cas énigmatique. Hospitalisé à deux reprises à l'Hôtel-Dieu de Québec en 1689, on le dit, le 21 juin, âgé de 21 ans et originaire de Saint-Didier de Poitiers alors que, le 22 août, on lui donnera 32 ans, ce qui est plus plausible, en le disant de Saint-Jean-du-Perrot, paroisse de La Rochelle. Ce

---

17. Ils devaient vivre séparés puisqu'au mariage de Pierre-Joseph de Lafaye, qui suit, Jacques Lafaye est dit de St-Didier de Poitiers, alors que Judith Guillon est paroissienne de Saint-Germain.

cordonnier se serait marié dans la région de Québec vers 1686, mais son acte de mariage est disparu. Il est décédé vers 1697. [5 enfants]

214 - Pierre Babin dit Lacroix (André, maître paulmier, & Geneviève Boudot), «de la paroisse de St-Dizier à Poitiers». Baptisé le 12 novembre 1663 à Saint-Didier, il est cité à Laprairie le 3 avril 1689, et se marie âgé de 28 ans à Montréal le 21 août 1691. En 1696, il fut chef cuisinier du gouverneur de Frontenac pour ensuite devenir aubergiste à Québec après la mort du gouverneur. On le retrouvera plus tard à Boucherville où il devait également être cabaretier ou aubergiste. Sa femme accouche de deux enfants de père inconnu, en 1703 et 1709, mais il sera présent avec elle à un mariage, le 12 octobre 1722 à Boucherville. Il est décédé vers 1730 puisque sa veuve obtient, en 1733, l'autorisation de tenir un cabaret au même endroit. [6 enfants] GNA, p. 99-100.

215 - Pierre Laville (...), «de Saint-Didier à Poitiers[18]», peut-être le frère de Louis Laville (n° 307). À 18 ans, en octobre 1690, il est hospitalisé pendant un mois à l'Hôtel-Dieu de Québec où il fera d'autres séjours en 1690, 1693, 1694 et 1696 avant de disparaître. [Sans alliance]

216 - Fulgent Martineau (...), «de Poitiers en la paroisse Saint-Didier». Âgé de 18 ans, il s'engage le 3 avril 1723 à La Rochelle comme garçon de service pour l'île Saint-Jean en Acadie. Il recevra 80 livres par an. [Sans alliance]

René ou Jean Goneau dit Lacouture. Voir n° 220 dans la paroisse de Notre-Dame-la-Grande.

217 - Pierre Guerineau (f René, marchand pelletier, & Catherine Philippe), «de la paroisse de St-Didier dans la ville et diocèse de Poitiers». En 1752, il est parrain le 13 janvier à Montréal, et qualifié de marchand pelletier à son mariage, à l'âge de 23 ans, le 15 mai à Pointe-aux-Trembles. Sa femme étant inhumée à Varennes le 18 novembre 1754, il semble rentrer en France par la suite. [Sans postérité]

---

18. Selon le *Registre des malades* de l'Hôtel-Dieu de Québec, le 6 mars 1692. Il est aussi dit de St-Cliquet et de St-Cliguet à Poitiers, les 20 octobre et 1er novembre 1690.

Église Notre-Dame-la-Grande, XIIe siècle. (Archives départementales de la Vienne. Photo : Christian Vignaud, Musées de Poitiers.)

NOTRE-DAME-LA-GRANDE

Située à l'est de Saint-Didier, l'église Notre-Dame-la-Grande, cons-truite au XIe siècle, est un des plus beaux exemples d'architecture romane. Il faudra bien distinguer cette paroisse des anciennes paroisses de Notre-Dame-la-Petite et de Notre-Dame-l'Ancienne.

218 - Yves-Pierre Godu dit Sanscoucy (Pierre & Jeanne Persy), «de Notre-Dame-de-Lagrande dans l'évêché de Poitiers». Ce soldat âgé de 23 ans est hospitalisé durant trois semaines, en novembre 1690, à l'Hôtel-Dieu de Québec. Il se marie à Varennes le 2 septembre 1698 où il vivra avec sa famille et où il se remariera le 17 avril 1719. Habitant de la côte Saint-Michel, il est décédé à Varennes le 20 août 1731. [3 + 0 enfants]

219 - René Gachet ou Gaschet (f Pierre & Hélène Bourgine), «de la paroisse de Notre-Dame dans l'évêché de Poitiers», ce qui doit être Notre-Dame-la-Grande[19]. «Garçon chirurgien», il habitait déjà à Québec en 1693; il y exercera ensuite le métier de chirurgien. Marié le 22 août 1694, il devient veuf en février 1697 et ira exercer à Montréal où sa présence est mentionnée de 1698 à 1706. Revenu à Québec, il devient, le 11 janvier 1711, notaire et juge seigneurial de La Durantaye, ainsi que, dans les semaines qui suivent, notaire dans les seigneuries voisines de Beaumont et de Bellechasse. Ayant rédigé son dernier acte le 29 décembre 1743, il meurt à Saint-Vallier le 9 mars 1744. [3 enfants] DBC, vol. III, p. 254.

220 - René ou Jean Goneau dit Lacouture (Joseph ou f René, bourgeois de la ville de Poitiers, & Marie-Anne Ducharme ou Meusnier), «de la paroisse de Notre-Dame dans la ville et diocèse de Poitiers»; son contrat de mariage le dit natif de la ville de Poitiers en la paroisse St-Didier[20]. Âgé de 23 ans et résidant à Montréal le 16 juin 1734, il y sera qualifié de voiturier en 1737, et de charretier en 1742. Il est encore cité à Montréal le 7 janvier 1755. [6 enfants]

221 - Jean-Baptiste Ruffigny dit Sanschagrin (f André & Marie Brégeon), «de la paroisse de Notre-Dame-la-Grande dans l'évêché de Poitiers». En 1743, il était soldat à Montréal, dans la compagnie de François Margane de Lavaltrie, lorsqu'il

---

19. Son contrat de mariage le dit simplement de la ville et archevêché de Poitiers.
20. Les paroisses de Notre-Dame-la-Grande et de Saint-Didier sont voisines.

devint père, le 2 novembre, et épousa la mère de l'enfant le 25 du même mois. Il avait alors 25 ans, et aura deux autres enfants en 1745 et 1746. Il était toujours soldat dans la même compagnie lorsqu'il en fit baptiser deux autres nés de parents inconnus, les 3 octobre 1744 et 23 mars 1747. Il semble disparaître par la suite. [3 enfants]

SAINT-CYBARD

Au nord, de Notre-Dame-la-Grande, l'église Saint-Cybard se trouverait aujourd'hui rue Sylvain-Drault. Ayant été détruite par les Anglais, l'église fut rebâtie vers 1475, et comptait 600 communiants en 1789. Elle fut par la suite achetée par la famille Dupont qui y installa en 1734 les religieuses de la Miséricorde, lesquelles y sont encore[21].

222 - Paul Vignault dit Laverdure (Jean et & Renée...), «de St-Sibol dans l'évêché de Poitiers». Soldat âgé de 20 ans dans la compagnie de Maximy du régiment de Carignan, il débarque en Nouvelle-France en septembre 1665, et se fait confirmer aussitôt après son arrivée à Québec. Le 3 novembre 1670, il épouse, à l'église de Sainte-Famille dans l'île d'Orléans, une Parisienne qui avait accouché de leur premier fils un mois auparavant. Il acquiert, après 1675, une terre dans la paroisse Saint-Laurent de l'île d'Orléans sur laquelle il possède deux arpents en culture en 1681, mais qu'il échangera le 6 mai 1691. Il est décédé vers 1700. [12 enfants]

223 - Jacques Maleray, sieur de La Molerie (f Isaac, sieur de La Perrine, & f Anne Texier, mariés le 28 avril 1650), «de la paroisse de St-Sibard à Poitiers». Il était lieutenant dans le régiment de Noailles lorsqu'il dut fuir en Nouvelle-France, la Sénéchaussée du Poitou l'ayant condamné par contumace, le 15 janvier 1689, à avoir la tête tranchée pour avoir tué en duel le sieur Guillot de La Forest à Poitiers en 1685. Après avoir obtenu, en 1693, la permission de rentrer en France pour y demander sa grâce, le roi signa sa lettre de rémission en avril 1695. Après son arrivé en Nouvelle-France en 1685, il s'était marié à Montréal, le 7 janvier 1687, et fut successivement nommé enseigne et commandant du fort de Lachine en 1690, lieutenant en 1691, garde de la marine le 1er janvier 1694, et à nouveau commandant du fort de Lachine en 1701. Passé

21. R. BROTHIER DE ROLLIÈRE, *op. cit.*, p. 319-320.

ensuite en France, il fut tué par les Anglais, au cours d'une fusillade le 26 ou 27 juillet 1704, sur le vaisseau *La Seine* qui le ramenait en Nouvelle-France. [9 enfants] DBC, vol. II, p. 469-470; GVF, p. 230-232.

224 - Jean-Baptiste Maltais ou Malteste (François-Nicolas & Marie-Anne Roland), «de la paroisse de St-Cibard de Poitiers». Il se marie le 13 novembre 1753 aux Éboulements et semble s'établir à la Malbaie. [3 enfants]

Dans la partie nord de la pointe de la presqu'île de Poitiers, Saint-Jean-l'Évangeliste de Montierneuf était encore, au XVIIe siècle, le siège d'une importante abbaye de l'ordre Cluny. C'était aussi une paroisse importante d'où partirent 11 migrants pour la Nouvelle-France. À proximité, l'ancienne paroisse de Saint-Germain, qui fut intégrée dans celle de Saint-Jean-de-Montierneuf, vit aussi partir 6 des siens.

SAINT-GERMAIN

Au nord-ouest de Saint-Cybard, l'église de Saint-Germain, bâtie au milieu du XIe siècle à l'extérieur de l'enceinte, comptait 1 800 communiants avant la Révolution[22]. Vendue en 1791, l'église a été complètement rénovée pour aujourd'hui servir d'auditorium à l'École de musique.

225 - René Duverger dit Laplanche (Nicolas & Renée Bataille), «de St-Germain à Poitiers». Arrivé en Nouvelle-France au début de la vingtaine vers 1664, il s'installe à la côte Saint-Ignace à Sillery, s'y marie en 1667, et meurt en 1673. [Sans postérité]

226 - Pierre Courault dit Coulon (f Pierre & Jeanne Papot), «du fauxbourg de St-Germain en Poitiers dans l'évêché de ladite ville de Poitiers[23]». Est-ce le même Pierre Courault dont l'épouse, Suzanne Bélanger, abjure le calvinisme le 8 décembre 1662[24]? Confirmé à Québec le 8 novembre 1665, il habite à la rivière Saint-Charles lorsqu'il se marie (ou se remarie) au même endroit, le 16 novembre 1671. Il est décédé «subitement

---

22. R. BROTHIER DE ROLLIÈRE, *op. cit.*, p. 334-335.
23. Selon son contrat de mariage. L'acte de son mariage le dit de St-Jacques, dans la ville et évêché de Poitiers, ce qui n'existe pas.
24. *Mémoires de la Société généalogique canadienne-française*, vol. V (1952-1953), p. 243.

dans la maison des révérends pères jésuites» de la côte Notre-Dame-des-Anges, le 4 mai 1680, âgé de 50 ans. [5 enfants]

227 - Claude Bégin (...), «de Poitiers, paroisse de St-Germain[25]». Confirmé à Montréal en 1669 (sans date), il est décédé à 70 ans, le 14 septembre 1704, à l'Hôtel-Dieu de Québec. [Sans alliance]

228 - Simon Allard (Émery & Julienne Brilloux), «de Poitiers dans la paroisse de St-Germain». Bien installé à la côte Saint-Joseph de Rivière-des-Prairies dans l'île de Montréal, il se marie à Pointe-aux-Trembles le 12 janvier 1705 et sera inhumé, âgé de 74 ans, le 26 septembre 1739 à Rivière-des-Prairies. [12 enfants]

229 - Antoine Pesant ou Paysan dit Sanscartier (Antoine & f Marie-Jeanne Marchand), «de la paroisse de St-Germain dans la ville de Poitiers». Bien fixé à la côte Saint-Michel au nord de l'île de Montréal, il se marie, âgé de 40 ans, le 3 novembre 1722 à l'église de Saint-Laurent. Décédé le 16 mai 1761, il sera inhumé à l'église du Sault-au-Récollet. [8 enfants]

230 - Michel Tessereau dit Bellefleur (Michel & Jeanne Beauchamp), «de la paroisse de St-Germain dans la ville et diocèse de Poitiers». Fifre dans la compagnie de Leverrier, il est cité à Québec le 9 février 1756. S'y étant marié le 31 janvier 1757, il est encore domicilié dans cette ville le 7 juillet 1758, puis disparaît après cette date. [1 enfant]

SAINT-JEAN-DE-MONTIERNEUF

Immédiatement au nord de Saint-Germain, l'imposante église romane de Saint-Jean-de-Montierneuf fut bâtie au XIe siècle avec un chœur gothique surélevé du XVe siècle. L'église, confiée aux bénédictins de Cluny, abrite le tombeau de Guillaume VIII, duc d'Aquitaine, qui a fondé l'abbaye en 1075. Le pape Urbain II vint y prêcher la croisade le 21 février 1096.

231 - René Chartier (...). Arrivé en septembre 1667, René Chartier avait épousé, à Poitiers vers 1645, Madeleine Ranger, qui ne vint jamais en Nouvelle-France et qui aurait été inhumée à Poitiers en 1662. Le couple avait eu quatre enfants[26]. Remarié à Québec le 1er octobre 1669, il a résidé en tant

---

25. Selon son acte de sépulture.
26. Contrairement aux trois qui suivent, Jacquette, baptisée le 3 février 1649 à Saint-Jean-de-Montierneuf, ne semble pas être venue au Canada.

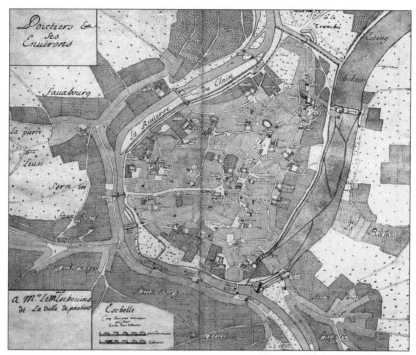

Poitiers et ses environs. Ce plan, appelé «plan des échevins», a été dessiné entre 1682 et 1686. (Poitiers, Bibliothèque municipale. Cliché : Musées de Poitiers, Christian Vignaud, photographe.)

que meunier un peu partout dans la vallée du Saint-Laurent : à Sillery en 1671, à Neuville en 1673, à La Durantaye en 1675, et à Batiscan dans les années 1679-1681. Ayant contracté un troisième mariage au Cap-de-la-Madeleine en 1679, il sera recensé à Batiscan, âgé de 58 ans en 1681, alors en possession d'une vache et de huit arpents en valeur. Déménagé à Lachine dans l'île de Montréal, il fut tué par les Iroquois le 5 août 1694. [4 + 4 + 0 enfants]

232 - Pierre Chartier (fils du précédent & de Madeleine Ranger). Baptisé le 16 septembre 1646 à Saint-Jean-de-Montierneuf, il est arrivé en Nouvelle-France avec sa famille en 1667. S'étant associé en 1680 avec son frère Martin (n° 234) pour faire le commerce des fourrures, il fut tué par les Amérindiens, en avril 1684, au fort Saint-Louis des Illinois. [Sans alliance]

233 - Jeanne-Renée Chartier (sœur du précédent). Baptisée le 9 août 1652 à Saint-Jean-de-Montierneuf, elle est arrivée en Nouvelle-France avec son père et ses frères en 1667. Mariée le 17 octobre 1673 à Québec, elle ira vivre à Champlain où, veuve en 1700, elle se remariera le 1er septembre 1710. Elle sera encore citée à Champlain le 5 décembre 1731. [9 + 0 enfants]

234 - Martin Chartier (frère des précédents). Baptisé à Saint-Jean-de-Montierneuf le 1er juin 1655, il deviendra marchand de fourrures à Québec. Voulant récupérer les pelleteries abandonnées à la mort de son frère (n° 232), il quitta la colonie en défiant l'ordonnance qui le défendait sous peine des galères et d'exécution capitale. Ainsi en exil, il explora des territoires immenses et épousa, vers 1693 sur le site du manoir Conestoga au Maryland, la sœur ou la cousine du grand chef Oppaymollech de la nation des Chaouaniens (*Chawaneese*, en anglais). Fixé depuis 1724 sur le site de l'actuelle ville de Pittsburg en Pennsylvanie, il est décédé au «Bourg Chartier», et aurait été inhumé dans l'île Bruno, face au confluent de l'Ohio et du «Ru Chartier», à Pittsburg. [1 enfant] MSGCF, vol. XXX (1979), p. 294.

235 - Jeanne Fauvault (f Pierre & Jeanne Douillette), «de la paroisse de Moustiernu dans l'évêché de Poitiers». Elle épouse un soldat de la garnison de Québec le 25 novembre 1669, et rentre en France après avril 1677. [Sans postérité] LFR, p. 313.

236 - Jean Proulx (...). Paroissien de Montierneuf, il épouse Jeanne Chabot à Saint-Didier de Poitiers le 20 juin 1661 et fera baptiser deux enfants à Saint-Jean-de-Montierneuf : Jeanne, le 11 août 1662, et Sébastien, le 21 janvier 1664[27]. Embarqué seul pour la Nouvelle-France, il apprend vers 1675 la mort de son épouse, inhumée à Saint-Germain de Poitiers le 7 août 1671. Il acquiert une concession à Neuville vers 1674, et s'y remarie le 2 novembre 1676. Bien établi à cet endroit, il possédera, âgé de 40 ans en 1681, dix arpents en culture et trois bêtes à cornes. Il y décédera le 9 décembre 1703. [2 + 13 enfants] MSGCF, vol. XL (1989), p. 107-129, et vol. XLI (1990), p. 174-203.

---

27. J. PROULX, *Oui oui... Un an en France*, Montréal, Éditions du Méridien, 1987, p. 127-130.

237 - François Han ou Janhan dit Chaussé (Gaspard & Martine Voglet), «de St-Jean-de-Montierneuf dans la ville et évêché de Poitiers». À son mariage à Repentigny le 5 novembre 1685, il avait 24 ans et était fermier du sieur Bouet à Saint-Sulpice. Il décédera à cet endroit avant le 27 juillet 1703. [2 enfants]

238 - Joseph Roy dit Chouigny (François & Sainte Martin), «de la paroisse de St-Jean-de-Montierneuf dans l'évêché de Poitiers». À 26 ans, ce soldat fut hospitalisé de juillet à septembre 1692 à l'Hôtel-Dieu de Québec. Résidant dans cette ville à son mariage, le 16 août 1694, il ira, vers 1702, se fixer à Repentigny où il est décédé avant 1719. [11 enfants]

239 - Pierre Coutance dit Argencourt (François & Françoise Thomas), «de la paroisse St-Jean Montierneuf à Poitiers». Il réside à Québec où il se marie le 7 décembre 1699. Il était arpenteur et âgé de 50 ans à sa mort, le 26 mars 1714, à l'Hôtel-Dieu de Québec. [9 enfants]

240 - Bonaventure Compain dit Lespérance (f Jérôme & f Suzanne Robert). D'abord soldat de la marine dans la compagnie de Longueuil, il se fera plus tard cabaretier. Marié à l'âge de 32 ans à Montréal, le 10 juin 1706, deux enfants lui naîtront à Détroit, puis deux autres à Montréal. En juin 1715, il fait aussi baptiser, à Détroit, un enfant naturel de mère inconnue, alors que sa femme est inhumée le 13 septembre à Montréal. Remarié le 27 octobre à Montréal, il y sera inhumé à l'âge de 70 ans, le 24 juin 1731. [4 +1 + 2 enfants]

241 - Étienne Billy dit Léveillé et Verrier (Pierre-Claude & Anne Proulx), «de la paroisse de St-Jean dans l'évêché de Poitiers». Marié à Québec le 21 novembre 1712, il y est recensé en 1716 dans la haute ville comme journalier âgé de 26 ans. Veuf en juin 1717, il se remarie au même endroit le 2 août de la même année, puis semble disparaître. [Sans postérité[28]]

Au XVIIe siècle, la cathédrale Saint-Pierre, dont la construction remonte aux XIIe et XIIIe siècles, était exclusivement réservée aux chanoines du Chapitre. Lors du Concordat de 1801, Saint-

---

28. C'est en le confondant avec Pierre Léveillé, marié à Jeanne Girard à Saint-Augustin le 19 avril 1700, que certains lui ont attribué une descendance.

Pierre fut constituée en paroisse englobant les territoires des paroisses environnantes situées plus à l'ouest et au sud-ouest. Les migrants se disant originaires de Saint-Pierre ne sont donc pas venus de la paroisse-cathédrale actuelle, comme on l'a souvent cru, mais de l'ancienne paroisse Saint-Pierre-l'Hospitalier tel que déjà spécifié (p. 153). À l'ouest de la cathédrale Saint-Pierre, 2 migrants ont quitté Notre-Dame-la-Petite pour la Nouvelle-France alors que Saint-Paul a contribué pour 12 des siens. Au sud-ouest, 4 immigrants sont venus de Notre-Dame-l'Ancienne, 2 autres sont originaires de Saint-Hilaire-de-Celle, tandis qu'un seul est venu de Saint-Hilaire d'Entre-Églises.

Pictavis sive Pictavia, rue cavalière. (Poitiers, Bibliothèque municipale. Cliché : Musées de Poitiers, Christian Vignaud, photographe.)

NOTRE-DAME-LA-PETITE

Immédiatement à cent mètres au sud de Notre-Dame-la-Grande, l'église Notre-Dame-la-Petite était située devant l'ancien palais des comtes du Poitou, c'est-à-dire de l'actuel Palais de justice, à l'angle des rues du Marché et de la Cathédrale. L'église, qui comptait 500 communiants en 1791, fut achetée en 1805 par les habitants du quartier pour y loger une boucherie, et sera finalement démolie en 1821[29].

242 - Louis Pelletier dit Sansoucy (f François & Michelle Coulon), «de la paroisse de Notre-Dame-la-Petite dans la ville et évêché de Poitiers». Il était soldat de la compagnie de Saint-Ours à son mariage, le 29 octobre 1742, à Lachine dans l'île de Montréal. Passé dans la compagnie de Saint-Pierre vers 1748, il était encore dans cette compagnie au moment de sa mort. Il fut inhumé à Montréal, à l'âge de 35 ans, le 12 décembre 1749. [4 enfants]

---

29. R. BROTHIER DE ROLLIÈRE, *op. cit.*, p. 237.

243 - Pierre-Guillaume Bruneau dit Pelletier (f Jacques & Brigitte Champeau), «de la paroisse de Notre-Dame-la-Petite dans la ville de Poitiers». Il est venu au Canada en 1754 avec un certain Jacques Laine. Présentant «un extrait baptistaire en forme et un passeport de M. Orre, maire de la ville (de Poitiers), dans lequel ledit Bruneau est dit garçon et par lequel il lui est permis de passer en Canada en date du 18 mars 1757» (sic), il obtient, à 26 ans, la permission de faire publier ses bans le 28 janvier 1758. Qualifié de marchand pelletier à son mariage, deux jours plus tard à Québec, il sera dit habitant de cette ville lorsqu'il deviendra parrain à Saint-Vallier, le 22 septembre 1760. [7 enfants]

SAINT-PAUL

Au sud-est de Notre-Dame-la-Petite, l'église Saint-Paul était autrefois située près de la rue de ce nom. Devenue église paroissiale au XVe siècle, elle comptait 500 communiants avant la Révolution. Elle fut alors vendue, puis détruite[30].

244 - Méry Paquet ou Pasquier (...). Il était maître sergetier à Poitiers lorsque Vincente Beaumont, sa première épouse, fut inhumée à Saint-Jean-Baptiste de Poitiers, le 20 novembre 1658. Il avait ensuite épousé Renée Guillocheau, qui suit, après avoir convenu d'un contrat de mariage passé le 29 juillet 1659 devant le notaire Berthonneau. Des quatre enfants issus du premier mariage, seul François ne s'embarqua pas avec le reste de la famille à La Rochelle au printemps de 1667. La famille Paquette s'installa alors au Bourg-Royal, à Charlesbourg, où Méry Paquet est décédé vers 1680. [4 + 0 enfants] L'AN, vol. XII (1986), p. 194-200; MSGCF, vol. XXII (1971), p. 118-120.

245 - Renée Guillocheau (...). Veuve du commerçant Jacques Forget, elle épouse le précédent à Poitiers en 1659, et arrive en Nouvelle-France 10 ans plus tard. Elle vit au Bourg-Royal, à Charlesbourg, où elle meurt avant février 1679. [1 + 0 enfant]

246 - Maurice Paquet ou Pasquier (fils du précédent et de Vincente Beaumont). Également sergetier, il épouse à Poitiers Françoise Forget qui suit, issue du premier mariage de la précédente. À son arrivée en Nouvelle-France en 1667, il

---

30. R. BROTHIER DE ROLLIÈRE, *op. cit.*, p. 353.

accepte une concession au Bourg-Royal où, à 40 ans, il possède quatre bêtes à cornes et dix-huit arpents en valeur en 1681. Il déménagera cependant sa famille à la Canardière après avoir pris à ferme la terre de Pierre Denis de la Ronde, le 26 juin 1683. Il décédera à Québec le 27 janvier 1715. [6 enfants]

247 - Françoise Forget (issue du premier mariage de Renée Guillocheau, citée plus haut). Elle a épousé le précédent à Poitiers, après un contrat de mariage rédigé le 29 juillet 1659 devant Berthonneau. Passée en Nouvelle-France en 1667, elle est décédée le 27 janvier 1703 à l'Hôtel-Dieu de Québec. [6 enfants dont la suivante]

248 - Jeanne Paquet (fille des précédents). Née à Poitiers vers 1666, elle passe en Nouvelle-France à l'âge d'un an avec ses parents. Elle se marie à Charlesbourg le 5 février 1679, et aura 15 ans au recensement de 1681. Elle a élevé sa famille à Bourg-Royal où elle est morte le 14 mars 1711. [11 enfants]

249 - Marguerite Paquet ou Pasquier (sœur de Maurice Paquet, cité plus haut, et tante de la précédente), «de la paroisse de Saint-Paul dans la ville et évêché de Poitiers». Elle se marie à Québec le 26 novembre 1670, apportant des biens estimés à 400 livres et un don du roi de 50 livres; elle se remariera au même endroit le 20 janvier 1676. On lui donne 35 ans au recensement de 1681 à Beaumont. Encore vivante le 22 avril 1687, elle est décédée avant août 1698. [3 + 6 enfants] LFR, p. 358.

250 - René Paquet ou Pasquier (frère de la précédente), «de la paroisse de St-Paul dans l'évêché de Poitiers». Il se marie âgé de 28 ans, à Québec, le 16 octobre 1679. Menuisier dans la basse ville, il sera inhumé le 7 mai 1699. [6 enfants]

251 - René Cholet dit Saint-Paul (Jean & Catherine Lafault), «de la paroisse de Saint-Paul dans l'évêché de Poitiers». Soldat de la marine dans la compagnie de Jacques Testard de Montigny, il semble s'établir à l'île Sainte-Thérèse en face de Montréal. Il se marie le 24 novembre 1698 à Varennes, devient veuf l'année suivante, et se remarie en 1704. Il s'installera à Saint-François de l'île Jésus où il meurt, âgé de 40 ans, le 20 décembre 1708. [0 + 2 enfants]

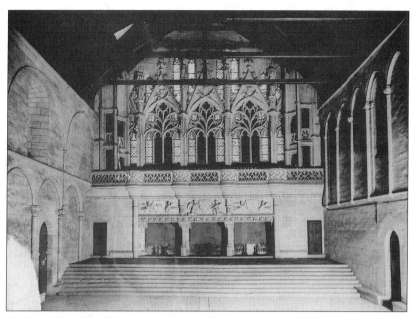

Château des ducs d'Aquitaine; actuellement, Palais de justice de Poitiers. (Archives départementales de la Vienne. Photo : Christian Vignaud, Musées de Poitiers.)

252 - Louis Marquet dit Clocher (f Charles, charpentier, & Geneviève Regnault ou Rigault), frère du suivant. Il assiste à un mariage, le 11 novembre 1696 à Charlesbourg, alors qu'il est soldat de la compagnie de Vaudreuil. Il passera le reste de sa vie à Charlesbourg où il se marie le 3 novembre 1698. Il y est aussi décédé centenaire, le 23 octobre 1761. [8 enfants]

253 - Jacques Marquet dit Saint-Pierre et Clocher (frère du précédent), «de St-Paul à Poitiers». Aussi soldat de la compagnie de Vaudreuil, il assiste au mariage de son frère en 1698, et se marie lui-même, à l'âge de 28 ans, à Charlesbourg le 3 février 1699. Il habite à Saint-Romain, à proximité de là, et décède le 29 juin 1715. [9 enfants]

254 - Pierre Dureau dit Poitevin (f Georges & f Renée de La Chaussée), «de St-Paul de Poitiers». Il était sergent de la compagnie du sieur L'Estringant de Saint-Martin à son mariage à Trois-Rivières le 1er septembre 1707, trois semaines avant la naissance d'un premier fils. Il vit à Trois-Rivières où il était encore sergent dans les troupes de la marine le

1er novembre 1725. Son acte de décès, au même endroit le 4 novembre 1750, le qualifie de «sergent invalide» âgé de 80 ans. [12 enfants]

255 - Louis Penisseau (Charles, avocat au présidial de Poitiers, & Catherine Bry), «de la paroisse St-Paul de la ville et diocèse de Poitiers». Il est qualifié de négociant de Québec, à La Rochelle le 15 mai 1751, lors de l'engagement de Michel Chartier. On le trouvera cependant bien établi à Montréal où, après une dispense de deux bans, il se marie à 29 ans, le 2 mars 1753. Encore qualifié de négociant à son mariage, on le dira voyageur le 9 novembre de la même année; il est propriétaire de cinq esclaves de la tribu des Panis dans les années 1757-1760. Commis et associé du munitionnaire Joseph-Michel Cadet, il profita de son poste d'inspecteur pour commettre certaines malversations et s'enrichir. Après la conquête de la Nouvelle-France, il rentra dans la métropole où il fut aussitôt interné à la Bastille en même temps que l'intendant Bigot, Varin de Lamare (n° 560) et plusieurs autres. Il fut condamné à être banni du royaume, à 500 livres d'amende et à 600 livres de restitution, mais sa femme, qui avait été la maîtresse du chevalier de Lévis, devint celle du ministre Choiseul et obtint des lettres de réhabilitation. Louis Pénisseau n'eut ainsi jamais à assumer aucune des peines auxquelles il avait été condamné. Il est décédé en 1771. [3 enfants][31]

NOTRE-DAME-L'ANCIENNE

Au sud-ouest de Saint-Paul, l'église Notre-Dame-l'Ancienne, aujourd'hui détruite, était située sur la place Saint-Pierre-le-Puellier. Aucun des migrants ci-dessous n'a formellement spécifié être originaire de cette paroisse, mais j'ai supposé que les paroissiens de Notre-Dame-la-Grande et de Notre-Dame-la-Petite ne manquaient pas de le préciser.

256 - Étienne Lagneau dit Poitevin (François & Mathurine & Boileau), «de la paroisse Notre-Dame de Poitiers». Marié à Québec le 20 mai 1726, il sera toute sa vie journalier dans cette ville où il mourra subitement, à l'âge de 50 ans, le 19 mars 1747. [9 enfants].

---

31. M. TRUDEL, *Dictionnaire des esclaves et de leurs propriétaires au Canada français*, Montréal, Hurtubise HMH, «Les cahiers du Québec», n° 100, 1990, p. 396; P.-G. ROY, *Bigot et sa bande et l'affaire du Canada*, Lévis (s. e.), 1950, p. 98-105.

257 - Pierre Rousset dit Saint-Pierre (f Pierre & f Marie-Catherine Renée), «de la paroisse Notre-Dame dans l'évêché de Poitiers». Marié le 28 octobre 1728 à Québec, il semble disparaître aussitôt. [Sans postérité]

258 - Pierre Blanchard dit Turaine (Pierre & f Andrée Geoffroy), «de la paroisse de Notre-Dame dans le diocèse de Poitiers». Il était soldat dans la compagnie de monsieur de Montigny à son mariage à Trois-Rivières, le 1er juin 1733. Une fille est baptisée dès le 28 juin au même endroit, puis il déménagera à Sorel. Il décède après 1740, et sa veuve se remarie à Saint-François-du-Lac le 23 mai 1767. [5 enfants]

259 - Pierre Fouissard (...), «de la paroisse de Notre-Dame à Poitiers». Il a 23 ans et réside à La Rochelle comme «garçon cordonnier», lorsqu'il s'engage pour Québec, le 21 avril 1758, en même temps que Pierre Médard (n° 205). On lui promet un salaire de 300 livres de morue à 10 livres le quintal. Je n'ai pas retrouvé sa trace en Nouvelle-France. [Sans alliance]

SAINT-HILAIRE-DE-CELLE

Située encore un peu plus loin au sud-ouest, il ne faut pas confondre cette ancienne paroisse avec Saint-Hilaire-d'Entre-Églises (p. 176). La paroisse Saint-Hilaire-de-Celle exista jusqu'en 1791 alors qu'elle comptait 1 200 communiants. L'église fut ensuite achetée par les carmélites qui y ont installé leur monastère vers 1820[32]. Elle fait maintenant partie du Centre régional de documentation pédagogique où elle sert de salle polyvalente.

260 - François Lory dit Garot (f César, peintre et sculpteur, & f Richarde Graineraud ou Grainereau), «de La Celle-St-Hilaire dans l'évêché de Poitiers». Arrivé en Nouvelle-France comme volontaire en 1664, il trouvera d'abord du travail dans la seigneurie des jésuites au Cap-de-la-Madeleine, puis recevra, le 23 mars 1665, une concession à Batiscan, qu'il vendra rapidement le 3 décembre 1666. Tentant quelques établissements dans les seigneuries voisines, il sera surtout huissier en la juridiction du Cap-de-la-Madeleine. Marié depuis 1670, il deviendra huissier et sergent royal à Montréal où il sera recensé, en 1681, âgé d'environ 35 ans. Il contractera un deuxième mariage à Lachine le 29 janvier 1685, mais c'est à

32. R. BROTHIER DE ROLLIÈRE, *op. cit.*, p, 95.

Montréal qu'il résidait. Il décédera également à Lachine, le 4 février 1702. [5 + 1 enfants] DBC, vol. II, p. 465-466.

261 - René Alarie (Élisée, maître charpentier, & Anne Dubois, demeurant en 1626 dans la paroisse de St-Pélage, réunie en 1636 à celle de La Résurrection). Baptisé le 8 juin 1635 à Saint-Hilaire-de-Celle, il se fait maître charpentier et s'établit à Neuville en Nouvelle-France, où il possédait six arpents en valeur à son mariage, le 18 avril 1681. Il ira ensuite s'installer, en 1687 ou 1688, rue Notre-Dame à Montréal où il sera reconnu pour un habile charpentier. Il est décédé à l'Hôtel-Dieu de Montréal, le 21 août 1709. [14 enfants] GNA, p. 26-27.

SAINT-HILAIRE-D'ENTRE-ÉGLISES

Il ne faut pas confondre cette ancienne paroisse, dont l'église a été détruite, avec Saint-Hilaire-de-Celle (p. 175) et Saint-Hilaire-le-Grand (p. 151). La paroisse Saint-Hilaire-d'Entre-Églises était ainsi nommée parce que son église était placée entre la cathédrale Saint-Pierre et le baptistère Saint-Jean-Baptiste[33].

262 - Méry Arpin dit Poitevin (Pierre & Catherine Osbéré), «de St-Hilaire dans l'évêché de Poitiers». Il appartenait au régiment de Carignan arrivé en Nouvelle-France en septembre 1665. Après sa démobilisation, il s'établira à Contrecœur avant d'acheter, le 5 novembre 1673, une terre à Saint-Ours où le recensement de 1681 le dira âgé de 35 ans et lui reconnaîtra huit arpents en valeur. Marié à Saint-Ours en 1698, il y obtiendra d'autres terres et fera également la traite des fourrures à Michilimakinac en 1690 et 1694. Il est décédé à Saint-Ours, le 18 mai 1728. [7 enfants] GNA, p. 58-59.

À l'est de la presqu'île de Poitiers, Sainte-Radegonde est encore aujourd'hui une paroisse importante de Poitiers. Pas moins de 15 de ses paroissiens ont immigré en Nouvelle-France, tandis que 12 autres, dont – chose exceptionnelle – plusieurs femmes, sont originaires de l'ancienne paroisse de Saint-Michel, et que seulement 2 sont venus de Saint-Saturnin. Ces deux paroisses ont été annexées à Sainte-Radegonde.

---

33. H. BEAUCHET-FILLEAU, *op. cit.*, p. 349.

SAINTE-RADEGONDE

À l'extrémité est de Poitiers, Sainte-Radegonde possède une église romane dont le clocher-porche impressionnant remonte au XIᵉ siècle, alors que la nef fut restaurée au XIIIᵉ. Le corps de sainte Radegonde (521-587), femme de Clotaire Iᵉʳ, repose dans la crypte.

263 - Jeanne Hérault (f François, inhumé le 9 janvier 1658 à Saint-Porchaire, & Marie Jugueline), «de la paroisse de Ste-Radegonde dans la ville de Poitiers». Baptisée au baptistère Saint-Jean-Baptiste de Poitiers le 4 mai 1624, elle fut amenée en Nouvelle-France en 1657 par Paul de Chomedey de Maisonneuve, gouverneur de Montréal. Elle y épousera, en 1658, le loudunais René Fillastreau (n° 27) et vivra à ses côtés jusqu'à sa mort, le 9 janvier 1670. [4 enfants[34]]

264 - Jean Charet (Pierre, bourgeois, & Renée Merle), «de Ste-Radegonde à Poitiers dans l'évêché de Poitiers», frère du suivant. Tanneur de métier, il immigre en Nouvelle-France vers 1664-1665 et reçoit une terre le 20 octobre 1665 à Sainte-Famille, dans l'île d'Orléans, où le recensement de 1666 le situe âgé de 26 ans. Marié à Beauport le 3 février 1669, il habite à l'île d'Orléans où il acquiert de son frère, le 6 octobre 1671, la terre voisine de celle qu'il possédait déjà. Il contractera un second mariage, le 11 novembre 1680 à Château-Richer, et sera souvent qualifié de marchand, de tanneur ou d'habitant à l'île d'Orléans. Il fut inhumé à Château-Richer le 11 avril 1706. [3 + 0 enfants]

265 - Étienne Charet (frère du précédent), «de la paroisse de Ste-Radegonde dans la ville et évêché de Poitiers». Le 18 octobre 1665, il se déclare marchand et tanneur lorsqu'il reçoit une concession, voisine de celle de son frère, dans la paroisse Sainte-Famille de l'île d'Orléans, où il sera recensé en 1666 et 1667, âgé de 22 et de 20 ans (sic). Il vend sa terre à son frère le 6 octobre 1671 et s'établit à Lauzon où il s'était marié le 27 novembre 1670. Il y reçoit une concession de huit arpents de front le 13 décembre 1674, mais il continue d'exercer ses

---

34. Voir les biographies de René Fillastreau, de son épouse et de leur famille dans mon ouvrage *Quatre cousins loudunais en Nouvelle-France*, Montréal, Éditions du Méridien, 1992. Y sont reproduits : l'acte de baptême de Jeanne Hérault, celui de son frère, celui de leur mère vraisemblablement, ainsi que l'acte de sépulture de François Hérault.

activités de tanneur à Lauzon où il possède un cheval et 20 arpents en culture en 1681. Il fera l'acquisition de plusieurs terres à Lauzon, ainsi que d'un emplacement à Québec le 8 avril 1687. Sa terre de Lauzon sera érigée en arrière-fief le 28 octobre 1698[35]. Il est décédé à cet endroit le 5 mai 1699, laissant des biens estimés à près de 18 000 livres. [12 enfants] NA, vol. XXIV, p. 31-39.

266 - Jacques Charet (François & Anne Rideau), «de la paroisse de Ste-Radegonde dans l'évêché de Poitiers», neveu des précédents. Âgé de 26 ans, il fit un séjour de 12 jours, en mai-juin 1691, à l'Hôtel-Dieu de Québec. Il sera ensuite marchand à Lauzon où il se marie, le 15 septembre 1693, avant de s'établir à Beaumont vers 1698. Sa femme y décède le 24 décembre 1705, et lui-même y sera inhumé le 5 janvier 1725. [4 enfants]

267 - François Barbeau (Jacques & Jeanne Cornuelle), «de la paroisse de Ste-Radegonde dans la ville et évêché de Poitiers», probablement parent avec Jacques Barbeau, également sabotier (n° 189). Marié à Québec le 24 août 1671, ce sabotier avait sa terre à l'ouest de la rivière Saint-Charles, dans la côte Saint-Antoine, à Charlesbourg. Le recensement de 1681 le situe à Petite-Auvergne où il possédait une vache et six arpents en valeur. Il est décédé à Charlesbourg, le 16 juin 1711, âgé de 62 ans. [14 enfants] GNA, p. 123-124.

268 - Hilaire Limousin dit Beaufort (Pierre & Isabelle Fradin), «de Ste-Radegonde dans la ville et évêché de Poitiers[36]». Il débarque à Québec, le 17 août 1665, comme soldat de la compagnie de Lafreydière du régiment de Carignan. Après sa démobilisation, il s'installe à Beauport où il se fait tailleur d'habits. Marié à Québec le 9 novembre 1671, il reçoit, le 29 janvier 1675, un titre de concession au village de Laborde dans la paroisse de Champlain. Le recensement de 1681 lui donne 48 ans et lui reconnaît cinq arpents en valeur. Il est décédé au

---

35. Son fils Étienne achètera la seigneurie de Lauzon en 1714.
36. On n'a pas retracé son acte de baptême à Sainte-Radegonde mais celui d'un frère, Gabriel, né le 4 février 1650. Né vers 1633, Hilaire devait donc être un des aînés de la famille. *Mémoires de la Société généalogique canadienne-française*, vol. XIII (1962), p, 72-76 et 98-103.

même endroit le 14 mai 1708. [13 enfants] NA, vol. VII, p. 107-113.

269 - Antoine Poudret (Antoine & Jeanne Bonin), «de Ste-Radegonde à Poitiers». Il est probablement ce bonnetier de 24 ans qui, sous le nom d'André Poudret, s'engage pour trois ans au service des prêtres du Séminaire de Montréal, le 19 avril 1683. Déjà qualifié de boulanger résidant à Montréal à son mariage à Boucherville le 19 août 1686, il sera maître boulanger à Montréal jusqu'à son décès, le 28 juin 1737. On l'inhumera dans le cimetière des pauvres. [6 enfants]

270 - François Dubois (f François & Marguerite Trillot), «de Sainte-Radegonde dans l'évêché de Poitiers». Il résidait à Québec à son mariage, à l'âge de 26 ans, le 16 août 1688 à Charlesbourg où il se fera maître maçon à l'endroit qu'on nomme Gros-Pin. Il est décédé à Charlesbourg le 3 janvier 1734. [8 enfants]

271 - Mathurin Palin dit Dabonville (Pierre & Florence Martial), «de la paroisse de Ste-Radegonde dans l'évêché de Poitiers». Maître de barque à son arrivée en Nouvelle-France, au plus tard en 1689, il ira ensuite s'établir, comme le précédent, à Gros-Pin près de Charlesbourg. Marié à Québec le 23 juillet 1691, il sera hospitalisé, âgé de 29 ans au début de 1692, à l'Hôtel-Dieu où il fera un second séjour en juillet 1698. Déménagé dans la basse ville de Québec vers 1708, il y sera recensé en 1716. Il est décédé à Québec le 25 janvier 1756. [18 enfants]

272 - Marie-Anne Forestier (...), «de Ste-Radegonde à Poitiers». Elle est dite femme de Jean Masse, et âgée de 49 ans, le 20 février 1692 à l'Hôtel-Dieu de Québec. Aucune autre mention. [Sans postérité]

273 - Étiennette Letrut (...), «de Ste-Radegonde à Poitiers». On la dit âgée de 42 ans, et femme de Bellechasse, lors de son hospitalisation pendant trois semaines à l'Hôtel-Dieu de Québec, en février-mars 1692. Nulle autre mention. [Sans postérité]

274 - Jacques Gauthier dit Sanscartier (François et Andrée...), «de la paroisse de Ste-Radegonde dans la ville et évêché de Poitiers». À 25 ans, il était soldat dans la compagnie de

Vaudreuil lorsqu'il fut hospitalisé durant un mois à l'Hôtel-Dieu de Québec, au cours de l'été de 1692. Il passera plusieurs mois dans le même hôpital en 1698, pour ensuite quitter l'armée et se marier à Québec, le 25 février 1699. Il s'établira alors au Cap-Saint-Ignace où il décédera le 11 août 1741. [10 enfants]

275 - Pierre Beaussan (...), «de la paroisse de Sainte-Radegonde de Poitiers». Jardinier et laboureur âgé de 34 ans, il est engagé à La Rochelle le 31 mars 1720, pour 120 livres par an, et part pour l'île Saint-Jean en Acadie. [Sans alliance] RHAF, XIII (1959), p. 417.

276 - Jean Rabeau dit Sanschagrin (f Jean & Renée Charpentier), «de Sainte-Radegonde dans le diocèse de Poitiers». Cité le 22 février 1733 à Montréal, il était encore soldat au moment de son mariage, le 19 mars 1734, à Québec où il habitera ensuite au moins jusqu'en 1736. Il sera plus tard cité à Lavaltrie, le 29 mars 1746, et à Montréal, le 13 janvier 1759. [3 enfants]

277- Louis-Laurent Duhaut dit Jasmin (Louis & f Antoine Joachine), «de la paroisse de Ste-Radegonde dans la ville de Poitiers». Il habitait à Sainte-Anne-du-Bout-de-l'Île lorsqu'il s'y est marié le 24 août 1761. Il déménagea ensuite à Soulanges vers 1763, pour se remarier à Montréal, à l'âge de 33 ans, le 24 avril 1769. [1 + 3 enfants]

SAINT-SATURNIN

La paroisse Saint-Saturnin, ou «Saint-Sornin» comme on disait à l'époque[37], était située de l'autre côté du Clain. L'église a été détruite.

278 - Jacques Greslon dit Laviolette (Jacques & Catherine Fauvreau), «de la paroisse de St-Sornin à Poitiers». Il est qualifié de travaillant à sa première apparition dans les archives de la Nouvelle-France lorsqu'il se met en service, le 21 novembre 1650. Ayant épousé Jeanne Vignault (n° 536) à Québec le 31 juillet 1657, il s'installe en 1661 sur une terre de la seigneurie de Beaupré, à Château-Richer, dont il recevra officiellement le titre de concession le 27 février 1663. Le

---

37. H. BEAUCHET-FILLEAU, *op. cit.*, p. 358; L. REDET, *Dictionnaire topographique du département de la Vienne comprenant les noms de lieux anciens et modernes*, Paris, Imprimerie nationale, 1881, p. 358.

recensement de 1666 lui donne 40 ans et le qualifie de tisserand. Il est décédé vers 1678. [12 enfants] TCI, p. 226.

279 - Pierre Villard (f André & f Marie-Catherine Lavoye), «de la paroisse de Saint-Saturnin dans le diocèse de Poitiers[38]». Cité dans l'île Jésus en février et en avril 1754, il était établi à Mascouche au moment de son mariage, à l'Assomption, le 27 juin 1757. Sa femme meurt, âgée de 27 ans, à Mascouche, le 30 janvier 1764, et il ne semble pas se remarier. [2 enfants]

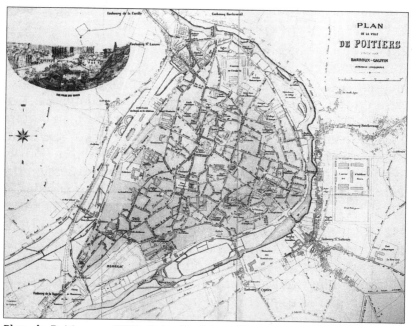

Plan de Poitiers au XIIIe siècle. (Archives départementales de la Vienne. Photo : Christian Vignaud, Musées de Poitiers.)

SAINT-MICHEL

L'église de Saint-Michel avait été construite, bien avant le XIIIe siècle, au nord de Sainte-Radegonde, à côté du couvent des Carmes, angle Grand-Rue et des Feuillants. Elle était composée de deux églises superposées; l'une, détruite en 1743, était consacrée à saint Georges, tandis que l'église inférieure était sous le vocable de Saint-Michel. Il n'en reste plus rien aujourd'hui[39].

---

38. La lecture de l'acte microfilmé étant difficile, je ne sais pas s'il faut lire diocèse de *Poitiers* ou de *Palur*.
39. H. BEAUCHET-FILLEAU, *op. cit.*, p. 358; R. BROTHIER DE ROLLIÈRE, *op. cit.*, p. 348.

280 - Jeanne Merrin (Michel & Catherine Archanges ou Tardif), «de la paroisse de Saint-Michel dans l'évêché de Poitiers». Elle a traversé en Nouvelle-France, à l'âge de 18 ans, sur le navire *Saint-Nicolas de Nantes* avec la grande recrue de colons pour Montréal de 1653. Mariée dès le 9 novembre de l'année suivante, elle est déjà veuve et enceinte de huit mois à son deuxième mariage, le 18 juillet 1661, «pour éviter le scandale», précise l'acte. Le 20 juin 1672, elle épousera en troisièmes noces, toujours à Montréal, René Moreau, sieur Dubreuil et Duportail (n° 325), et sera inhumée le 8 décembre 1711. [3 + 5 + 2 enfants]

281 - Clément Guérin (...). On le dit originaire de la paroisse Saint-Michel de Poitiers[40], mais je n'ai pu trouver que la mention de sa confirmation qui le dit simplement de Poitiers, c'est-à-dire du diocèse. Marié vers 1665, probablement à Petite-Auvergne dans Charlesbourg, où il semble bien établi, il est confirmé à Québec le 8 avril 1670. Il acquiert, le 3 août 1673, la terre de René Binet (n° 46) à Charlesbourg où le recensement de 1681 le dit âgé de 40 ans et en possession de deux bêtes à cornes et de dix arpents en valeur. Il est décédé au même endroit le 7 juin 1711. [10 enfants]

282 - René Bruneau dit Jolicœur (Georges & Blaisette Martin ou Martineau), «de St-Michel dans la ville et évêché de Poitiers». Il reçoit 30 arpents en concession, le 18 mars 1666, à Petite-Auvergne dans Charlesbourg où il est dit tisserand en toile âgé de 22 ans au recensement de la même année. Il travaillera au même endroit, pour Jean Charpentier, l'année suivante. Marié à Québec le 17 septembre 1668, le recensement de 1681 le présentera à Petite-Auvergne, en possession de deux bêtes à cornes et de six arpents en culture. Il sera confirmé à Québec le 26 mai 1681 et décédera à Charlesbourg vers 1700. [10 enfants]

283 - Françoise-Marthe Barton (f Philippe ou Jacques Barton, secrétaire de Mgr de Villemontet, seigneur de Montaiguillon et de Villenaux, & Renée Pestre, veuve Jean Valon, marchand à

---

40. Notamment R. JETTÉ, *Dictionnaire généalogique des familles du Québec*, Montréal, Presses de l'Université de Montréal, 1983, p. 537.

Poitiers, mariés à l'été 1647)[41], «de la paroisse St-Michel à Poitiers». Françoise-Marthe Barton épouse un maître menuisier à Montréal le 7 octobre 1670. Âgée de 28 ans en 1681, elle décédera au même endroit le 13 août 1699. [13 enfants] GNA, p. 146-147.

284 - Jeanne Raimbault (f Jean & f Nicole Grostier), «de St-Michel dans l'évêché de Poitiers». Probablement arrivée en 1668, elle est confirmée à Québec le 23 avril 1669 et se marie l'année suivante à Chambly où elle élèvera sa famille. Le recensement de 1681 lui donne 36 ans au fort Chambly, où son mari sera encore cité le 31 janvier 1682. Le couple disparaît après cette date, peut-être tué par les Iroquois. [4 enfants] LFR, p. 361.

285 - Louise André (Étienne & Adrienne Taillou), «de la paroisse de St-Michel à Poitiers». Arrivée vers 1667 et mariée à Boucherville le 18 janvier 1672, elle sera recensée âgée de 52 ans à Varennes, en 1681. Elle est décédée au même endroit le 7 décembre 1687. [Sans postérité] LFR, p. 270.

286 - Jacques Forget (Mandé & Jeanne Dessery, mariés à Saint-Germain de Poitiers le 13 novembre 1634, ayant aussi habité dans les paroisses Sainte-Radegonde et Sainte-Austrégésile), «de la paroisse de St-Michel dans la ville et évêché de Poitiers[42]». Baptisé au baptistère Saint-Jean-Baptiste de Poitiers le 8 mars 1640, Jacques Forget est arrivé en Nouvelle-France comme domestique en 1666 ou 1667. Il s'établit dans la seigneurie de Dombourg à Neuville où il se marie le 4 février 1674. Un fils naît l'année suivante et l'ancêtre meurt peu après. [1 enfant] MSGCF, vol. XXXIII (1982), p. 121-125.

Marie-Agnès Destouches. Voir n° 301.

287 - Jacques Bois ou Boy (f René & Reine Boyer), «natif de la paroisse de Saint-Michel de la ville de Poitiers[43]». Arrivé en Nouvelle-France vers 1691, sa présence est relevée à Québec,

---

41. Leur contrat de mariage, en date du 28 juin 1647, est conservé aux Archives de la Vienne sous la cote E[4] 12, 31.
42. N. ROBERT, *Nos origines en France des débuts à 1825*, Montréal, Société de recherche historique Archiv-Histo, 1993, vol. 9, p. 172.
43. Selon un document judiciaire de Montréal. Les baptêmes de plusieurs de ses frères et sœurs ont été retracés au baptistère Saint-Jean-Baptiste de Poitiers. Voir *L'Ancêtre*, vol. XVIII (octobre 1991), p. 53-57.

le 25 février 1699, alors qu'il était soldat de la compagnie de Longueuil. Accusé de cambriolage et autres méfaits commis à Montréal, il déclare, lors de son interrogatoire, être boucher de profession. Condamné à mort, il réussira à s'évader et à se faire oublier à la Rivière-Ouelle. Marié à cet endroit le 24 novembre 1704, à l'âge de 27 ans, il y vivra jusqu'à sa mort, le 12 novembre 1741. [9 enfants] L'AN, vol. XVIII (octobre 1991), p. 53-57.

288 - Clément Grolier dit Poitevin (François & Marie Petit), «de la paroisse de St-Michel de la ville et diocèse de Poitiers». Il était âgé de 28 ans et soldat dans la compagnie de Legardeur de Saint-Pierre lors de son mariage à Saint-Laurent, dans l'île de Montréal, le 13 avril 1722. Établi à la côte Notre-Dame-des-Vertus, il y décédera le 4 février 1726. [2 enfants]

289 - Jean Vocelle dit Bellehumeur et Saint-Victor (Barthélemi & Anne Bernier), neveu de François Vocelle (n° 75), «de St-Michel dans la ville et diocèse de Poitiers». Soldat dans la compagnie de Bombardiers lors de son mariage à Québec le 24 avril 1752, il était encore en service au moment de la naissance d'un fils la semaine suivante, le 2 mai. Il s'installera à Québec où il sera qualifié de maçon le 24 janvier 1758. Il y était encore en juillet 1763. [11 enfants]

290 - Pierre Marollot dit Lajeunesse (Jacques & Marie Piquet ou Peynet), «de la paroisse de St-Michel dans le diocèse de Poitiers». «Présentement employé aux bureaux du roy au fort», il se marie le 29 janvier 1759 au fort Saint-Jean, en présence de son cousin François Burhiloux, qui suit. Il avait 23 ans et était soldat dans la compagnie du chevalier de Laroche à son décès, à Saint-Ours, le 10 avril 1760. [Sans postérité] MSGCF, vol. XIV (1963), p. 19.

291 - François Burhiloux (...), cousin du précédent. Seule mention : il assiste au mariage de Pierre Marollot, le 29 janvier 1759, au fort Saint-Jean. [Sans alliance]

Les migrants qui suivent sont originaires de la ville de Poitiers sans qu'il ne soit possible de préciser de quelle paroisse.

POITIERS

292 - Charles Robin (...), «de Poitiers». Charpentier âgé de 35 ans, il s'engage à La Rochelle, le 7 avril 1642, pour travailler pendant trois ans au fort de la rivière Saint-Jean où il recevra 120 livres par an. Il ne semble pas être resté en Acadie. [Sans alliance]

293 - Pierre Campion dit Lamothe (...), «de Poitiers». À 30 ans, il s'engage pour deux ans à La Rochelle, le 6 avril 1643, pour le compte de Charles de Saint-Étienne de La Tour, moyennant un salaire de 100 livres par année. Il devait s'embarquer sur le *Saint-André* pour le fort de la rivière Saint-Jean, mais on ne sait s'il y est vraiment allé. [Sans alliance]

294 - Gaspard Gouault (...), «de Poitiers». Le *Journal des jésuites* mentionne son arrivée à Québec en septembre 1646. Il s'est noyé le 6 novembre, «devant le Cap-à-l'Arbre, en route vers Trois-Rivières». Il était apothicaire au service des jésuites. [Sans alliance]

295 - Antoine Pasquier (...), «de Poitiers». Boulanger de 20 ans, il s'engage à La Rochelle, le 23 mars 1656, pour un salaire de 60 livres par an pendant trois ans. Il est cité dans la vallée du Saint-Laurent entre 1658 et 1661, et semble être rentré en France au bout de son terme. [Sans alliance] TCI, p. 344.

296 - Daniel Olier (...), «de Poitiers». Serrurier, il est inscrit au rôle des passagers du *Taureau*, navire en partance de La Rochelle pour la Nouvelle-France en 1663. Il fut confirmé l'année suivante à Montréal[44], mais n'a fait l'objet d'aucune autre mention. [Sans alliance] MSGCF, vol. XXIV (1973), p. 157-160.

297 - Jean Thomas (...), «de Poitiers». Il figure aussi en 1663 sur la liste des passagers du *Taureau* en partance de La Rochelle pour la Nouvelle-France. Arrivé à Québec le 24 juillet 1663, il possède une habitation de deux arpents en valeur à Charlesbourg en 1667, et semble rentrer en France par la suite. [Sans alliance] MSGCF, XXIV (1973), p. 157-160.

---

44. Son nom figure deux fois au *Registre des confirmés* : en mai ainsi que le 11 juillet 1664.

298 - René Jouchon (...), «de Poitiers». Il est listé en 1664 parmi les passagers du navire *Noir-de-Hollande* du capitaine Pierre Filly. Il fut condamné le 6 juin 1667, pour avoir déserté le service de son maître et pour complicité de larcins, «à estre battu et flestry de verge [...] et à recevoir sur une de ses espaulles l'impression d'une fleur de lys avec le fert chaux et ensuite à tenir prison les ferts aux pieds». Il ne laisse plus de traces par la suite. [Sans alliance] MSGCF, vol. IV (1950-1951), p. 217-225.

299 - Claude Jodoin (f Barnabé & Michelle Dupley), «de Poitiers». Il est qualifié de charpentier, le 24 novembre 1665, à Montréal où il se marie le 22 mars 1666. Âgé de 27 ans, il sera, l'année suivante, domestique des sulpiciens. Il eut de graves ennuis avec le sieur de La Freydière, officier du régiment de Carignan, qui lui avait injustement imposé une corvée pour l'éloigner de son foyer. Jodoin dénonce, en 1667, l'officier qui couche avec sa femme «en lui promettant des dons, [...] profitant de la misère où elle et son mari étaient»; il ajoute qu'après avoir été durant quatre ans «en divorse avec sa femme, et de désespoir prêt à s'en aller chez les ennemis [...], il s'est remis avec elle et fait bon ménage ayant reconnu que la faute en était aux puissantes sollicitations de La Freydière[45]». On le retrouvera par la suite à Contrecœur, de 1669 à 1680, puis dans la seigneurie de Longueuil où il possédera trois arpents en valeur en 1681. Il s'installera ensuite à Boucherville. Il était employé comme charpentier à la tannerie de cuir du coteau Saint-Pierre lorsqu'il fut tué accidentellement le 16 octobre 1686. Un autre employé, ignorant que son compagnon était au bois, entendit un froissement de branches et déchargea son fusil en croyant que c'était un ours. [10 enfants] BRH, vol. XLI, p. 39; SVL, p. 379.

300 - Antoine Baillargé (...), «de Poitiers». Il est confirmé le 26 juin 1666 au Cap-de-la-Madeleine où il se marie vers 1670. Il meurt vers 1673 puisque sa veuve se remarie l'année suivante. [1 enfant]

---

45. L. DECHÊNE, *Habitants et marchands de Montréal au XVIIe siècle*, Boréal, Montréal, 1988, collection «Boréal compact», p. 438-439.

301 - Marie-Agnès Destouches (f Pierre & Marie Gulet), «de la ville de Poitiers dans l'évêché dudit lieu[46]». Son premier mariage la dit de St-Marct – ou peut-être St-Marel? – de Poitiers, ce qui pourrait être Saint-Michel. Apportant des biens évalués à 200 livres et un don du roi de 50 livres, elle se marie le 27 octobre 1669 à Sainte-Famille dans l'île d'Orléans, et sera recensée âgée de 35 ans au même endroit en 1681. Veuve en août 1688, elle se remarie le 7 février 1690 à l'église de Saint-François où elle décédera le 20 février 1728. [9 + 0 enfants]

302 - Jean Minet dit Montigny (f Jean & Marguerite Poyneau). Marchand teinturier, il s'est marié à l'âge de 25 ans à Poitiers après un contrat de mariage passé devant les notaires Rullier et Royer le 27 septembre 1664. Passé en Nouvelle-France vers 1669, il s'installe à Petite-Rivière-Saint-Charles avec sa femme et leurs trois premiers enfants. Le recensement de 1681 le présentera à Petite-Auvergne dans Charlesbourg en possession de trois bêtes à cornes et de dix arpents en valeur. Il est décédé à Québec le 9 juillet 1706. [9 enfants]. MSGCF, vol. III (1948-1949), p. 132-134.

303 - Perrine Pagnoux (f Louis[47] & f Catherine Faugeret), épouse du précédent. Arrivée avec sa famille vers 1669, elle est recensée, âgée de 41 ans, à Québec en 1681. Elle est décédée au même endroit le 17 août 1720. [9 enfants dont les trois suivantes, nées en France]

304 - Marie Minet (fille des précédents). Née vers 1665, elle arrive à Québec vers 1669 et s'y marie le 1er juillet 1681. Un premier enfant naît l'année suivante à Petite-Rivière-Saint-Charles dans Charlesbourg, puis un second dans la basse ville de Québec en 1685. Elle est décédée à l'Hôtel-Dieu de Québec le 3 janvier 1693. [2 enfants]

305 - Radegonde Minet (sœur de la précédente). Née en France, elle arrive à Québec avec sa famille vers 1669, et décède à Québec le 10 octobre 1670.

---

46. Greffe de Romain Becquet, le 9 octobre 1669.
47. Il pourrait s'agir du Louis Pagnoux, fils d'Étienne et de Pierrette Puis, dont j'ai repéré le baptême, le 24 octobre 1604, à la paroisse Sainte-Austrégésile de Poitiers.

306 - Louise Minet (sœur des précédentes). Née vers 1669, elle se marie à Québec le 8 novembre 1694. Un fils naît l'année suivante, et elle-même décède le 2 novembre 1695 à l'Hôtel-Dieu de Québec. [1 enfant]

307 - Louis Laville ou Delaville (...), «natif de Poitiers». On le dit aussi de la paroisse de St-Dignes à Poitiers[48]; il est peut-être le frère de Pierre Laville de la paroisse de Saint-Didier (n° 215). À 25 ans[49], il fit un séjour d'au moins trois semaines à l'Hôtel-Dieu de Québec durant l'été de 1689. Résident de Québec lors d'une seconde hospitalisation en décembre 1691, il disparaîtra après un dernier séjour en juin 1693. [Sans alliance]

308 - Jacques St-Amans (...). Comme le précédent, on le dit de la paroisse de St-Dignes à Poitiers, ce qui pourrait être Saint-Didier. À 21 ans, il fut hospitalisé pendant cinq semaines à l'Hôtel-Dieu de Québec, en juin-juillet 1689. Nulle autre mention. [Sans alliance]

309 - Pierre Boileau (f Edme, marchand, & Geneviève Girard), «de la ville de Poitiers». Habitant à Saint-François-du-Lac en 1698, il se marie, âgé de 30 ans, à Boucherville le 5 juillet 1706. Il s'installe ensuite à Chambly où il élève sa famille et décédera le 3 mars 1730. [9 enfants]

310 - Blaise Salomon (Étienne, maître tailleur de pierre, & Louise Malichaise), «de la ville de Poitiers[50]». Laboureur âgé de 21 ans, il est engagé à La Rochelle, le 24 mars 1720, pour l'île Saint-Jean en Acadie. Il s'y marie le 21 juillet 1721 et se déclare alors de la paroisse de Burgheil-l'Aîné dans le diocèse de Poitiers. [Sans postérité] RHAF, vol. XIII (1959), p. 416.

311 - Baptiste Sormain (...), «de Poitiers». À 22 ans, il s'engage le 31 mars 1720 à La Rochelle comme boulanger pour l'île Saint-Jean, où il recevra un salaire de 216 livres par an. Il n'a pas laissé d'autres traces. [Sans alliance] RXAF, vol. XIII (1959), p. 416.

---

48. Selon le *Registre des malades* de l'Hôtel-Dieu de Québec, les 11 décembre 1692 et 1er juillet 1689.
49. On lui donne aussi 22 ans au *Registre des malades* de l'Hôtel-Dieu de Québec, le 21 juin 1689.
50. Selon son contrat d'engagement.

312 - Luc-François Naud (...), «né à Poitiers le 17 janvier 1703[51]». Après des études à Poitiers, il entre en 1720 chez les jésuites à Bordeaux pour être ordonné vers 1732. Parti de La Rochelle sur *Le Rubis*, le 29 mai 1734, il arrive à Québec le 7 août, accompagné de Mgr Dosquet, évêque de Québec, de trois sulpiciens et de quatre ou cinq jésuites[52]. On l'envoie aussitôt accomplir son ministère à la mission iroquoise du Sault-Saint-Louis (Kanesetake) où il sera cité jusqu'au 17 novembre 1742. Rentré ensuite en France, il est décédé à Luçon, en Bas-Poitou, le 5 septembre 1753. ADC, vol. I, p. 398.

313 - Nicolas Degonor (...), «né à Poitiers le 19 novembre 1691[53]». Après des études à Poitiers, il entre en 1720 chez les jésuites à Bordeaux, et est ordonné vers 1723. Ayant d'abord été préfet de classe à Xaintes de 1723 à 1725, il passe ensuite en Nouvelle-France où on l'affecte à la mission iroquoise du Sault-Saint-Louis jusqu'à ce que le précédent vienne le relever en 1634[54]. Cité à Québec le 12 janvier 1735, il devient assistant-aumônier d'une expédition au pays des Sioux en 1735-1736. Après un séjour en France qu'il aurait effectué de 1738 à 1740, il revient œuvrer à l'Ancienne-Lorrette de 1740 à 1743, puis à Québec jusqu'en 1749, pour ensuite devenir curé de la mission iroquoise du Sault-Saint-Louis (Kanesetake) de 1752 à 1755. Supérieur des jésuites de Montréal en 1755-1756, il deviendra membre et consulteur du Collège de Québec de 1756 à sa mort, le 16 décembre 1759[55]. ADC, vol. I, p. 249.

---

51. J.-B. ALLAIRE, *Dictionnaire biographique du clergé canadien-français*, Montréal, Imprimerie de l'École catholique des sourds-muets, 1910, vol. I, p. 398.
52. Il a laissé un récit de sa traversée, publié dans *Rapport de l'archiviste de la province de Québec*, 1926-1927, p. 267-269.
53. J.-B. ALLAIRE, *op. cit.*, vol. I, p. 249.
54. Dans son récit, le père Naud écrit : «Le père Degonor quitte le Sault où il est assez inutile parce qu'il n'a pas voulu se donner la peine d'apprendre la langue iroquoise.» *Rapport de l'archiviste de la province de Québec, op. cit.*, p. 268.
55. Les renseignements biographiques sont principalement tirés de J.-B. ALLAIRE, *op. cit.* Cyprien Tanguay, dans son *Répertoire général du clergé canadien* (Montréal, Eusèbe Senécal et fils, 1893, p. 95), le dit arrivé en Nouvelle-France le 8 août 1718 (ce que répète R. JETTÉ, *op. cit.*, p. 520) et décédé le 9 janvier 1759.

314 - René Couet dit Cielnoirt (...), «de la prison de Poitiers». Faux saunier, il fut tiré de la prison de Poitiers et exilé en Nouvelle-France pour le reste de ses jours. Son nom figure sur la liste des déportés du 28 janvier 1737, mais je n'ai pas retrouvé sa trace en Nouvelle-France. [Sans alliance]

315 - Louis Deschamps (...), «de la prison de Poitiers». Faux saunier déporté en Nouvelle-France pour le reste de sa vie, il fut tiré de prison en 1739 pour être embarqué sur *Le Rubis*. Je n'ai pas retrouvé sa trace. [Sans alliance]

316 - François Bonnet (...), «de la prison de Poitiers». Faux saunier, il fut également embarqué sur *Le Rubis* en 1739 pour être déporté en Nouvelle-France. Il habitait au Sault-au-Récollet dans l'île de Montréal le 28 août 1761. [1 enfant]

317 - Hyacinthe Guinault (...), «de la prison de Poitiers». Faux saunier, il fut aussi déporté en Nouvelle-France et embarqué sur *Le Rubis* en 1739. Je n'ai pas retrouvé sa trace. [Sans alliance]

318 - Jacques Franchisneau (...), «de Poitiers». Cordonnier âgé de 17 ans, il est engagé pour trois ans à La Rochelle, le 16 juin 1751, pour un salaire de 300 livres de sucre en tout. Seulement l'aller en Nouvelle-France lui est assuré. Je n'ai pas retrouvé sa trace. [Sans alliance]

319 - Louis Guinault (...), «natif de Poitiers». Il a été recruté à Poitiers en 1750, en même temps qu'Étienne Giraud dit Brindamour (n° 94), par Léveillé, sergent de la compagnie de La Touche du régiment de La Reine[56]. Il était devenu grenadier dans la compagnie de Mombray lorsqu'il obtint un certificat de liberté au mariage, à Québec le 6 novembre 1760. Habitant à Saint-Sulpice, il est décédé à 26 ans, le 21 février 1762. [Sans alliance][57] MSGCF, vol. XI (1960), p. 61-62.

---

56. Un autre témoignage de liberté au mariage, daté du 30 décembre 1760, affirme qu'il sert dans le régiment de Berry depuis 12 ans.

57. À la dernière minute, j'apprends qu'il semble avoir été mercenaire du régiment allemand du Prince Frédéric. Si tel est le cas, il n'appartiendrait pas à l'époque de la Nouvelle-France, et sa biographie devrait être reportée juste avant le n° 728. Les compilations présentées plus loin devraient aussi être modifiées en conséquence. Communication de M. Marcel Fournier. Voir l'ouvrage que prépare actuellement M. Fournier : *Les Français au Québec, 1765-1865.*

320 - Louis Robin (f Jacques & Marie Menarde), «natif de Poitiers en Poitou»; son contrat de mariage précise qu'il est natif de la paroisse de Saint-Thomas dans le diocèse de Poitiers[58]. Il demeure chez Prisque Paquet en la côte Saint-Jean, à Saint-Cuthbert, lorsqu'il s'y marie, âgé de 44 ans, le 4 février 1788. Je ne sais pas s'il a vécu sous le Régime français ou s'il est venu après 1763, en passant peut-être par les États-Unis. [1 enfant]

---

58. Il n'existait aucune paroisse sous ce vocable à Poitiers. Il y avait cependant, en 1782, deux chapelles consacrées à Saint-Thomas de l'Aumônerie et à Saint-Thomas de l'Échevinage dans la paroisse Notre-Dame-la-Grande. H. BEAUCHET-FILLEAU, *op. cit.*, p. 352.

Chapitre VII

Le Montmorillonnais

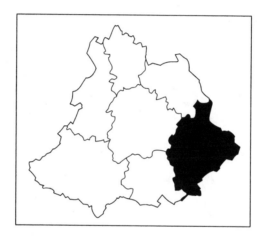

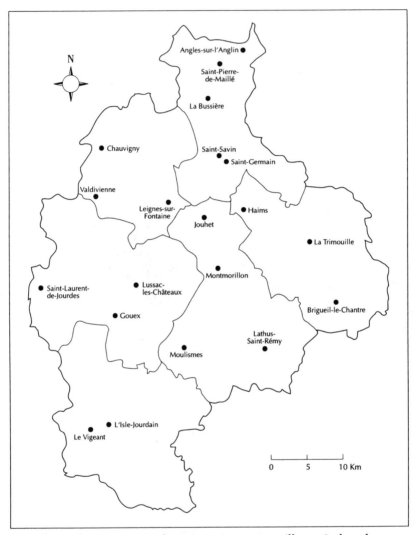

Lieux de provenance des migrants montmorillonnais dans le
département de la Vienne.

Le Montmorillonnais comprend tout l'ancien arrondissement de Montmorillon avant qu'on le réunisse avec celui de Civray pour constituer l'arrondissement actuel. Le Montmorillonnais occupe donc une superficie de 1 879 km² et comprend les cantons de Saint-Savin, de Chauvigny, de La Trimouille, de Montmorillon, de Lussac-les-Châteaux et d'Isle-Jourdain. Les 30 migrants du Montmorillonnais sont présentés, du nord vers le sud, selon leur paroisse d'origine et l'ordre apparent de leur arrivée en Nouvelle-France.

Dans le nord-est du Montmorillonnais, au moins 7 migrants sont originaires du canton de Saint-Savin :

ANGLES-SUR-L'ANGLIN

À la pointe nord-est du Montmorillonnais. Sur l'éperon rocheux, les hautes ruines du château-fort d'Angles remontent au XIIᵉ siècle. En contrebas, le village aux toits de tuiles et l'église romane Saint-Martin constituent un bel ensemble. Les sculptures préhistoriques de l'abri du Roc-aux-Sorciers sont classées.

321 - Antoine Lafaye (Pierre & Marie Cheraut), «de la paroisse de Saint-Martin d'Angle dans l'évêché de Poitiers». Alors soldat de la compagnie du sieur de Laronde, il s'est marié le 7 février 1735 à Québec. Il y était encore installé comme perruquier lorsqu'on le cite le 25 mai 1757 à Montréal. [10 enfants]

322 - Antoine-Claude Prou ou Leproust (Antoine, chirurgien, & Marie-Anne Riou), «de la paroisse de St-Martin d'Angle en Poitou», frère de Jean Leproust (nᵒ 91). Sergent dans les troupes de la marine, il se marie à Trois-Rivières le 2 juin 1736 et devient veuf deux ans plus tard. Il se remarie au même endroit, le 8 mai 1747, et vivait encore en 1760. [1 + 9 enfants]

SAINT-PIERRE-DE-MAILLÉ

Immédiatement au sud-ouest d'Angles-sur-l'Anglin par la Départementale nᵒ 2. La préhistoire et la haute antiquité chrétienne y ont abandonné plusieurs vestiges. L'église Saint-Pierre, des XIᵉ et XIIᵉ siècles, a été rebâtie au XVIIᵉ. À proximité, entre 1773 et 1776, on a tenté l'installation d'une colonie de 362 familles acadiennes. Seulement 25 familles acadiennes ont persisté et se sont véritablement fixées en Poitou.

René Lesqueux. Voir nᵒ 619 au chapitre XII.

323 - René Marchildon ou Marchelidon (Vincent & Jeanne Lamarque), «de Saint-Féré en Poitou[1]», ce qui semble désigner Saint-Phèle, une ancienne paroisse dont une partie de l'église existe encore dans le bourg de Saint-Pierre-de-Maillé[2]. Marié le 29 février 1740 à Sainte-Geneviève-de-Batiscan où il était établi, il sera recensé à Saint-François-Xavier-de-Batiscan en 1765. [4 enfants]

LA BUSSIÈRE

Tout de suite au sud de Saint-Pierre de Maillé par la Départementale n° 11. On y trouve des traces d'occupation préhistorique. La tour du château de la Bertholière est d'époque médiévale.

324 - François Mazureau ou Mazeros dit Labarre (f Gaspard & f Marie Royé), «de la paroisse de Buissière dans l'évêché de Poitiers». Il habitait Québec au moment de son mariage, le 24 juin 1748, à Saint-Laurent dans l'île d'Orléans. «Courroyeur» de métier, il est encore cité à Québec en 1754. [3 enfants]

SAINT-SAVIN

Chef-lieu de canton, sur la Nationale n° 151. Classée au patrimoine mondial par l'Unesco, l'abbaye bénédictine aurait été fondée à l'abri de la forteresse des Cerisiers, en l'an 811, par Charlemagne. Les peintures murales de l'église romane du XIe siècle constituent l'ensemble architectural et iconographique le plus beau et le plus complet de France.

325 - René Moreau, sieur Dubreuil et Duportail (René, sieur du Portal, & Barbe Villard), «de la paroisse de St-Savin dans l'évêché de Poitiers». Soldat de la garnison de Montréal, il épouse, le 20 juin 1672, Jeanne Merrin, originaire de la paroisse Saint-Michel de la ville de Poitiers (n° 280). Il dispa-

---

1.   Greffe d'Arnould-Baltazar Pollet, le 26 février 1740, et *Registre de Sainte-Geneviève-de-Batiscan*, le 29 février 1740. La graphie «St Fere» est très nette dans l'acte de mariage. Sur le contrat de mariage, le *F* ressemblant à un *S*, et le *e* à un *i*, il est bien compréhensible que certains aient pu lire «St Sire» et croire l'ancêtre originaire de Saint-Cyr, dans l'arrondissement de Poitiers.

2.   On trouve, dans les registres de Saint-Pierre-de-Maillé, un René Marchilidon, baptisé le 4 janvier 1711, fils de Vincent et de Jeanne Fromenteau, mariés au même endroit le 1er juillet 1704. S'agit-il du même? Le fait que ce patronyme soit peu commun dans la Vienne porterait à le croire. Communication de monsieur l'abbé Arthur Marchildon.

raîtra en même temps que ses deux filles puisque sa femme est listée seule au recensement de 1681 à Montréal. [2 enfants]

SAINT-GERMAIN

La commune voisine à l'est. L'église romane possède aussi des peintures murales.

326 - Pierre Faye dit Sanscartier (Jean & Anne Paret), «de Saint-Germain-en-Vail dans l'évêché de Poitiers», ce qui pourrait aussi correspondre à Saint-Germain-de-Longue-Chaume, dans le canton de Parthenay en Bas-Poitou. Établi à la côte Sainte-Anne dans l'est de l'île de Montréal, il se marie à Pointe-aux-Trembles le 15 novembre 1688 et déménagera ensuite à Maskinongé. C'est cependant à Montréal qu'on l'inhumera le 17 juin 1718. [3 enfants]

327 - Jacques Gauthier (f Jacques ou Jean, & Françoise Lecompte), «de la paroisse de St-Germain dans l'évêché de Poitiers», ce qui peut aussi correspondre à Saint-Germain-de-Longue-Chaume, dans le canton de Parthenay en Bas-Poitou. Soldat dans la compagnie du chevalier Louis Denis de La Ronde, il se marie le 29 décembre 1729 à Sainte-Foy où je perds ensuite sa trace. Peut-être est-il rentré en France? [Sans postérité]

Seulement 3 migrants peuvent être localisés dans le canton de Chauvigny :

CHAUVIGNY

Chef-lieu de canton situé à 19 kilomètres à l'est de Poitiers par la Nationale n° 151. L'église de Saint-Pierre-les-Églises possède des peintures murales du Xe siècle, et le cimetière, des sarcophages mérovingiens. Les fresques de l'église Notre-Dame sont du XVe siècle. L'église collégiale romane Saint-Pierre est également classée monument historique.

328 - François Roy (...), «de Chauvigny dans le diocèse de Poitiers». Âgé de 20 ans, «de taille moyenne, de poils châtains», on l'engage, le 30 mai 1731 à La Rochelle, pour venir travailler à Québec en retour d'un salaire de 75 livres par an. Je n'ai pas retrouvé sa trace en Nouvelle-France. [Sans alliance]

Vue générale de Chauvigny. Au premier plan, le château des Évêques (XIIᵉ siècle). (Archives départementales de la Vienne. Photo : Christian Vignaud, Musées de Poitiers.)

SAINT-MARTIN-LA-RIVIÈRE

Sur les rives de la Vienne, à 25 kilomètres au sud-est de Poitiers. Cette commune a fusionné en 1969 avec La Chapelle-Morthemer, Morthemer et Salles-en-Toulon pour former la commune de Valdivienne. Saint-Martin-la-Rivière possède une nécropole néolithique, des demeures anciennes et plusieurs croix monumentales.

329 - Philippe Paquet ou Pasquier (Antoine & Renée Fouyart), «de St-Martin-la-Rivière dans l'évêché de Poitiers». Maçon, il achète, le 11 novembre 1664, une terre de trois arpents le long du fleuve, dans le fief de Lirec, paroisse de Sainte-Famille, à l'île d'Orléans. C'est là qu'il sera recensé en 1666 âgé de 30 ans et qu'il épousera, trois ans plus tard, Françoise Gobeil (nº 491). Il achètera une autre terre dans la paroisse Saint-Jean, le 8 octobre 1676, à côté d'une autre qu'il possédait déjà; il y sera recensé en 1681, en possession de trois bêtes à cornes et de cinq arpents en valeur. Ayant vendu sa terre de Sainte-Famille, il vécut ensuite à Saint-Jean où il est décédé vers 1710. [10 enfants]

Pierre Devoyau dit Laframboise. Voir nº 663 au chapitre XII.

SALLES-EN-TOULON

À un kilomètre au sud de Saint-Martin-la-Rivière. L'église Saint-Hilaire possède un pignon avec personnage, un portail décoré et un bénitier d'époque romane. L'autel de pierre est du XVIIe siècle.

Pierre Desnoux. Voir n° 664 au chapitre XII.

LEIGNES-SUR-FONTAINE

À l'est de Valdivienne. Le château fortifié de Vaucour date du XVIe siècle. On lira plusieurs inscriptions anciennes gravées sur les parois de l'église prieurale Saint-Hilaire, reconstruite au XVIIe siècle sur des restes romains.

330 - Pierre de Lauzon (Pierre, avocat, & Marie Riot). Baptisé à Leignes-sur-Fontaine le 13 septembre 1687[3], il entre chez les jésuites à Bordeaux en 1703, et sera ordonné vers 1716. Débarqué en Nouvelle-France le 4 juin 1718, il œuvre à la mission du Sault-Saint-Louis (Kanesetake), pour ensuite enseigner l'hydrographie, pendant quelques mois en 1721-1722, au collège de Québec, et revenir à Kanesetake jusqu'en 1733. Il est ensuite supérieur des missions des jésuites en Nouvelle-France jusqu'à sa mort, à Québec, le 5 juin 1742. DBC, vol. III, p. 388-389; ADC, vol. I, p. 315.

Dans la pointe est du Montmorillonnais, 4 migrants sont du canton de La Trimouille :

HAIMS

Au sud de Saint-Germain. L'église Saint-Michel possède des peintures murales du XIXe siècle, et la chapelle romane Saint-Maixent, des inscriptions gothiques.

331 - Robert Moussin ou Moussion dit Lamouche (Florent & Jeanne Charpentier), «de la paroisse et bourg d'Ains dans l'évêché de Poitiers». Baptisé à Haims le 24 février 1640[4], il sera confirmé le 23 mars 1664 à Québec où il se mariera deux ans plus tard, le 15 mai 1666. Fixé dans la haute ville, le recensement de 1716 le dit tailleur d'habits. Il est décédé à Québec le 23 novembre 1728. [7 enfants]

---

3. J.-B. ALLAIRE, dans son *Dictionnaire biographique du clergé canadien-français*, vol. I, p. 315, affirme qu'il est né à Poitiers le 27 septembre 1687.
4. Archives municipales d'Haims. Communication de M. Jean-Marie Germe, de l'Association Falaise-Acadie-Québec.

LA TRIMOUILLE

Chef-lieu de canton arrosé par la Benaize. Des mégalithes témoignent de la civilisation protohistorique. L'ancienne église Saint-Pierre possède des peintures murales.

332 - Pierre Ravenel ou Deravenelle dit Chevalier (f Pierre-Alexandre & f Marie Baron), «de la paroisse St-Pierre de la Trimoulx dans l'évêché de Poitiers». Faux saunier tiré de la prison de Bourges, il fut déporté en Nouvelle-France en 1741 pour le reste de ses jours. Devenu soldat dans la compagnie du sieur Renaud d'Avènes des Méloises, il se marie à Québec le 3 août 1744. Le 14 avril 1760, il sera témoin à Québec du mariage de Charles Laurent, originaire de Port-de-Piles (n° 58). [8 enfants]

BRIGUEIL-LE-CHANTRE

Situé dans la pointe sud-est du département de la Vienne. Ancienne ville fortifiée où l'on a trouvé des traces d'occupation gallo-romaine. L'église Saint-Hilaire date du XIIe siècle.

333 - Louis Guérin dit Berry (f Mathurin & f Léonarde Guionnet), «de la paroisse de Briguel-le-Chantre dans le diocèse de Poitiers». Le 1er août 1712, il se marie à Québec où il avait établi domicile dans la basse ville. Le recensement de 1716 le dit tailleur âgé de 40 ans. Veuf depuis 1715, il se remarie à Beaumont le 13 janvier 1721, et sera qualifié de cabaretier au recensement de 1744 à Québec. Il fut inhumé dans l'église de Québec, le 2 avril 1759. [1 + 1 enfants]

BONNEVEAUX

Ancien hameau du fief de Fleix dans la commune de Brigueil-le-Chantre[5]. Il ne reste du château médiéval de Fleix que des vestiges.

334 - Étienne Vergnonneau (...), «de Bonnevault en Poitou». Il est âgé de 21 ans lorsqu'il s'engage pour trois ans, le 17 juin 1659, au service de Médard Chouart des Groseilliers à Trois-Rivières. Puisqu'il n'a pas laissé de traces dans les archives de la Nouvelle-France, on ne sait s'il est réellement venu. [Sans alliance]

---

5.   L. REDET, *Dictionnaire topographique du département de la Vienne comprenant les noms des lieux anciens et modernes*, Paris, Imprimerie nationale, 1881, p. 49.

Nous connaissons au moins 3 migrants originaires des communes du grand canton actuel de Montmorillon :

JOUHET

Au nord de Montmorillon par la Départementale n° 5. Face au monument aux Morts, près de l'église Notre-Dame, la chapelle funéraire fut érigée en 1476 et dédiée à la Vierge, à sainte Catherine et à tous les saints. Elle présente d'intéressantes peintures murales exécutées au XVe siècle.

Jacques Chauson et Jeanne Chesson. Voir n°s 23 et 24 à Joué en Loudunais.

MOULISMES

Sur la Nationale n° 147, Moulismes est au sud de Montmorillon par la Départementale n° 729. Le château de la Grange date en partie du XVIIe siècle.

335 - Florent de Lacetière (Jean & f Anne Debiés), «de la paroisse St-Hilaire dans le bourg de Mouline, dans l'évêché de Poitiers au Poitou». Tapissier au moment de son mariage à Sillery en 1687, il deviendra successivement notaire royal en 1702, huissier de la Prévôté de Québec en 1706-1707 et du Conseil souverain en 1710, seigneur de l'arrière-fief de Saint-Vilmé dans Lauzon en 1724, ainsi que juge et sénéchal de la seigneurie de Beauport en 1728. Il est décédé à Québec le 29 octobre 1728 à l'âge de 60 ans. [2 enfants]

336 - Étienne Debien (f Denis & Suzanne...), «de la paroisse de Moulinnes dans le diocèse de Poitiers». Il arrive à Montréal vers 1685 et y travaille d'abord comme domestique. Le 21 avril 1689, il obtient une concession à la rivière Saint-Pierre, et se marie le 2 janvier 1691. Il acquiert la terre voisine de la sienne le 14 juillet 1697, et sera inhumé à Montréal le 19 octobre 1708 âgé de 60 ans. [10 enfants] NA, vol. XXI, p. 74-83.

LATHUS-SAINT-RÉMY

Près des limites du département, à l'est de Moulismes et au sud de Montmorillon par la Départementale n° 54. On y trouve le dolmen de Marchain ainsi que des pierres polies d'âge préhistorique. L'église prieurale Saint-Maurice est d'un style roman d'influence limousine. Pris par les Anglais en Acadie en 1756 et à l'Isle-Royale en 1758, François Roy s'est retrouvé à Québec en 1759, puis à la Martinique l'année suivante. Fait prêtre, il fut curé de Lathus où il refusa, le 27 novembre 1690, de prononcer le serment républicain.

Relevé de sa cure, il s'est retiré à Montmorillon où, malade, il a vécu d'aumônes. Le 9 novembre 1792, il adressait une supplique au président de la Convention[6].

337 - Joseph Poirier dit Desloges (f Jacques & Françoise Brunet), «de la paroisse de Ladu dans l'évêché de Poitiers[7]». Il était soldat dans la compagnie de Jean-Louis de Lacorne lors de son mariage à Montréal, à 24 ans, le 16 septembre 1709. Établi à l'île Perrot, il devient veuf en mai 1728, se remarie à Pointe-Claire le 12 janvier 1729 et élèvera une deuxième famille à l'île Perrot. Décédé le 23 février 1754, il sera inhumé le lendemain à Sainte-Anne-de-Bellevue. [8 + 13 enfants]

Au centre du Montmorillonnais, mais du côté ouest de la Nationale n° 147, 2 migrants sont issus du canton de Lussac-les-Châteaux :

SAINT-LAURENT-DE-JOURDES

À 15 kilomètres à l'ouest de Lussac-les-Châteaux. On a trouvé, dans un terrier, des silex taillés.

338 - Jean Tessier (Vincent & Louise Giret), «de la paroisse de St-Laurent dans l'évêché de Poitiers». Qualifié de marchand, il était âgé de 37 ans à son mariage, à Montréal, le 26 février 1724. Il y sera dit jardinier en 1736 et mourra peu après. [6 enfants]

GOUEX

Sur les rives de la Vienne, à cinq kilomètres au sud de Lussac-les-Châteaux. On a trouvé, dans la grotte du Bois-Gallot, des outils ainsi que des traces d'occupation préhistorique.

339 - Michel Brouillet dit Laviolette (Jacques & Renée Vaizière), «du bourg de Gouet dans l'évêché de Poitiers». Il serait né à Gouex le 3 mai 1645[8]. Chose certaine, il débarque

---

6. *Revue d'histoire de l'Amérique française*, vol. XXIV (juin 1970), p. 85-87.
7. Le patronyme de Brunet est bien présent dans les actes paroissiaux de Lathus-Saint-Rémy, mais on n'y trouve aucun Poirier durant la période de 1670 à 1730. *Le messager de l'Atlantique*, n° 22 (juillet 1993), p. 18.
8. La date de naissance est tirée du volume XI de la série *Nos ancêtres*, p. 7. Cette date est assez surprenante puisque les registres paroissiaux versés aux Archives départementales de la Vienne ne commencent qu'en 1737 alors que ceux conservés à la mairie de Gouex ne débutent qu'en 1730.

à Québec en septembre 1665 comme soldat de la compagnie de Louis Petit du régiment de Carignan et il obtient en 1668 une terre à Chambly où, âgé de 26 ans, il se marie deux ans plus tard. En 1673, il s'installe avec sa famille à Sorel où il se fait meunier en plus de cultiver une concession sur laquelle il aura deux bêtes à cornes et six arpents en valeur en 1681. S'étant transporté en 1689 à Pointe-aux-Trembles, dans l'île de Montréal, où il continue d'être meunier et d'exploiter une terre, il fut inhumé à Montréal le 18 mai 1712. [6 enfants] NA, vol. XI, p. 7-15.

Au sud-ouest du Montmorillonnais, 8 migrants sont venus du canton de l'Isle-Jourdain :

L'ISLE-JOURDAIN

Chef-lieu de canton, arrosé par la Vienne, situé au sud du Montmorillonnais. On y trouve des traces d'occupation gallo-romaine. Ce fief fut érigé en marquisat dès le XVIe siècle.

340 - Isaac Desar (...), «de la paroisse de Jourdin dans l'évêché de Poitiers[9]». Il a dû mourir à la fin d'un séjour d'au moins trois mois à l'Hôtel-Dieu de Québec au printemps de 1690. Il avait alors 22 ans. [Sans alliance]

341 - Gabriel Sommoneau (...), «de Lille dans le diocèse de Poitiers[10]». Soldat âgé de 22 ans, il est hospitalisé durant quelques semaines à l'Hôtel-Dieu de Québec où il est décède le 18 septembre 1693. [Sans alliance]

342 - François Larieux (François & ...), «de l'Isle-en-Jourdain». Perruquier âgé de 25 ans, il fut engagé par contrat à Bordeaux le 21 mai 1749 et aurait débarqué à Québec le 5 août 1749, selon le rôle des passagers du navire *La Bonne Nouvelle*, daté du 8 mai 1750 et conservé à Bordeaux. Je n'ai pas retrouvé la trace de sa venue en Nouvelle-France. [Sans alliance]

343 - Bertrand Lysle (...), «de l'Isle-en-Jourdain». Négociant âgé de 30 ans, il s'inscrit à Bordeaux, le 11 avril 1755, au rôle des passagers de *La Nouvelle Victoire* à destination de Québec et de Saint-Domingue. Je n'ai pas retrouvé sa trace en Nouvelle-France. [Sans alliance]

---

9. *Registre des malades* de l'Hôtel-Dieu de Québec, le 1er avril 1690.
10. *Registre des malades* de l'Hôtel-Dieu de Québec, le 18 août 1693.

344 - Antoine Geaujou ou Gaujoux ou Goujou... de Lacroizette (f Gabriel & Catherine-Françoise Chevalier), «du diocèse de Poitiers en la paroisse de l'Isle-Jourden». Ce chirurgien se marie à l'âge de 32 ans à Saint-Laurent, dans l'île d'Orléans, le 4 juin 1764. Sa veuve s'y remariera le 20 octobre 1771. [Sans postérité]

LE VIGEANT

La commune voisine, à l'ouest. L'église Saint-Georges possède un clocher-porche roman dont le portail polylobé est garni de chapiteaux de style archaïque. La nef est flamboyante tandis que le gisant serait du XIIIᵉ siècle.

345 - Jacques Lebrun dit La Sonde (f François, marchand, & Jeanne Courault), «de la paroisse de Bourpeul dans l'évêché de Poitiers», c'est-à-dire de l'ancien hameau de Bourpeuil dans la paroisse du Vigeant. Marié à l'âge de 25 ans et six mois à Saint-Pierre de l'île d'Orléans, le 12 janvier 1693, sa présence est signalée en février 1694 à Availles, à 10 km au sud du Vigeant, pour régler ses affaires. Il est alors qualifié de marchand demeurant à Deschambault, paroisse du Québec[11]. On le retrouvera à Québec en 1702, à La Chevrotière (près de Grondines) vers 1705, et à Deschambault dans les années 1710. Il sera dit habitant de monsieur Legardeur lors de son décès à l'Hôtel-Dieu de Québec, le 5 novembre 1713. [5 enfants]

346 - Pierre Touron dit Lombard (f François & f Catherine Charlan), «de la paroisse du Vigent dans l'évêché de Poitiers». Faux saunier, il fut embarqué sur *Le Rubis* et déporté en Nouvelle-France en 1734. Il est dit résident de Québec lors de son mariage, le 7 janvier 1737, à Charlesbourg. Il doit être ce Touron, négociant de prénom inconnu et âgé de 30 ans, inscrit en 1744 au recensement de la ville de Québec[12]. [4 enfants]

347 - Antoine Aucher (Louis & Honorée Morisseau), «de la paroisse de Vigeant dans le diocèse de Poitiers». Monsieur

---

11. Archives départementales de la Vienne, E4 17/22, 18-02-1694. L'acte est reproduit en entier dans *Le messager de l'Atlantique*, nᵒ 12 (janvier 1991), p. 8-11.
12. Élisabeth Gatin, 28 ans, est recensée avec lui. Née à Québec le 22 mai 1715, Élisabeth Gatin était la fille de Jean Gatin, aubergiste et bourgeois de la basse ville.

Briand, le secrétaire de l'évêque, lui ayant fourni un certificat de liberté au mariage, il se marie à Québec, où il habitait, le 11 octobre 1751. Il disparaît par la suite étant peut-être rentré en France. [Sans postérité]

Les anciennes frontières du Poitou ne suivaient pas le même tracé que les frontière départementales actuelles. Ainsi, le Poitou avait une importante enclave vers Confolens et Rochechouart, en plein pays marchois et limousin, de sorte qu'il faut ajouter les trois ressortissants qui suivent provenant des départements actuels de Charente (suite) et de Haute-Vienne[13].

LESSAC

Dans le canton de Confolens en Charente, sur les rives de la Vienne, tout près des limites du département de la Vienne.

348 - Simon Gilbert ou Gélibert dit Sanspeur et Sanscrainte (f Jean & f Catherine Roy), «de la paroisse de Levac dans l'évêché d'Angoulême». Il fut soldat de la compagnie de Céloron de Blainville, puis sergent. D'abord cantonné à Montréal où il se marie le 28 février 1713, il ira poursuivre sa carrière à Détroit vers 1717, et décédera après juillet 1730. [7 enfants]

MAISONNAIS-SUR-TARDOIRE

À mi-chemin entre Angoulême et Limoges, canton de Saint-Mathieu, arrondissement de Rochechouart en Haute-Vienne.

349 - Jean Régeasse ou Rajosse dit Laprade (Gilles & Marguerite Blanchet), «de Mesonnay dans l'évêché de Limoges». Il est fort probablement arrivé en Nouvelle-France en 1665 comme soldat de la compagnie de Saint-Ours du régiment de Carignan. Il reçoit une concession dans la seigneurie de Saint-Ours, le 6 novembre 1673, sur laquelle, s'étant fait construire en septembre 1675, il aura défriché six arpents en 1681. On le dira alors tisserand âgé de 40 ans. Marié à Contrecœur le 25 no-

---

13. J'ai toutefois exclu Louis Silvadier d'Ansac dans l'évêché de Poitiers – aujourd'hui Ansac-sur-Vienne dans le canton de Confolens – qui appartenait à l'Angoumois, de même que tous les ressortissants de Confolens qui me sont parus marchois; et cela, même si Pierre Lamoureux dit Saint-Germain est dit de Confollan au Poitou sur son contrat de mariage, et que Louis Cordeau est dit, à ses noces, de Confolens dans le diocèse de Poitou (sic).

vembre 1683, il loue sa concession pour trois ans, le 29 octobre 1689, et semble aller vivre à Québec. Il est décédé entre 1690 et 1701. [6 enfants]

SAINTE-MARIE-DE-VAUX

Sur les rives de la Vienne, dans le canton de Saint-Laurent-sur-Gorre, arrondissement de Rochechouart en Haute-Vienne.

350 - André Suire (André & Hélène Boilard ou Butard), «de la paroisse Ste-Marie dans le diocèse de Poitiers[14]». Marié, avec une dispense de trois bans, à Québec le 16 mai 1726, il semble rentrer en France par la suite. [Sans postérité]

---

14. À l'époque, Sainte-Marie-de-Vaux était en Poitou, mais dans le diocèse de Limoges. C.-M. SAUGRAIN, *Dictionnaire universel de la France ancienne et moderne et de la Nouvelle-France*, Paris, 1726, vol. III, p. 584. Je ne trouve aucun Sainte-Marie dans le diocèse de Poitiers.

Chapitre VIII

Le Civraisien

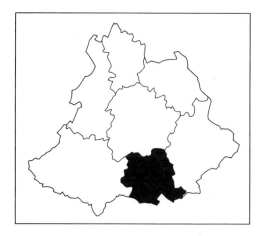

Lieux de provenance des migrants civraisiens dans le département de la
Vienne.

Le Civraisien correspond à l'ancien arrondissement de Civray tel qu'il existait avant sa fusion de 1926 avec celui de Montmorillon. Il occupe une étendue de 1 156 km² et comprend les cantons de Gençay, de Couhé, d'Availles-Limouzine, de Charroux et de Civray. Gabriel Debien avait remarqué un constant courant migratoire en pays civraisien[1]. Au moins 46 migrants civraisiens sont en effet partis vers la Nouvelle-France et sont encore présentés, selon leur région d'origine, du nord vers le sud.

Au nord-est du Civraisien, le long des Départementales n°s 1 et 741, 12 migrants sont originaires du canton de Gençay :

SAINT-MAURICE-LA-CLOUÈRE

Au nord du canton, immédiatement à l'est de Gençay. L'ancienne église prieurale Saint-Maurice, de style roman poitevin, possède un clocher carré fortifié aux tourelles à échauguettes, un portail finement décoré, des chapitaux remarquables, ainsi que des peintures murales des XIVᵉ et XVIᵉ siècles.

351 - Louis Nadeau dit Lépine (...), «de Saint-Maurice (dans le diocèse de) Poitiers[2]». À 25 ans, il était cuisinier chez madame de Champigny à Québec lorsqu'il fut hospitalisé de juin à novembre 1692. Il est peut-être mort des suites de cette maladie puisque madame de Champigny avait en avril 1694 un autre cuisinier à son service[3]. [Sans alliance]

352 - Frappedabort (...), «de St-Maurice en Poitou[4]», ce qui pourrait aussi correspondre à Saint-Maurice-la-Fourgereuse et Saint-Maurice-des-Noues en Bas-Poitou. À 22 ans, il était soldat dans la compagnie de Renaud d'Avesne des Méloizes lorsqu'il fut hospitalisé pendant environ deux mois à l'Hôtel-Dieu de Québec, en mars-avril 1697. Nulle autre mention. [Sans alliance]

353 - René Monteil dit Sansrémission (Étienne & Antoinette Lombard), «de Saint-Maurice dans le diocèse de Poitiers[5]». Ce

1. G. DEBIEN, «L'émigration poitevine vers l'Amérique au XVIIᵉ siècle» dans *Bulletin de la Société des Antiquaires de l'Ouest*, 4ᵉ trimestre de 1952, tome II de la 4ᵉ série, p. 280.
2. *Registre des malades* de l'Hôtel-Dieu de Québec, le 1ᵉʳ juillet 1692.
3. *Registre des malades* de l'Hôtel-Dieu de Québec, le 11 avril 1694.
4. *Registre des malades* de l'Hôtel-Dieu de Québec, le 1ᵉʳ avril 1697.
5. Ce qui exclut Saint-Maurice-la-Fourgereuse et Saint-Maurice-des-Noues dans le Bas-Poitou.

Église romane de Saint-Maurice-la-Clouère. (Photo : Raymond Daugé)

soldat de 21 ans, appartenant à la compagnie de Renaud d'Avesne des Méloizes, fut hospitalisé durant 16 jours à l'Hôtel-Dieu de Québec en juin 1698. Démobilisé, il avait effectué un voyage dans l'Ouest, en 1705, avant de s'établir à Verchères où il s'était marié en 1707. Il s'est ensuite installé dans le fief Bellevue à Contrecœur; son épouse étant décédée en 1717, il s'est remarié le 25 mars 1719. Il est décédé à Verchères le 4 mars 1724. [1 + 3 enfants]

354 - René Bertault dit Saint-Joseph (f Pierre & f Charlotte Breschon), «de Saint-Maurice dans l'évêché de Poitiers». C'est probablement ce René Broto dit St-Joseph qui, âgé de 30 ans, fut hospitalisé pendant 17 jours à l'Hôtel-Dieu de Québec au cours de l'été de 1699. Il s'est remarié le 18 avril 1712 à Sainte-Foy, où il fut inhumé le 8 mai 1718. [Sans postérité]

GENÇAY

Chef-lieu de canton, Gençay est à 20 kilomètres au sud de Poitiers. C'est dans les ruines imposantes de la forteresse érigée au XIIIe siècle que Jean le Bon fut emprisonné par le Prince Noir après la bataille de Poitiers, en 1356. Du Guesclin reprit la forteresse en 1375.

355 - Jean Chebrou dit Latendresse (f Jean & Marie Petit), «de la paroisse Notre-Dame de Jensay». Il était bien établi à l'Assomption où, s'étant marié le 19 octobre 1760, son épouse fut inhumée âgée de 20 ans, le 27 août 1763. Il se remarie à Verchères, le 18 février 1765, et fera baptiser ses enfants à l'Assomption. Son acte de sépulture semble inexistant. [2 + 9 enfants]

Étienne Février. Voir n° 620 au chapitre XII.

MAGNÉ

Immédiatement au sud de Gençay. Le château de la Roche-Gençay, dont la façade est mi-gothique flamboyante, mi-Renaissance, est flanqué de trois tours rondes et d'une chapelle gothique de la fin du XVe. Il abrite un musée consacré à l'Ordre souverain de Malte. Ses jardins furent dessinés par Le Nôtre.

Robert Geoffroy. Voir n° 494 à Magné dans le Niortais.

356 - Paul Cartier (f Pierre & Marie Pasquère), «de la paroisse du bourg de Megné dans l'évêché de Poitiers[6]», oncle de la suivante. Âgé de 25 ans, il travaillait, en 1667, à la ferme de Charles Aubert de la Chenaye au coteau Sainte-Geneviève près de Québec. Confirmé à Québec le 8 avril 1670, il se marie le 23 octobre 1673 et s'établit, vers 1676, à Neuville où il sera

Le château de La Roche, à Magné. Il abrite actuellement un musée de l'Ordre de Malte. (Photo : Raymond Daugé.)

---

6. Ce qui exclut Magné dans l'arrondissement de Niort (p. 263), alors dans l'évêché de La Rochelle. M. Raymond d'Augé, de l'Association France-Québec, n'a pas retrouvé sa trace, ni celle de sa nièce et de son mari, dans le registre de Magné.

Le château de Gençay : tour du Moulin et ensemble sud, XIIIe siècle. En septembre 1356, le roi Jean le Bon, capturé par les Anglais à la bataille de Nouaillé-Mauperthuis, y coucha. (Musées de Poitiers. Photo : Christian Vignaud, Musées de Poitiers.)

meunier. C'est là qu'on l'inscrira au recensement de 1681, en possession d'un fusil et de trois bêtes à cornes. Après avoir déménagé sa famille, vers 1687, à la côte Saint-Jean à Québec, il sera hospitalisé à deux reprises : en 1691 ainsi qu'en janvier 1694. Il est décédé à l'Hôtel-Dieu de Québec à la fin de 1697 ou au début de 1698. [13 enfants]

357 - Marie Cartier (...), nièce du précédent et épouse du suivant. Citée avec son mari pour la première fois en Nouvelle-France en février 1711, elle est recensée, âgée de 34 ans, dans la basse ville de Québec en 1716. Elle se remarie le 24 avril 1718, à Québec, où elle vivra jusqu'à sa mort, le 30 décembre 1756. [0 + 3 enfants]

358 - Joseph Gaulin (François & Marie Rochon), époux de la précédente. Navigateur arrivé en Nouvelle-France vers 1710, il résidait dans la basse ville de Québec en 1716. Il est décédé la même année ou peu après. [Sans postérité]

André Margorie. Voir n° 613 au chapitre XII.

BRION

À l'est de Magné, à cinq kilomètres au sud-est de Gençay. On y trouve les vestiges d'occupations préhistorique et gallo-romaine. L'église Saint-Martin est partiellement romane.

359 - François Poitevin dit Lafleur (f Jean & Marie Forté), «de la paroisse de Brion dans le diocèse de Poitiers[7]». À 27 ans, il se marie le 7 janvier 1733 à Rivière-des-Prairies dans l'île de Montréal où il résidera durant quelques années. Remarié à Pointe-Claire le 10 juin 1748, il semble encore vivant au mariage d'un de ses fils en novembre 1769. [5 + 0 enfants]

360 - Jacques Dupont dit Vadeboncœur (Jacques & Jeanne Fouladoux), «de la paroisse de Brion dans l'évêché de Poitiers[8]». Sergent des troupes, il appartenait de 1735 à 1750 à la compagnie du sieur Duplessis et avait 31 ans à son mariage à Montréal, le 22 novembre 1735. Remarié au même endroit le 21 juin 1745, et une troisième fois à Laprairie le 26 mai 1750,

---

7. M. Raymond Daugé, de l'Association France-Québec, n'a pas retrouvé sa trace dans les registres de Brion.
8. M. Raymond Daugé, de l'Association France-Québec, n'a pas retrouvé sa trace dans les registres de Brion.

il résidait à Lachine où il fut encore cité le 28 août 1763.
[1 + 0 + 1 enfants]

LA FERRIÈRE-AIROUX

À six kilomètres au sud de Gençay par la Départementale n° 1.
L'ancienne église prieurale Saint-Hilaire a conservé sa façade
romane. Les chapiteaux historiés sont admirables.

361 - Jean Bertrand (f Simon & Françoise Aimée), «natif de la
paroisse de Herou près de La Ferrière dans l'évêché de Poitiers»,
frère de Gabriel Bertrand (n° 186). Cité à Montréal dès septembre 1690, il était domicilié à la rivière Saint-Pierre lors de son
mariage, à l'âge de 30 ans, le 23 septembre 1697. Il avait
brièvement habité à Rivière-du-Loup avant de recevoir, en
1702, une terre à côte Saint-Laurent[9] où il fut inhumé le
28 octobre 1718. [10 enfants] GNA, p. 249.

CHAMPAGNÉ-SAINT-HILAIRE

À cinq kilomètres à l'ouest de La Ferrière-Airoux. On y a trouvé des
haches du début du paléolithique, une villa romaine, des frag-
ments de colonne, ainsi qu'un dé de pierre calcaire portant sur
chaque face une figure divine. La bataille livrée en 507 par Clovis
à Alaric, roi wisigoth, se serait poursuivie jusque-là.

362 - Thomas-Bonaventure Laplante dit Champagne
(f Thomas & f Marie La Tessonnière), «natif de Champagne et
St-Hilaire au Poitou». Il demeure à Montréal depuis sept ans
lorsqu'il s'y marie, âgé de 25 ans, le 21 avril 1721. D'abord
établi à la côte Saint-Laurent dans l'île de Montréal, puis à la
côte Saint-Michel, il fut inhumé le 4 août 1763 au Sault-au-
Récollet sur la rive nord de l'île de Montréal. [6 enfants]

À la limite ouest du Civraisien, 7 migrants sont venus du
canton de Couhé :

PAYRÉ

À cinq kilomètres au nord de Couhé. On peut y voir des traces
d'occupation préhistorique ainsi qu'une villa gallo-romaine avec
fûts de colonnes décorés et cadran solaire. L'église Saint-Hilaire
date des XIIIe et XVe siècles.

363 - Jean Métivier (f François & Marguerite de Chambour),
«de Paira en Poitou», ce qui peut aussi correspondre à Pairé en

---

9.   Elle ferait aujourd'hui partie du parc Jarry à Montréal.

Bas-Poitou[10]. Il résidait à Saint-Thomas-de-la-Pointe-à-la-Caille, paroisse de Montmagny, lors de son mariage à Cap-Saint-Ignace le 22 novembre 1701. Bien établi à Montmagny, il y fut inhumé le 18 novembre 1746. [7 enfants]

CEAUX-EN-COUHÉ

À quatre kilomètres au nord-est de Couhé par la Départementale n° 2. L'église Saint-Clément conserve d'anciens tombeaux.

Anne Dequain. Voir n° 21 à Ceaux-en-Loudun.

Henri Régnez sieur Dupain. Voir n° 22 à Ceaux-en-Loudun.

COUHÉ

Chef-lieu du canton sur la Nationale n° 10, à la limite du département de la Vienne. Au cœur de cette ancienne bourgade féodale, les halles sont d'architecture du XVIe siècle.

364 - Pierre Baron ou Lebaron (...), «de la paroisse de Couë en Poitou». Il abjure le calvinisme à l'église Notre-Dame de Québec le 17 septembre 1665. Confirmé au même endroit quatre jours plus tard, il semble ensuite disparaître. [Sans alliance]

365 - Jean Senelle ou Senellé dit Laprairie (f Pierre & f Marie Prou), «de la paroisse de Couhé dans l'évêché de Poitiers». Cité en novembre 1673 à Québec où il se marie le 29 janvier 1674, il résidera, en mars 1678, dans la paroisse Saint-Charles-des-Roches, à Grondines, et y achètera une terre le 5 avril 1680. Le recensement de 1681 lui donnera 50 ans et lui attribuera deux bêtes à cornes et quatre arpents en valeur. Il est décédé avant 1720. [5 enfants]

366 - Jacques Brault (Pierre & Marie Chauvin), «de Couhé dans l'évêché de Poitiers». Confirmé à l'âge de 21 ans à Montréal le 25 mai 1676, on lui donnera cependant 35 ans au recensement de 1681; il est alors domestique du Séminaire de Montréal. Marié le 1er mars 1688, il mourra à l'âge de 42 ans, écrasé par un arbre le 27 mai 1693. [Sans postérité]

367 - Jacques Damien (Pierre & Marie Viodde), «de la paroisse de Coy dans l'évêché de Poitiers». Il est qualifié de maître boucher à son premier mariage, à Québec, le 24 avril 1729.

---

10. Maintenant Foussais-Payré dans le canton de Fontenay-le-Comte en Vendée.

Veuf en août 1734, il s'est remarié à Beauport le 31 janvier 1735, mais vivait à Québec où il fut inhumé le 12 mars 1763. [0 + 10 enfants]

368 - François Olivier (...), «de Coué en Poitou». Domestique d'Angélique Renaud d'Avesne des Méloizes, il s'embarque avec elle à Bordeaux le 22 avril 1755. Son nom figure sur le rôle des passagers de la *Nouvelle Victoire*, mais je n'ai pas retrouvé sa trace en Nouvelle-France. [Sans alliance]

CHAUNAY

À 10 kilomètres au sud de Couhé par la Nationale n° 10. Ancienne voie romaine où l'on a trouvé un pot à parfum de cette époque. L'église romane Saint-Pierre présente un portail à chapiteaux feuillagés et une corniche à modillons historiés. Son sanctuaire flamboyant a été reconstruit au XIV° ou au XV° siècle.

369 - Jean Desranleau dit Châteauneuf (Jacques & Jeanne Durinost), «de la paroisse de Chausnet dans l'évêché de Poitiers». Ce soldat âgé de 25 ans fit un séjour de huit jours à l'Hôtel-Dieu de Québec en juillet 1694. Il appartenait alors à la compagnie de François Lefebvre Duplessis Faber, qu'il suivra à Champlain où il recevra une concession vers 1695. Marié à Batiscan le 21 août 1698, il s'installera à cet endroit sur la terre issue du premier mariage de son épouse et recevra, le 4 décembre 1711, la concession d'une autre terre qu'il vendra le 21 mars 1728. S'étant donné à son fils le 17 février 1727, il mourra à Batiscan, le 6 février 1739, après avoir reçu tous les sacrements. [7 enfants] NA, vol. XXII, p. 46-57.

Au sud-est du Civraisien, peut-être un seul migrant est venu du canton d'Availles-Limouzine :

SAINT-MARTIN-L'ARS

Dans le nord du canton d'Availles-Limouzine, Saint-Martin-l'Ars est sur la Départementale n° 741. Les vestiges de l'abbaye bénédictine de la Réau, fondée au XII° siècle, constituent un ensemble harmonieux. Dans la salle capitulaire, les culs-de-lampe sculptés représentent d'étranges masques caricaturaux.

Pierre Devoyau dit Laframboise. Voir n° 663 dans les cas indéterminés.

MAUPRÉVOIR

Sur la Départementale n° 10, immédiatement au sud de Saint-Martin-l'Ars. Ce bourg est très ancien; on y trouvera des traces d'une occupation gallo-romaine et des tombes mérovingiennes.

Pierre Vaillant. Voir n° 371.

PRESSAC

À 12 kilomètres au sud de Saint-Martin-l'Ars par la Départementale n° 741. Le menhir de la Pierre-Bergère, le pont médiéval, et l'église Saint-Just partiellement d'époque romane sont dignes d'intérêt.

370 - Léonard Paillé ou Paillard (f André & Catherine Geoffroy), «de Bressac dans l'évêché de Poitiers au Poitou[11]». En octobre 1672, il commence à Québec son apprentissage de charpentier qu'il ira compléter en 1675 chez un autre charpentier avec lequel il travaillera par la suite. Spécialisé dans la construction de moulins, il s'est marié à Beauport en 1678 et alla ensuite s'établir à Petite-Auvergne, dans Charlesbourg, où on lui donne 34 ans en 1681. Il y cultive sa terre tout en pratiquant son métier à différents endroits. Confirmé le 19 mai 1682 à Québec où il déménagera en 1684, il se fixera finalement, vers 1687, à Montréal où il achètera une ferme à la côte Saint-Jean et construira sa demeure près de la chapelle Notre-Dame-de-Bonsecours. Habile charpentier, il ne craindra pas, à l'âge de 74 ans, de se rendre en canot jusqu'à Détroit pour y réparer un moulin et accomplir divers travaux de charpenterie. Il est décédé à l'Hôpital général de Montréal le 6 janvier 1729. [13 enfants] DBC, vol. II, p. 529-530.

On compte 3 migrants originaires du canton de Charroux, au centre-sud du Civraisien :

PAYROUX

À 10 kilomètres au nord-est de Charroux. L'église Notre-Dame, d'époque romane, est admirable. La Vierge à l'Enfant en bois est du XVIIe siècle.

371 - Pierre Vaillant (Philippe & Jacquette Héritière), «de la paroisse de Perou dans l'évêché de Poitiers»; son contrat de

---

11. Il existe aussi la commune de Persac au sud de Lussac-les-Châteaux en Montmorillonnais, mais la graphie *Bressac* correspond davantage à Pressac.

Église de Charroux. (Archives départementales de la Vienne. Photo : Christian Vignaud, Musées de Poitiers.)

mariage le dit natif de la paroisse de Mauprevois dans l'évêché de Poitiers, ce qui désigne Mauprévoir à sept kilomètres au sud de Payroux (p. 217). Il était déjà établi à Sainte-Anne-de-la-Pérade, âgé de 26 ans, à son mariage à Batiscan le 29 février 1688. Hospitalisé à l'Hôtel-Dieu de Québec durant plus de trois semaines en mars 1691, il mourra à Sainte-Anne-de-la-Pérade, dans la maison de son gendre, le 12 septembre 1735. [4 enfants]

ASNOIS

Au sud de Charroux, sur les Départementales n°s 103 et 109. L'église Saint-Hilaire remonte au XIIe siècle et se caractérise notamment par son chœur polygonal, sa nef gothique et son clocher octogonal.

Jacques Masson. Voir n° 618 au chapitre XII.

372 - François Audoin (Jean & f Françoise Robichon), «de la paroisse d'Anois dans le diocèse de Poitiers». Charpentier de métier, il s'est marié à Québec le 4 mai 1750, présentant un certificat de liberté au mariage. Le couple fait baptiser un enfant non viable le 21 août 1750 et semble rentrer en France par la suite. [1 enfant]

Pierre-Louis Defaulle. Voir n° 728 au chapitre XII.

SURIN

Au sud d'Asnois, à la limite sud-ouest du département de la Vienne. Adossé aux tours d'une habitation fortifiée, le château de Cibioux, des XVe, XVIe et XVIIe siècles, est très charmant avec sa terrasse dallée et bordée de beaux balustres, qui aboutit sur une élégante loggia et une minuscule chapelle.

373 - Nicolas Millet dit Marandais (Jean & Michelle Gousson), «de Saint-Surin au Poitou», ce qui pourrait aussi être Surin dans le canton de Champdeniers en Deux-Sèvres (p. 250). Âgé de 29 ans, il s'engage pour trois ans à La Rochelle le 11 avril 1656, et sera encore domestique à Trois-Rivières en 1666, puis à Cap-de-la-Madeleine l'année suivante. Marié en 1668 àCap-de-la-Madeleine où il habitera jusque vers 1680, il avait reçu une terre le 18 mai 1671, près de Batiscan dans l'arrière-fief de l'Arbre-à-la-Croix, bien que le recensement de 1681 le situe au fief Hertel à l'ouest de Trois-Rivières. Il est décédé à Champlain peu avant avril 1685. [4 enfants] NA, vol. VII, p. 115-120.

Dans la pointe sud-ouest du département de la Vienne, 17 migrants proviennent du canton de Civray :

BLANZAY

À huit kilomètres au nord de Civray. Le château de la Maillolière date des XVe et XVIe siècles. Son logis est relié à une puissante tour crénelée constituant une étrange demeure autrefois fort riche. L'église Saint-Hilaire est partiellement du XIIe siècle.

374 - Jean Beaudet (Sébastien & Marie Baudouin ou Beaudonier), «de la paroisse de Blanzais dans l'évêché de Poitiers». Engagé à La Rochelle en 1664, il traverse sur le *Noir-de-Hollande* et débarque à Québec le 25 mai 1664 pour devenir domestique à Neuville. Il devait alors avoir environ 16 ans. Marié le 23 septembre 1670, il s'installe d'abord sur une terre de la côte Champigny à l'Ancienne-Lorrette, pour ensuite se faire fermier à Sillery. Ayant acquis une terre à Gaudarville en 1676, il la revend l'année suivante et se fixe finalement à Lotbinière en 1677. Vivant de l'exploitation de sa terre, mais surtout de la pêche à l'anguille, il serait décédé vers 1710. [9 enfants] NA, vol. XVIII, p. 25 à 34; GNA, p. 150-151.

375 - Louis Devesin dit Saint-Louis (Louis & Marie Lomères), «de la paroisse de Blanzé dans le diocèse de Poitiers». Marié à

20 ans à Montréal, le 30 septembre 1754, il sera encore cité au même endroit le 8 avril 1761. [Sans postérité]

VILLARET

Cette commune, maintenant supprimée et rattachée à Blanzay, conserve néanmoins son église et son manoir.

376 - Jean Baillargé (Jean, charpentier de maison à Villaret au Poitou, & Jeanne Bourdois[12]), «natif de la paroisse de St-Antoine de Villaret dans l'évêché de Poitiers». Il aurait été baptisé àVillaret le 30 octobre 1726[13]. Il arrive à Québec avec Mgr de Pontbriand en 1642 et doit très certainement être ce Jean Belangez qui, à Bordeaux, s'embarque le 30 mai 1749 pour rentrer à Québec. Il est alors dit menuisier originaire de la paroisse de Villare en Poitou et demeurant «chez monseigneur levesque de Québec où il travaille de son métier». Menuisier de métier, Jean Baillargé se marie le 1er juin 1750 à Québec où il sera aussi inhumé le 6 septembre 1805. [11 enfants]

LINAZAY

À la limite du département de la Vienne, à huit kilomètres au sud-est de Blanzay par la Départementale n° 37. Une ancienne voie romaine y passait. Le logis de Magnou remonte aux XVe et XVIe siècles, tandis que l'église Saint-Hilaire, d'origine romane, fut restaurée au XVIe siècle.

377 - Pierre Raffoux dit Prêt-à-Boire et Poitevin (f François & f Anne Chanlué), «de la paroisse de Linazé dans le diocèse de Poitiers». Il était soldat dans la compagnie des canoniers et des bombardiers à l'époque de son mariage, à Québec, le 13 janvier 1755. Les époux reconnaissent et font alors légitimer leur enfant né et baptisé le 10 février 1754. Pierre Raffoux a vécu à Québec où il fut inhumé le 11 avril 1784. [6 enfants]

SAVIGNÉ

Immédiatement au nord-est de Civray. Le premier os gravé de l'époque paléolithique fut trouvé dans les grottes de Chaffaud. Un

---

12. Voir la lettre de Jean Baillargé écrite, le 30 janvier 1764, à son fils établi à Québec, dans *Le messager de l'Atlantique*, n° 23 (octobre 1993), p. 16-18.

13. C. TANGUAY, *Dictionnaire généalogique des familles canadiennes de la fondation de la colonie jusqu'à nos jours*, Montréal, Eusèbe Senécal, 1871-1890, vol. II, p. 100.

ancien cimetière mérovingien conserve auges et couvercles de sarcophages. L'église Saint-Hilaire remonte au XIIe siècle, mais elle fut restaurée.

378 - Jean Toussaint (Barthélemy & Jeanne Édouin), «de la paroisse de Lavigné dans le diocèse de Poitiers». Retailleur de roues, il se dit de Civray au Poitou lors de son engagement pour la Nouvelle-France le 20 mai 1715; il précisera cependant être de Savigné lors de son mariage à Québec, le 26 novembre 1725. Vivant d'abord à Québec, il s'installera à Saint-Joachim en 1731, mais sera inhumé à Saint-Jean-Port-Joli le 21 novembre 1767. [11 enfants]

SAINT-PIERRE-D'EXIDEUIL

Immédiatement au nord-ouest de Civray. Dominant la Charente, le château de Leray est d'époque Renaissance. Une inscription indique qu'en 1572-1573, l'élégant pigeonnier a été refait au lendemain des guerres religieuses, «l'année des merveilleuses misères». Curieuses tombes «à chevalet» dans le cimetière.

379 - Pierre Arnaud (...), «de Saint-Pierre-d'Exideuil près de Civray au Poitou». Laboureur à bœufs âgé de 45 ans le 12 avril 1667, il s'engage pour trois années à Arnaud Péré, marchand de La Rochelle, pour le compte des pères jésuites de Québec. Puisqu'on ne retrouve pas sa trace en Nouvelle-France, il n'y est peut-être pas allé. [Sans alliance]

380 - Jean Malherbeau (Pierre & Michelle Roussel), «de Saint-Pierre-Sivray (ou Livray¹⁴) dans l'évêché de Poitiers». Il a environ 20 ans lorsqu'il est mentionné en 1666 et 1667 comme domestique à Québec. Marié le 9 octobre 1673, il s'établit à Petite-Rivière-Saint-Charles, à Charlesbourg, où il décédera vers 1683. [Sans postérité]

René Lesqueux. Voir n° 619 au chapitre XII.

CIVRAY

Chef-lieu de canton situé à l'extrémité sud-ouest du département de la Vienne. Construite au XIIe siècle, l'église Saint-Nicolas est un

---

14. La paroisse de Civray étant sous le vocable de Saint-Nicolas, Sivray ou Livray renvoient à la même paroisse Saint-Pierre située à proximité de Civray. Livray correspondrait au château de Léré, au sud de Saint-Pierre-d'Exideuil. Léré ou Lairé était un des principaux fiefs de la famille de Nicole de Jousserand, mère de Charles d'Aulnay (n° 33) et elle-même originaire de Londigny au sud-ouest de Lairé.

Façade de l'église romane Saint-Nicolas de Civray. (Photo : Raymond Daugé.)

joyau de l'art roman. Elle présente une façade richement sculptée d'inspiration poitevine et un clocher octogonal d'inspiration limousine. L'intérieur est orné d'une tour-lanterne sur pendentifs et d'une fresque racontant la légende de saint Nicolas.

381 - Léger Orangez (...), «de Civray au Poitou». Il est dit maître serrurier lorsqu'il s'engage, au printemps de 1642, pour la vallée du Saint-Laurent. Il n'a cependant laissé aucune trace dans les archives de la Nouvelle-France. [Sans alliance] Jean Toussaint. Voir n° 378 à Savigné.

382 - Pierre Guillot (...), «de Civray en Poitou». À 18 ans, il est dit maçon et tailleur de pierre lorsqu'il s'engage à La Rochelle, le 14 mars 1720, à venir travailler à Québec pour un salaire de 60 livres par an. N'ayant pas retrouvé sa trace, je ne sais s'il est réellement venu. [Sans alliance]

383 - François Bergeron dit Lajeunesse (Jean & Catherine Roux), «de Saint-Nicolas de Civrés dans l'évêché de Poitiers». Il était caporal dans la compagnie de monsieur Devivier et âgé de 26 ans lors de son mariage, à Montréal, le 4 mars 1737. Il s'est ensuite fait aubergiste au même endroit, où il est décédé le 5 novembre 1744. [2 enfants]

384 - Jean Monnard (...), «de Civray en Poitou». «Charpentier de gros», il avait 32 ans à son engagement pour Québec le 4 juin 1749 à La Rochelle. Je n'ai pas trouvé trace de sa venue. [Sans alliance]

SAINT-GAUDENT

À deux kilomètres au sud de Civray. L'ancien château de la Roche d'Orillac présente un portail et des façades intéressantes, ainsi que des cheminées avec trumeau de style Louis XV.

385 - Jacques Jousseleau dit l'Africain et Tribot (Pierre & Marie Maine), «de Saint-Godan dans l'évêché de Poitiers». À 33 ans, il exerçait le métier de maçon au moment de son premier mariage, le 18 novembre 1732 à Montréal. Veuf en mars 1750, il s'est remarié au même endroit, le 8 février 1751, et y sera encore cité le 26 avril 1756. [Sans postérité]

SAINT-MACOUX

Sur la Charente, à quatre kilomètres au sud-ouest de Civray par la Départementale n° 103. On y trouve notamment des mosaïques gallo-romaines et un moulin à roue de bois encore en service.

386 - Jean Amaury (f Pierre & Suzanne Pressac), «du bourg de Saint-Maclou en Poitou». Il est domestique lorsqu'il achète, le 25 octobre 1671, une habitation dans la seigneurie d'Argentenay dans l'île d'Orléans, puis il fait partie, en 1673, de l'expédition du gouverneur Frontenac à Cataracoui. Il conclut un contrat de mariage avec Madeleine Tisserand le 9 septembre 1676, puis, deux jours plus tard, avec Marie Vigny qui deviendra son épouse le 24 du même mois. Il passera toute sa vie à l'île d'Orléans où il est dit âgé de 35 ans et en possession de cinq bêtes à cornes et de six arpents en valeur en 1681. Il est décédé dans la paroisse Sainte-Famille le 19 août 1724. [10 enfants] GNA, p. 37-38.

387 - Pierre Bourloton (f Pierre & Jeanne Boularde), «de Saint-Marcou dans l'évêché de Poitiers». À 24 ans, il est déjà établi à la Petite-Auvergne lorsqu'il se marie à Charlesbourg, le 10 janvier 1689. Son épouse, qui a 14 ans (elle déclare en avoir 16), n'accouchera de ses premiers enfants, des triplés non viables, qu'en 1714, soit après 25 ans de mariage. Il fut hospitalisé à l'Hôtel-Dieu de Québec pendant trois semaines à l'été de 1689, et durant près de trois mois au début de 1691. Après avoir vécu toute sa vie dans la haute ville de Québec, c'est cependant à Chambly que «le Bonhomme Berleton âgé de 100 ans» sera inhumé le 9 mars 1753. [4 enfants]

388 - Pierre Desrochers (Pierre & Françoise Boucher), «de la paroisse de Saint-Maclou dans l'évêché de Poitiers». Cité à Batiscan en octobre 1694, il s'y marie le 1er mai 1696 et installera sa famille à Baie-du-Febvre en 1701. Il y sera inhumé, le 7 novembre 1743, à l'âge de 80 ans. [6 enfants]

VOULÊME

Au sud en suivant la Charente, à la limite du département. Voulême possède de nombreux vestiges préhistoriques ainsi qu'une villa gallo-romaine. L'église Saint-Hilaire, érigée au XIIe siècle mais restaurée, conserve deux anges en bois polychromé du XVIIe.

389 - Jean de Chambre dit La Chambre (f Étienne & Jacquette Augère), «de Voulisme dans l'évêché de Poitiers». En 1666, alors âgé de 23 ans, il fut recensé à Beauport comme meunier de Robert Giffard. Confirmé à Québec le 31 mai de l'année suivante, il s'y est marié le 21 octobre 1668, pour ensuite s'installer à Petite-Auvergne, dans Charlesbourg, en 1673 ou 1674. Il y possédait deux bêtes à cornes et quinze arpents en valeur en 1681. Il est décédé le 27 mars 1694 à l'Hôtel-Dieu de Québec où il était hospitalisé depuis le début du mois. [9 enfants]

LIZANT

À deux kilomètres au sud-est de Voulême. On y a trouvé environ 200 outils de l'époque néolithique.

390 - Jacques Mondina dit Olivier (Antoine & Élisabeth Perrin), «de Lizan dans l'évêché de Poitiers». Après un premier mariage à Saint-Sulpice le 5 février 1731, il s'établit à Montmagny où il se marie le 22 décembre 1734. Il fut inhumé au Cap-Saint-Ignace le 17 février 1764. [0 + 9 enfants]

Au sud-ouest du département de la Vienne, 6 migrants haut-poitevins sont originaires de territoires aujourd'hui situés dans le département de Charente[15].

CHAMPAGNE-MOUTON

Chef-lieu de canton en Charente, à mi-chemin entre Ruffec et Confolens.

391 - Grégoire Deblois (f François & Marguerite François ou Papelogne), «de la paroisse de Champagne-Mouton dans l'évêché de Poitiers». Il s'engage à 23 ans, le 3 mars 1657 à La Rochelle, pour aller travailler durant trois ans en Nouvelle-France. Confirmé à Château-Richer le 2 février 1660, il obtient, le 10 janvier 1661 dans la paroisse Sainte-Famille de l'île d'Orléans, une terre qu'il vendra le 25 juillet suivant, pour en accepter bientôt une autre située à proximité, dans l'arrière-fief de Charny-Lirec. Marié à l'église de Château-Richer le 11 septembre 1662, il exploitera sa terre, possédant six bêtes

---

15. Les frontières du Poitou furent très difficiles à déterminer. Ainsi, Antoine Pajeau, qui s'embarque sur le navire *Noir-de-Hollande* en 1664 et qui n'a pas laissé d'autre piste en Nouvelle-France, est dit de Ruffec au Poitou. Il en est de même pour Daniel Aymar, de Rutect en Poitou, qui, à 19 ans, fut hospitalisé durant deux mois à l'Hôtel-Dieu de Québec, au début de 1690. Or, tout juste au sud de Civray, Ruffec, chef-lieu de canton de Charente situé sur la Nationale n° 10, n'était pas en Poitou mais en Angoumois. Il en est ainsi pour Aigre, chef-lieu de canton au nord-ouest de la Charente et anciennement en Angoumois. Pourtant, Pierre Goisrion, d'Aigre en Poitou, figure, en 1663, parmi les passagers du *Taureau* vers la Nouvelle-France où il n'a pas laissé de traces, tout comme Pierre Fournier, aussi d'Aigre en Poitou, embarqué l'année suivante sur le *Noir-de-Hollande*. Dans ce dernier cas, il doit s'agir de Pierre Fournier dit Desforges que l'on trouve, en 1666, âgé de 24 ans et meunier chez Jean Bourdon en banlieue de Québec. Encore cité en septembre 1668, il disparaît après cette date.

à cornes et dix-huit arpents en valeur en 1681. Hospitalisé pendant huit jours à l'Hôtel-Dieu de Québec en août 1695, il sera inhumé le 24 novembre 1705 à l'église de Sainte-Famille dans l'île d'Orléans [8 enfants] NA, vol. I, p. 35-39.

392 - Vincent Aly ou Alix dit Larosée (f Émery, tisserand et laboureur, & Louise Bouton), «de la paroisse de Champagne-Mouton dans le diocèse d'Angoulême». Arrivé en Nouvelle-France le 13 juin 1665 comme soldat de la compagnie de Rougemont du régiment de Carignan, il résidait à Lachine au moment de son mariage, à Montréal, le 4 octobre 1677. En 1681, il avait 32 ans et possédait trois bêtes à cornes ainsi que douze arpents en valeur à Lachine. Il fut tué par les Iroquois en même temps que sa femme et trois de ses enfants dans l'incendie du foyer familial, la nuit du Massacre de Lachine, le 5 août 1689. [6 enfants] GNA, p. 29-30.

393 - Isaac ou Laurent Sareau ou Tareau dit Champagne (Pierre & Suzanne Garnier), «de la paroisse St-Pierre-Mouton dans l'évêché d'Angoulême». Il était soldat. Marié à Lauzon le 20 janvier 1692, il s'installe dans la seigneurie de La Durantaye, dans la paroisse Saint-Jacques-et-Saint-Philippe-de-Saint-Vallier. Sa femme étant inhumée à Beaumont le 17 juillet 1712, il se remarie à Québec le 7 janvier 1715. Il a vécu à Saint-Vallier où il est décédé à l'âge de 70 ans, le 20 novembre 1736, «après cinq ou six mois de maladie». [7 + 7 enfants]

LE BOUCHAGE

Dans le canton de Champagne-Mouton, au sud de Civray, juste à l'extérieur des limites départementales de la Vienne.

394 - François Vildary ou Villedary dit Limousin (f Jean, fondeur et maître de forge, & Jeanne Maucuer), «du village de Bouchaor près de la ville de Chabanne au Périgord dans l'évêché de Limoges», ce qui semble désigner Le Bouchage[16].

---

16. Cela semble en effet désigner Le Bouchage, près de la ville de Champagne(-Mouton), dans le diocèse de Limoges au Poitou, et non au Périgord (C.-M. SAUGRAIN, *op. cit.*, vol. I, p. 475). Il pourrait aussi s'agir de Chabanais, chef-lieu de canton en Charente, autrefois dans le diocèse de Limoges en Angoumois, ou de Chabanne, dans le canton d'Ambazac en Haute-Vienne, autrefois dans le diocèse de Limoges en Limousin; mais, pour aucune de ces deux possibilités, je n'ai pu localiser un village pouvant correspondre à Bouchaor sur les cartes à ma disposition.

Qualifié de maître taillandier le 17 juin 1696 à Québec, il y prend un apprenti le 8 mars 1698 et s'associe pour une période d'un an avec un autre taillandier, le 1ᵉʳ septembre de la même année. À 40 ans, le 8 mai 1700, il conclut à Québec un contrat de mariage, auquel il ne donnera pas suite préférant, semble-t-il, rentrer en France. [Sans alliance]

BENEST

Dans le canton de Champagne-Mouton, Benest est situé sur la Charente, à 17,5 kilomètres au sud-est de Civray, tout juste à l'extérieur des limites du département de la Vienne.

395 - Grégoire Simon (f Jean & Simone Blancherelle ou Blancherolle), «de Benest en Poitou». À La Rochelle, lors de son engagement en qualité de laboureur à bras au service de Jeanne Mance le 5 mai 1659, il avait précisé être de la Mauguignière, paroisse de Benay près de Civray. Confirmé à Montréal le 24 août 1660, il s'enrôle dans la onzième escouade de la milice volontaire organisée en 1663. Ayant reçu, le 29 septembre 1666, une concession à Pointe-aux-Trembles dans l'île de Montréal, il se marie le 31 décembre 1668, et déclare avoir 40 ans en 1681, possédant alors un fusil, quatre bêtes à cornes et huit arpents en valeur. Lui et son épouse furent tués par les Iroquois, le 8 mai 1691. [Sans postérité] GPA, p. 45-46.

396 - Philippe Despray (...), «de Benette au Poitou[17]», ce qui peut aussi correspondre à Benet en Vendée dans le Bas-Poitou. Soldat de la compagnie de Rémi Guillouet d'Orvilliers, il avait 30 ans lorsqu'il fut hospitalisé durant huit jours à l'Hôtel-Dieu de Québec en octobre 1690. Nulle autre mention. [Sans alliance]

---

17. *Registre des malades* de l'Hôtel-Dieu de Québec, le 20 octobre 1690.

Chapitre IX

La région à l'est du Thouet

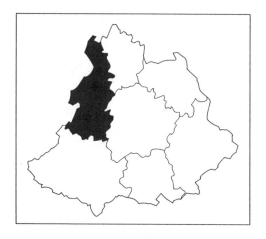

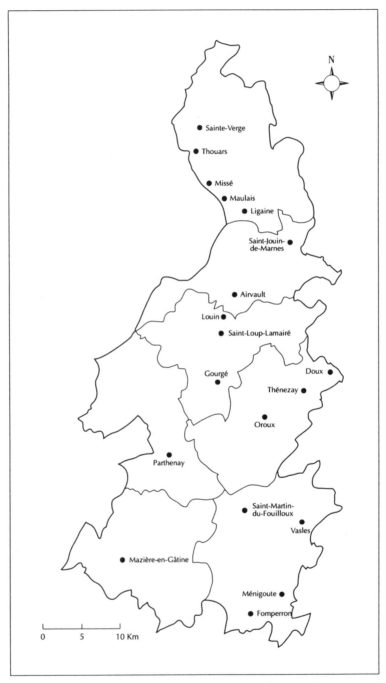

Lieux de provenance des migrants de la région à l'est du Thouet dans le
département des Deux-Sèvres.

Le Thouet et l'Autize servant de frontière, il faut inclure dans le Haut-Poitou les communes du département des Deux-Sèvres sises à l'est du Thouet.

Dans le nord du département des Deux-Sèvres, le territoire aujourd'hui couvert par l'arrondissement de Bressuire était presque exclusivement en Bas-Poitou quoique le Haut-Poitou se soit étendu sur la majeure partie du canton de Thouars. J'inclus aussi les migrants venus de Missé et de Maulé, paroisses situées dans la région à l'ouest du Thouet, afin de considérer l'ensemble du canton. On y trouvera 27 migrants :

SAINTE-VERGE

Commune située immédiatement au nord de Thouars. L'église abrite le tombeau de sainte Verge, bergère convertie par saint Hilaire et tuée à l'âge de 13 ans par son patron païen.

397 - Jean Julien (Michel & Perrine Coutant), «de Ste-Vierge dans l'évêché de Poitiers». Confirmé à l'âge de 19 ans à Québec le 24 février 1660, il habitait encore au même endroit à son mariage, le 10 novembre 1665, auquel le suivant était aussi présent. Il achète une terre à L'Ange-Gardien, le 19 mars 1666, sur laquelle il déclarera deux arpents de défrichés l'année suivante. Il est décédé à L'Ange-Gardien au cours du premier semestre de 1673. [3 enfants] NA, vol. IX, p. 102-110.

398 - Pierre Martin (Louis & Sébastienne Coutande), «de la paroisse et bourg de Ste-Vierge dans l'évêché de Poitiers». Il souffrait du mal caduc (épilepsie[1]). Marié à Sillery le 11 février 1664, il était domestique au service de Jean-Baptiste Le Gardeur lorsqu'il assiste au mariage du précédent, le 10 novembre 1665. On le retrouvera, âgé de 24 ans, à la côte Saint-Ignace à Sillery en 1667, puis, en février 1676, à la côte Saint-Ange dans la seigneurie de Saint-Augustin où il possédera une vache et quinze arpents en valeur en 1681. Décédé à Saint-Augustin le 9 octobre 1713, il fut inhumé le lendemain à Sainte-Foy. [6 enfants]

399 - Pierre Content ou Coutance (Michel & Jeanne Martinet), «de la paroisse du bourg dit Ste-Vierge dans le diocèse de

---

1. A. LAFONTAINE, *Recensement annoté de la Nouvelle-France, 1681*, Sherbrooke (s. é.), 1985, p. 44.

Poitiers». Confirmé à l'âge de 24 ans à Québec le 3 juin 1664, il fut recensé deux ans plus tard au Cap-de-la-Madeleine où il était encore domestique au moment de son mariage à Québec, le 26 septembre 1667, alors que Pierre Martin (n° 398) était présent. Établi à Batiscan où il possédait six bêtes à cornes et dix-huit arpents en valeur en 1681, il est décédé au même endroit entre septembre 1692 et décembre 1697. [Sans postérité]

400 - Gabriel Roger (René & Jeanne Augeard), «de la paroisse de la Ste-Vierge dans l'évêché de Poitiers». Cité à Château-Richer le 15 juillet 1665, il reçoit une concession à Saint-Jean dans l'île d'Orléans le 2 juin 1667. Marié le 12 octobre 1669 à l'église de Sainte-Famille, âgé de 40 ans il était veuf en 1681, ayant alors défriché 20 arpents sur sa terre où paissaient aussi deux bêtes à cornes. Remarié à l'église de Saint-François le 17 novembre 1687, il est décédé dans la paroisse de Saint-Jean le 24 juillet 1699. [5 + 0 enfants]

401 - Jean Boucher dit Belleville (Liénard & Françoise Milotz), «de la paroisse de la Ste-Vierge dans l'évêché de Poitiers». Âgé de 24 ans en août 1690, il est gardé durant plus de trois semaines à l'Hôtel-Dieu de Québec où on le dit cependant de Saint-Médard de Toivre au Poitou, ce qui doit correspondre à la paroisse de Thouars. Marié avec dispense de deux bans à Québec le 13 février 1696, il se remarie au même endroit le 9 février 1706. En 1716, il habitait rue Sainte-Famille dans la haute ville de Québec, exerçant alors le métier de maçon. Il semble aussi avoir été architecte et entrepreneur des fortifications, et plus particulièrement de celles de Montréal en 1728. Habitant encore rue Sainte-Famille en 1744, il est décédé le 23 avril de l'année suivante. [2 + 1 enfants] GNA, p. 400.

THOUARS

Chef-lieu de canton arrosé par le Thouet. À côté de la tour carrée, l'église Saint-Médard fut construite en 1158. Elle est donc d'époque romane malgré la rosace gothique du XVe siècle et sa très belle façade de style poitevin. L'église Saint-Laon est une ancienne abbaye du XIe siècle dont le retable est du XVIIe.

402 - Pierre Bonneau dit Lajeunesse (Isaïe, marchand chapelier, & f Jeanne Simonnen), «de Jouars au Poitou». Il abjure la religion prétendue réformée (le calvinisme huguenot) le 2 mars 1671 à l'église Notre-Dame de Québec. Devenu laboureur à Lachine dans l'île de Montréal, où il se marie le 6 novembre 1681, il a alors 34 ans et possède un fusil ainsi que six arpents en valeur. Caporal de milice à cet endroit, il fut tué par les Iroquois le 30 septembre 1687. [2 enfants]

Jean Boucher dit Belleville. Voir n° 401 ci-haut.

403 - Augustin Normandeau dit Deslauriers (Jacques & f Catherine Boismoreau), «de la paroisse St-Laon dans la ville de Thouars en l'évêché de Poitiers». Soldat de la compagnie de Renaud d'Avesne des Méloizes, il se marie le 18 janvier 1694 à Charlesbourg où il résidait. On lui donnera 25 ans lors de son hospitalisation à l'Hôtel-Dieu de Québec en mars-avril 1695. Déménagé à Québec vers 1708, il y est décédé après le 24 mars 1709. Sa veuve se remarie le 23 mai 1712. [7 enfants]

404 - Joseph Piquet (...), «de Thouars». Cordonnier âgé de 42 ans, il s'engage pour trois ans le 2 mai 1719 à La Rochelle. On lui promet un salaire de 300 livres de sucre brut et seulement l'aller au Canada lui est assuré. [Sans alliance]

405 - Marie Parent (f Jacques, aubergiste, & f Jeanne Beaudry), «de la paroisse Saint-Médard de Thouars». À 22 ans, elle se

Le château de Thouars, XVIIe siècle. À l'intérieur : une très belle chapelle du XVe siècle. (Musées de Niort. Photo : Berthrand Renaud, Musées de Niort.)

marie, le 14 juin 1722, à Port-Lajoie dans l'île Saint Jean en Acadie. Nulle autre mention. [Sans postérité]

406 - René Lelièvre (...). Avec les suivants, son nom figure, le 25 avril 1730, sur la liste des faux sauniers condamnés par la Cour grenetière de Thouars à être envoyés au Canada pour y demeurer le reste de leurs jours. Il a probablement été intégré dans les troupes, et je n'ai pas retrouvé sa trace en Nouvelle-France. [Sans alliance]

407 - Louis Porcher (...). Son nom figure aussi sur la liste, datée du 25 avril 1730, des faux sauniers condamnés par la Cour grenetière de Thouars à être envoyés au Canada pour y demeurer le reste de leurs jours. On a dû l'intégrer dans les troupes, et je n'ai pas retrouvé sa trace en Nouvelle-France. [Sans alliance]

408 - Jean Suiveau (...). Son nom figure sur la même liste des faux sauniers condamnés par la Cour grenetière de Thouars à être envoyés au Canada pour y demeurer le reste de leurs jours. Il a probablement été incorporé dans les troupes, et je n'ai pas retrouvé sa trace en Nouvelle-France. [Sans alliance]

409 - Philippe Bourdier ou Bondier dit Cardin (...). Son nom figure aussi sur la liste, du 25 avril 1730, des faux sauniers condamnés par la Cour grenetière de Thouars à être envoyés au Canada pour y demeurer le reste de leurs jours. Il a probablement été intégré dans les troupes, et je n'ai pas retrouvé sa trace en Nouvelle-France. [Sans alliance]

410 - André Roux (...). Son nom figure aussi sur la même liste des faux sauniers condamnés par la Cour grenetière de Thouars à être envoyés au Canada pour y demeurer le reste de leurs jours. Il a probablement été intégré dans les troupes, et je n'ai pas retrouvé sa trace en Nouvelle-France. [Sans alliance]

411 - Louis Crechet (...). Il est également listé parmi les faux sauniers condamnés par la Cour grenetière de Thouars à être envoyés au Canada en 1730 pour y demeurer le reste de leurs jours. Il a probablement été intégré dans les troupes, et je n'ai pas retrouvé sa trace en Nouvelle-France. [Sans alliance]

412 - Jean Faliquant (...). Son nom figure avec ceux qui précèdent sur la liste des faux sauniers condamnés par la Cour grenetière de Thouars à être envoyés au Canada en 1730 pour y demeurer le reste de leurs jours. Il a probablement été intégré dans les troupes, et je n'ai pas retrouvé sa trace en Nouvelle-France. [Sans alliance]

413 - François Ruzaud (...). Faux saunier tiré de la prison de Thouars, il fut envoyé au Canada le 27 mars 1731 pour y demeurer le reste de ses jours. Il a été embarqué avec les suivants sur le vaisseau *Le Héros*, et a probablement été lui aussi intégré dans les troupes régulières. Je n'ai pas retrouvé sa trace en Nouvelle-France. [Sans alliance]

414 - André Creche (...). Faux saunier, il fut aussi tiré de la prison de Thouars et envoyé au Canada, le 27 mars 1731, pour y demeurer le reste de ses jours. Embarqué sur le vaisseau *Le Héros*, il a probablement aussi été intégré dans les troupes régulières, mais je n'ai pas retrouvé sa trace en Nouvelle-France. [Sans alliance]

415 - Gabriel Barre (...). Faux saunier, il fut tiré comme les précédents de la prison de Thouars et envoyé au Canada le 27 mars 1731 pour y demeurer le reste de ses jours. Embarqué sur le vaisseau *Le Héros*, il a probablement aussi été intégré dans les troupes régulières. Je n'ai pas retrouvé sa trace en Nouvelle-France. [Sans alliance]

416 - René Chaillon (...). Faux saunier, il fut tiré de la prison de Thouars et embarqué sur le bateau *Le Rubis* le 3 avril 1739. Je n'ai pas retrouvé sa trace en Nouvelle-France. [Sans alliance]

417 - Jean Bontemps (...). Faux saunier, il fut tiré de la prison de Thouars et envoyé au Canada pour le reste de ses jours, le 20 février 1740. Il semble qu'il n'ait pas été embarqué. [Sans alliance] L'AN, vol. XIV, p. 175.

418 - Grandjean (...). Faux saunier, il fut tiré de la prison de Thouars et envoyé au Canada dans les mêmes conditions que le précédent, le 20 février 1740. Peut-être n'a-t-il pas été embarqué. [Sans alliance] L'AN, vol. XIV, p. 177.

419 - Jean Tounoir (...), «de Thouars en Poitou». Tailleur d'habit âgé de 16 ans, il est engagé le 1ᵉʳ juin 1751 à La Rochelle pour travailler dans son métier pendant trois ans en

Nouvelle-France. Est-il le Jean-Baptiste Toutnoir cité à Longueuil du 1er octobre 1752 au 5 novembre 1760? [Sans alliance]

MISSÉ

Au sud de Thouars sur la rive ouest du Thouet. Le château de Marsay a appartenu à madame de Montespan.

420 - Jean Chauvin (...), «de Saint-Rogtaillade à Missé dans l'évêché de Saintes[2]». Veuf d'un premier mariage, il avait épousé en France Suzanne Missenet, qui n'est jamais venue en Nouvelle-France. À nouveau veuf, il fait rédiger, à Québec le 11 février 1689, un contrat de mariage auquel il ne donnera pas suite. Matelot, il n'a guère laissé de traces en Nouvelle-France jusqu'à son décès à Québec, le 23 avril 1727, à l'âge 70 ans. [Sans postérité[3]]

421 - Louis Rouleau (Michel & Renée Bouquerre), «de la paroisse de St-Pierre-de-Missé près de Thouars dans le diocèse de Poitiers». Cité à Lachenaie le 5 novembre 1687, il fait rédiger, à Montréal le 23 janvier 1694, un contrat de mariage qui n'aura aucune suite. Marié à 35 ans au même endroit le 5 mars 1696, on le dira établi à la côte Saint-Michel en 1703 et 1704, et à la côte Saint-Laurent en 1714. Il est décédé à Montréal le 25 novembre 1722. [12 enfants]

MAULAIS

Ce hameau de la commune de Taizé est situé tout de suite au sud de Missé. On y trouvera les vestiges d'un aqueduc romain.

422 - Nicolas Audet dit Lapointe (Innocent & f Vincente Reine), «de St-Pierre à Molés[4]». Baptisé à l'église Saint-Pierre de

---

2. Greffe de Claude Maugue, le 11 février 1689.
3. Marie Chauvet ou Quinquenel, fille de Jacques, matelot, et de feue Marie Michelette, était peut-être sa fille. Elle serait alors probablement née en Poitou, auquel cas il faudrait la rajouter à ce répertoire. Elle se dit cependant de Sainte-Marguerite dans l'évêché de Saintes, à son mariage à Québec le 16 août 1668.
4. *Registre des malades* de l'Hôtel-Dieu de Québec, les 13 août et 1er septembre 1689. Il est aussi dit de la paroisse de St-Masle au Poitou à sa confirmation, le 23 mars 1664, à Québec.

Maulais le 12 juillet 1637[5], il semble passer en Nouvelle-France en 1663 puisque son nom apparaît à Québec, au registre des confirmés, le 23 mars de l'année suivante. Il travaille pour Mgr de Laval, d'abord à la ferme Saint-Joachim près du cap Tourmente en 1666, puis comme portier à l'évêché et au manoir seigneurial de Québec en 1668. Le 22 juin 1667, Mgr de Laval lui concède une terre à l'île d'Orléans où il se marie le 15 septembre 1670. Bien établi à cet endroit, il aura quinze arpents de défrichés et six bêtes dans l'étable en 1681. Il y est décédé le 10 décembre 1700. [12 enfants] GNA, p. 84-85; NA, vol. I, p. 9-12; L'AN, vol. 21, p. 63-64.

LIGAINE

Hameau de la commune de Taizé, près de la rive du Thouet. Dolmens dignes d'intérêt.

423 - François Robin (...), «de Ligonnes près de St-Maixent». Cloutier âgé de 18 ans, il s'engage pour trois ans, à La Rochelle le 25 mai 1750, contre un salaire de 300 livres de sucre brut. Je ne sais s'il est vraiment venu, n'ayant pas retrouvé sa trace. [Sans alliance]

Dans l'arrondissement de Parthenay, du nord vers le sud en longeant le Thouet, 6 migrants sont originaires du canton d'Airvault :

SAINT-JOUIN-DE-MARNES

Immédiatement à l'ouest de Moncontour, à huit kilomètres au nord-est d'Airvault. L'abbatiale Saint-Jouin et Saint-Jean-l'Évangeliste fut construite de 1095 à 1130. L'église Saint-Pierre-du-Château fut érigée au IXe siècle sur les restes d'une église polygonale du IVe.

424 - Philibert Chauvin (Sébastien & Martine Girard), «de St-Jouin Marne dans l'évêché de Poitiers». Marié à Québec le 25 octobre 1666, et âgé de 35 ans l'année suivante, il est décédé à Charlesbourg avant le 12 mai 1669. [Sans postérité]

---

5. Son acte de baptême est reproduit dans *Le messager de l'Atlantique*, n° 19 (octobre 1992), p. 1 et 14-19. Voir également le n° 20 (janvier 1993), p. 15-18. Une plaque a été apposée le 4 octobre 1992 à l'entrée de l'église. *La Nouvelle République du Centre-Ouest (Deux-Sèvres)*, le mardi 6 octobre 1992, p. 9.

425 - Guillaume Boily (Antoine, forgeron, & Françoise Bertrand). Baptisé en 1682 à Saint-Jouin-de-Marnes, il est dit forgeron à l'abbaye de ce pays, c'est-à-dire au service du Séminaire de Québec, à son mariage à Baie-Saint-Paul le 30 octobre 1726. Deux ans plus tard, le Séminaire lui cède une forge tout équipée puis, en 1729, un emplacement pour se bâtir dans le village, ainsi qu'une terre de 50 arpents en 1736. Il était toujours forgeron à Baie-Saint-Paul le 18 mars 1742. Veuf en septembre 1747, il est décédé au même endroit le 17 février 1764. [1 enfant[6]]

426 - Pierre Assailly ou Assalier dit Lajeunesse (Mathurin & Marie-Renée Turquois), «de la paroisse de St-Jouan dans le diocèse de Poitiers». Il était soldat dans la compagnie de Boishébert à son mariage, à Saint-Laurent dans l'île de Mont-réal, le 21 janvier 1760. Il s'est ensuite installé à Montréal, probablement en 1761. [8 enfants]

AIRVAULT

Chef-lieu de canton situé à 27 kilomètres à l'est de Bressuire. L'église Saint-Pierre est remarquable par la juxtaposition du style poitevin de ses voûtes et de la façade du XIIe siècle, et du style angevin du clocher du XIIIe.

427 - André Patry (René, maître tisserand, & f Renée Cousinet), «de la paroisse d'Ervault dans l'évêché de La Rochelle». À 18 ans, en 1667, il était déjà domestique à Lauzon où il prendra une terre en location le 23 octobre 1673. Il ira se marier à Québec, le 25 juillet 1675, et, semblant pourtant habiter à La Durantaye près de Lauzon dès 1677, on le trouvera dans la basse ville de Québec en 1681 devant sept arpents en valeur et deux bêtes à cornes. Hospitalisé durant un mois à l'Hôtel-Dieu de Québec au printemps de 1691, il continuera ensuite de prendre à bail différentes fermes des environs. C'est cependant à La Durantaye qu'il a vécu de 1682 à sa mort, le 11 novembre 1697. [5 enfants] NA, vol. X, p. 109-116.

428 - Louis-Melchior De Vareil de la Bréjonnière (f Louis-Anne Vareil de Recoux, seigneur des Roches, & f Jeanne-Louise Saint-Hilaire de Coutanchaux), «de la paroisse de St-Pierre d'Airvaux en Poitou dans le diocèse de La Rochelle». Écuyer, il

---

6. *La Presse*, samedi le 21 mai 1994, p. 16.

était, à 33 ans, enseigne dans les troupes de la marine au moment de son mariage à Montréal le 10 juin 1748. Qualifié de lieutenant d'infanterie le 12 juillet 1751, il est rentré en France par la suite. [2 enfants]

429 - Jean Casgrain (f François & Catherine Lecompte), «de la paroisse de St-Pierre Dairvault dans le diocèse de Poitiers»; son contrat de mariage précise qu'il était natif de Nervau en Poitou. Il résidait à Québec où il se marie le 15 juin 1750, muni d'un certificat de liberté au mariage du secrétaire de l'évêque. Veuf en juin 1764, il est qualifié, le 7 juillet, d'aubergiste, pâtissier et traiteur de la ville de Québec, et se remarie avec une dispense de trois bans à Château-Richer le 10 juillet de la même année. [0 + 3 enfants]

En poursuivant vers le sud le long du Thouet, au moins 1 migrant est venu du canton de Saint-Loup-Lamairé :

LOUIN

En suivant le Thouet, tout juste au nord de Saint-Loup-Lamairé. Site d'un hypogée gallo-romain.

Anne Gillebert. Voir n° 660 au chapitre XII.

430 - Louis Tetreau (Mathurin & Marie Bernard); «natif de la paroisse de St-Martin de Louin en Poitou». «Un peu rousseau[7]», il s'était fait fermier à Trois-Rivières, vers 1660, avant même de prendre à bail, pour une période de quatre ans le 15 octobre 1662, les terres des jésuites de l'endroit. Il s'y marie le 9 juin 1663, y sera confirmé le 22 mai 1664, et on le dira âgé de 30 ans en 1666. Il achètera et revendra ensuite plusieurs terres dans la région de Champlain, où le recenseur trouvera neuf bêtes à cornes et dix-huit arpents en culture en 1681. Ayant mis ses terres en location, il est décédé à Champlain le 22 mai 1699. [9 enfants] NA, vol. XVI, p. 166-172.

GOURGÉ

À 10 kilomètres au nord-est de Parthenay par la Départementale n° 134. Les pèlerins de Saint-Jacques-de-Compostelle y traversaient un pont roman du XIIe siècle. L'église romane fortifiée a été construite aux XIIe et XVe siècles.

---

7. M. TRUDEL, *Catalogue des immigrants 1632-1662*, Montréal, Hurtubise HMH, 1983, p. 469.

Thomas Rousseau. Voir n° 433 à Oroux.

Distinctement identifiés, les 3 migrants suivants proviennent du canton de Thénezay :

DOUX

À trois kilomètres au nord-est de Thénezay. L'église est très pittoresque.

431 - André Mignonneau (...), «de Doue en Poitou[8]». Tonnelier âgé de 18 ans, il s'engage, le 9 mars 1720 à La Rochelle, à venir travailler en Nouvelle-France pour un salaire de 60 livres par an. Je n'ai pas retrouvé sa piste en Nouvelle-France. [Sans alliance]

THÉNEZAY

Chef-lieu de canton situé à 17 kilomètres au sud-ouest de Mirebeau par la Départementale n° 738. L'église conserve les reliques de saint Honoré, assassiné au XIIᵉ siècle par un domestique réprimandé pour avoir introduit dans son troupeau une vache qui ne lui appartenait pas.

432 - Louis Ouvrard dit Laperrière (f Martin & f Louise Rousse), «de la paroisse de Ténezé dans l'évêché de Poitiers». Après un mariage à Château-Richer le 1ᵉʳ mars 1688, il est décédé âgé de 26 ans à Neuville, le 30 décembre 1690. [2 enfants]

OROUX

Située sur la Départementale n° 121 à six kilomètres au sud-ouest de Thénezay. Le château d'Oroux possède de belles mansardes. Le château de Maurivet est lui aussi somptueusement ornementé.

433 - Thomas Rousseau (f Honoré & f Marie Boillerot), «de la paroisse d'Arrou dans le diocèse de Poitiers». Son contrat de mariage le dit de la paroisse de Gorgé dans l'évêché de Poitiers, ce qui renvoie à Gourgé situé à sept kilomètres au nord-ouest d'Oroux (p. 239). Il est instruit et signe parfois avec paraphe. Confirmé à 32 ans, à Québec le 23 mars 1664, il habite déjà à l'île d'Orléans le 14 juillet 1666, lorsqu'il se fait fermier pendant cinq ans du fief Peuvret de Mesnu. Marié à Québec le 5 octobre 1667, il acquiert une terre le 3 février 1680 dans l'île d'Orléans où il est recensé en 1681, en possession de quatre

---

8.   Ce qui exclut Doué-La Fontaine, en Anjou.

bêtes à cornes et de quinze arpents en culture. Veuf en avril 1690, il se remarie à Saint-Pierre dans l'île d'Orléans le 4 juillet 1691, se donne à son fils le 11 octobre 1707, et serait décédé après le 26 juillet 1716[9]. [11 + 1 enfants] NA, vol. XIII, p 162-178.

Dans le canton de Parthenay, 8 migrants sont tous originaires de la ville de Parthenay :

PARTHENAY

Chef-lieu d'arrondissement situé au centre du département. La fée Mélusine aurait présidé à la naissance de cette ville. Les pèlerins de Saint-Jacques-de-Compostelle faisaient une escale importante à la Maison-Dieu dont la chapelle existe encore. Les églises Saint-Paul et Saint-Pierre de Parthenay-le-Vieux sont du XIe siècle; Notre-Dame-de-la-Couldre, Sainte-Croix, et Saint-Laurent remontent au XIIe; l'église Saint-Jacques date du XVe. La citadelle, bien conservée, l'a fait surnommer «la Carcassonne de l'Ouest».

434 - Pierre Papinet dit Perodière (...), «de Parthenay en Poitou». Il a 55 ans lorsqu'il s'engage à La Rochelle en 1643. Il partira à bord du *Saint-Clément* pour servir comme soldat pendant trois ans au fort de la rivière Saint-Jean en Acadie. Son retour en France lui étant garanti, il ne semble pas être resté en Acadie.

Charles Boyer. Voir n° 442 à Vasles.

435 - Jean Moreau (Jean & Catherine Leroux), «de la paroisse St-Laurent dans la ville de Parthenay dans l'évêché de Poitiers». Marié le 18 février 1692 à Québec où il vivra jusque vers 1695, il s'installera ensuite à Beauport, où on le dira habitant le 1er mars 1699, pour s'établir quelques semaines plus tard au Mont-Louis, où le recensement de 1699 le dira habitant âgé de 38 ans. Encore cité au même endroit en 1702, on le retrouvera, à partir de 1707, à Rimouski où il est décédé le 25 août 1727. [10 enfants]

436 - Jean Mimeau (Pierre, bourgeois, & Mathurine Renault), «de la ville de Partenay au Poitou», selon son contrat de mariage, alors que l'acte le dit de Sainte-Croix dans l'évêché de Poitiers, ce qui précise sa paroisse d'origine. Âgé de 25 ans,

---

9. R. JETTÉ, *Dictionnaire généalogique des familles du Québec*, Montréal, Presses de l'Université de Montréal, 1983, p. 1012.

Le château à l'extrémité de la citadelle de Parthenay (XIIIe siècle). En raison de l'importance de ses fortifications, Parthenay a été surnommé «la Carcassonne de l'Ouest». (Musées de Niort. Photo : Berthrand Renaud, Musées de Niort.)

La porte Saint-Jacques à Parthenay (XIIIe et XVe siècles.) (Musées de Niort. Photo : Berthrand Renaud, Musées de Niort.)

il était soldat de la compagnie du sieur Lamothe de Cadillac lors d'un séjour d'une semaine à l'Hôtel-Dieu de Québec en juin 1698. Marié à Saint-Jean, dans l'île d'Orléans, le 10 novembre de la même année, il s'installe définitivement à La Durantaye où son épouse meurt en décembre 1706. Il se remarie en 1709, et décède à Saint-Michel-de-la-Durantaye le 6 janvier 1743. [5 + 9 enfants]

437 - Nicolas Chartier dit Parthenay (Pierre & Françoise Barault), «de St-Paul de Parthenay dans le diocèse de Poitiers». Il se marie avec dispense de trois bans à L'Ancienne-Lorette le 27 janvier 1722. Fermement établi à cet endroit, il se remariera cependant à Charlesbourg le 2 décembre 1741. Il est décédé à L'Ancienne-Lorrette le 9 avril 1757, à l'âge de 70 ans. [0 + 1 enfant]

438 - François-René Ménard dit Parthenay (René & Anne Focher), «de la Ville de Parthenay en la paroisse de St-Aubin». Il avait 24 ans et était soldat de monsieur de Tonty à son mariage, à Montréal, le 28 juillet 1721. Qualifié de journalier au même endroit le 2 mai 1728, il devient veuf en mars 1730, se remarie à Saint-Laurent dans l'île de Montréal le 20 novembre de la même année, et s'y installera à la côte Notre-Dame-des-Vertus. Il vivait encore à Saint-Laurent le 10 octobre 1762. [6 + 8 enfants]

439 - Pierre Deforest ou Desforests dit Richelieu (Michel, maître boulanger, & Marie ou Reinette Bernard ou Bernardeau), «de la paroisse Ste-Croix en la ville de Parthenay dans le diocèse de Poitiers». Marié à 28 ans à Montréal le 10 avril 1741, il se déplace l'année suivante à Québec, où on le qualifie de boulanger en 1746, et de journalier en 1748. Veuf en février 1748, il se remarie à Champlain, le 7 avril 1750, alors qu'il est maître boulanger aux forges du Saint-Maurice au nord-est de Trois-Rivières, poste qu'il occupait encore en janvier 1756. Revenu à Montréal au printemps de 1756, il y décède le 17 avril 1763. [3 + 4 enfants]

440 - Jacques Angibaud (...), «de Parthenay». Boulanger âgé de 24 ans, il s'engage, à La Rochelle le 4 juin 1749, à venir travailler à Québec. N'ayant pas retrouvé sa trace, je ne sais pas s'il est réellement venu. [Sans alliance]

441 - Joseph Bertin (Joseph & Catherine Poisson), «de la paroisse de St-Jean-de-Parthenay en Poitou». Soldat de la compagnie de Beaujeu âgé de 33 ans, le major de Trois-Rivières lui décerne, le 21 octobre 1760, un certificat de liberté au mariage témoignant de son service «sans reproche jusqu'au moment de la capitulation». Il se marie à Cap-Santé le 10 novembre 1760, et y habitera jusqu'à son déménagement à Québec vers 1762. [3 enfants] MSGCF, vol. V (1952-1953), p. 48.

En poursuivant vers le sud-ouest le long des tracés du Thouet et de l'Autize servant de frontière entre le Haut et le Bas-Poitou, voici au moins 2 ressortissants du canton de Ménigoute :

SAINT-MARTIN-DU-FOUILLOUX

Au nord du canton, c'est-à-dire sur la Départementale n° 527 au sud-est de Parthenay. Le château du Fouilloux est du XVIe siècle.

Pierre Devoyau dit Laframboise. Voir n° 663 à Saint-Martin-l'Ars en Montmorillonnais.

VASLES

Immédiatement à l'est de Saint-Martin-du-Fouilloux. On y a trouvé des haches de l'âge de bronze.

442 - Charles Boyer (f Pierre & Denise Refence ou Refenel), «du bourg de Vasles dans le diocèse de Poitiers». Il est dit laboureur de Parthenets au rôle des passagers du *Taureau* dressé à La Rochelle le 5 mai 1663. Arrivé à Québec le 24 juillet 1663, on le retrouvera, âgé de 35 ans, comme domestique de l'Hôtel-Dieu de Montréal en 1666 et 1667. Après avoir acheté une terre sur la rivière Saint-Pierre en janvier 1666, il se marie à Montréal le 23 novembre, revend sa terre l'année suivante, et s'installe en 1670 à Laprairie où il possédera plusieurs terres ainsi qu'un emplacement dans le village. Remarié à cet endroit le 29 octobre 1678, il y sera recensé en 1681, en possession de cinq bêtes à cornes et de huit arpents en culture. Il est décédé à Laprairie entre février 1688 et juillet 1703. [6 + 0 enfants] GNA, p. 456-456; MSGCF, vol. XXIV (1973), p. 158-160.

FOMPERRON

Immédiatement au sud-ouest de Ménigoute par la Départementale n° 58. On y trouve les vestiges d'une tuilerie romaine, les ruines de l'abbaye des Châteliers fondée en 1110, ainsi que des fermes fortifiées.

443 - Thomas Sabourin dit Hautbois (f René, tisserand, & Renée Gelet), «du bourg de Fondperson dans l'évêché de Poitiers en Poitou». Soldat âgé de 43 ans dans la compagnie de Guillaume de Maupoux, comte de l'Estrange, il fut hospitalisé durant plus de deux semaines à l'Hôtel-Dieu de Québec au printemps de 1693. Il jouait du hautbois dans la compagnie du sieur de Vaudreuil lors de son mariage à Charlesbourg, le 11 février 1699. On le dit alors âgé de 40 ans (sic). Il disparaîtra aussitôt après dans des circonstances inconnues; sa femme accouche de jumeaux illégitimes le 5 août 1706 à Charlesbourg. [Sans postérité]

Le canton de Mazières-en-Gâtine complète cette région du Haut-Poitou.

MAZIÈRES-EN-GÂTINE

Chef-lieu situé au centre du canton, à 14 kilomètres au sud de Parthenay. L'église Saint-Barnabé, construite au XIe siècle, fut restaurée au XVe.

Pierre Frechet. Voir n° 511 à Mazières-sur-Béronne en Niortais.

Chapitre X

Le Niortais

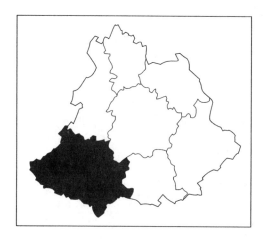

Lieux de provenance des migrants niortais dans le département des Deux-Sèvres.

Le Niortais correspond ici à l'arrondissement de Niort amputé, au nord-ouest, du vaste canton de Coulonges-sur-l'Autize, lequel a fourni une contribution pourtant assez importante venue de Béceleuf, de Coulonges-sur-l'Autize, de Faye-sur-Ardin, de Le Busseau, de Saint-Maixent-de-Beugné, de Villiers-en-Plaine et d'autres paroisses à l'époque situées en Bas-Poitou. Pas moins de 112 migrants haut-poitevins sont néanmoins issus du Niortais, auxquels il faudra ajouter les 54 originaires de la ville de Niort présentés au chapitre suivant.

Dans le canton de Champdeniers-Saint-Denis, dans la partie nord de l'arrondissement de Niort, au moins 3 migrants sont venus des communes suivantes :

CHAMPDENIERS-SAINT-DENIS

Chef-lieu situé au centre du canton, soit à une quinzaine de kilomètres au nord de Niort. Son église romane est un ancien prieuré bénédictin dont les chapiteaux sculptés rappellent que Champdeniers avait au Moyen Âge d'importantes tanneries.

444 - Mathurin Moreau (Louis & Jeanne Laurence), «de Notre-Dame de Chandeniers dans l'évêché de Poitiers». Inscrit au rôle des passagers du navire *Noir-de-Hollande* pour le voyage de 1664, il arrive en Nouvelle-France le 25 mai pour aussitôt se faire domestique à Québec, où on le dira âgé de 22 ans en 1666. Marié à l'été de 1667 et qualifié d'habitant au coteau Sainte-Geneviève au recensement de cette année-là, on le retrouvera établi à la côte Saint-Michel, à Sillery, où il sera recensé en 1681 en possession de quatre bêtes à cornes et de quinze arpents en valeur. Habitant à Sainte-Foy en 1708, il y était encore cité le 10 novembre 1710. [4 enfants] MSGCF, vol. IV (1950-1951), p. 219-221.

445 - Jacques Gaultier (...), «de Chandeniers en Poitou». Il abjure la religion prétendue réformée à l'église Notre-Dame de Québec le 14 septembre 1665, alors qualifié de «poigneur» de métier. Travailleur âgé de 20 ans chez Jean Lemire en 1666, il n'apparaît pas au recensement de 1667. [Sans alliance]

446 - Jean Poineau (Gabriel & Jeanne Gouet), «de la paroisse de Chandenié dans l'évêché de Poitiers». À l'époque de son mariage, le 7 mai 1703, il était meunier du moulin de Châteauguay, mais résidait à Lachine dans l'île de Montréal.

Il déménage à Longueuil vers 1705 pour ensuite se retrouver à Laprairie vers 1711. Il sera encore qualifié de farinier à son décès, à l'Hôtel-Dieu de Montréal le 23 juillet 1716, à l'âge de 40 ans. [6 enfants]

SURIN

Au sud-ouest de Champdeniers-Saint-Denis. On y a trouvé des haches de l'âge de bronze et les vestiges d'une villa gallo-romaine.

Nicolas Millet dit Marandais. Voir n° 373 à Surin en Montmorillonnais.

Au nord-est de Niort, le canton de Saint-Maixent-l'École a contribué pour 29 de ses ressortissants :

AUGÉ

À huit kilomètres au nord-ouest de Saint-Maixent-l'École par la Départementale n° 6. Des maisons médiévales et de la Renaissance subsistent dans la partie ancienne de ce village escarpé. L'église d'époque romane fut retouchée au XVIIᵉ siècle.

447 - Mathurin Cadot dit Poitevin (f René & Renée Rusgande), «du bourg d'Augé au Poitou près de St-Mexens[1]». Il habitait à la rivière Saint-Michel, à Bécancour, lorsqu'il entreprit, le 16 mai 1683, une expédition de traite chez les Outaouais. Marié à Montréal le 31 juillet 1688, il s'était ensuite établi à Batiscan où il s'occupait encore de traite de fourrures en mai 1690. Il quittera Batiscan après avril 1726 pour vivre à Pointe-aux-Trembles, dans l'île de Montréal, mais sera cependant inhumé à Saint-François-Xavier de Batiscan, le 8 novembre 1729, âgé de 80 ans. [6 enfants] MSGCF, vol. IX (1958), p. 217, et XXIII (1972), p. 153.

448 - Michel Moineau ou Jamonneau (Louis, tissier, & Marie Gauthier), «de la paroisse d'Augers dans l'évêché de Poitiers». Né à Auger le 24 avril 1658[2], il épouse la fille de Claude Jodoin (n° 299) à Boucherville, le 1ᵉʳ septembre 1688, alors qu'il est meunier et soldat dans la compagnie Joseph de Monic. Il se fera ensuite fermier du sieur Lambert Boucher de Grandpré, dans les îles de Boucherville. Il semble habiter soit dans les îles

---

1. Greffe de Bénigne Basset, le 4 août 1688.
2. Communication de M. Raymond Daugé, de l'Association Bas-Poitou–Québec.

ou à Pointe-aux-Trembles et décédera avant janvier 1711, peut-être à l'Hôtel-Dieu de Montréal, le 29 août 1708, sous le nom de Michel Luce. [6 enfants[3]]

449 - Jean Marot dit Labonté (Jean & Madeleine Travers), «de la paroisse d'Augée au Poitou». Il était soldat dans la compagnie de Bouraillan au moment de son mariage, le 22 décembre 1690, à Beauport où il sera encore qualifié de soldat et d'habitant le 4 février 1691. Établi à Neuville vers 1693, il y sera inhumé à 60 ans, le 23 décembre 1723. [6 enfants]

450 - François Travers dit Sansregret (Jean & Marie Treuvé), «de la paroisse St-Grégoire d'Angé dans l'évêché de Poitiers». Marié à Québec le 16 août 1712, ce meunier semble habiter à Château-Richer, puis à Saint-Jean dans l'île d'Orléans, avant de se fixer à Québec en 1717. Il y est décédé, à l'âge de 70 ans, le 15 décembre 1749. [10 enfants]

CHERVEUX

Au sud-ouest d'Augé. Le château fort fut construit au XVe siècle sur le site d'une ancienne forteresse rasée au cours de la guerre de Cent Ans.

451 - Marie-Anne Drouard ou Drouillard (Fleurant, sergent de la châtellenie de Cherveuse en Poitou, & f Jeanne Mathieu), «du bourg de Cherveuve en Poitou». Après avoir convenu, le 6 janvier 1672, d'un contrat de mariage conservé au greffe du notaire Drouyneau, elle épouse, à La Rochelle, Jean-François Hazeur, sieur du Petit-Marais. Celui-ci, qualifié de marchand, sera cité à Québec à partir du 22 décembre 1682, et elle-même sera inhumée à cet endroit le 8 décembre 1690. [1 enfant] GER, p. 132.

AZAY-LE-BRÛLÉ

Près de la Nationale n° 11, juste à l'ouest de Saint-Maixent-l'École. Une salle souterraine avec four, au lieu-dit Bédane, servait à chauffer les thermes romains. L'église Saint-Barthélemy, remontant au XVe siècle, est aujourd'hui désaffectée.

---

3. La biographie romancée de Michel Moineau ou Jammonneau a été racontée dans CLÉMEND-MAINARD, M., *La Grande Rivière* (roman), Paris, Fayard, 1993.

Le château de Cherveux (XVe siècle), d'après un dessin de Baugier, en 1843. Ce château fut construit par Robert Conigham, capitaine de la garde écossaise du roi de France. (Archives départementales de la Vienne. Photo : Christian Vignaud.)

452 - Louis Métivier (f Louis, laboureur, & f Louise Perrochon), «du bourg d'Azé dans l'évêché de Poitiers[4]», ce qui peut aussi correspondre à Azay-sur-Thouet dans le Bas-Poitou. Laboureur au service des hospitalières de l'Hôtel-Dieu de Québec le 25 août 1695, il était devenu, âgé de 27 ans, soldat dans la compagnie de Renaud d'Avesne, sieur de Méloizes, lorsqu'il fut cité à l'Hôtel-Dieu de Québec, le 22 août 1698. Il se marie à Beauport, le 29 octobre 1698, et y décède le 10 janvier 1703. [4 enfants]

453 - Louis Pollet ou Babin dit Pollet (f Hilaire & f Françoise Signoret), «de la paroisse d'Azé dans le diocèse de Poitiers», ce qui peut aussi correspondre à Azay-sur-Thouet, à 4,5 kilomètres à l'est de Secondigny en Bas-Poitou. Son nom figure, le 25 avril 1730, sur la liste des faux sauniers condamnés par la Cour grenetière de Thouars à être envoyés au Canada pour y demeurer le reste de leurs jours. Qualifié d'habitant de Québec,

---

4.   Greffe de François Genaple, le 25 août 1695.

il s'y marie le 9 janvier 1731, pour y décéder le 9 mars à l'âge de 30 ans. [Sans postérité]

454 - Jean Bernet dit Larose (f Isaac & f Marie Gervante), «de la paroisse St-Barthélemi d'Azet dans le diocèse de Poitiers». Cité à Montréal le 14 novembre 1732, il était caporal de la compagnie de Pierre de Deviron de Budemont lors de son mariage à Pointe-Claire, le 1er mars 1734. N'ayant guère laissé d'autres traces dans les archives de la Nouvelle-France, il est décédé, âgé de 68 ans, à Saint-Laurent dans l'île de Montréal, le 21 février 1758. [Sans postérité]

JAUNAY

Hameau d'Azay-le-Brûlé situé du côté sud de la Nationale n° 11.

François Bastard. Voir n° 134 à Jaunay-Clain.

SAINT-MAIXENT-L'ÉCOLE

Chef-lieu de canton situé sur la Nationale n° 11, à mi-chemin entre Lusignan et Niort. Villon et Rabelais fréquentèrent l'abbaye qui eut parmi ses abbés saint Maixent et saint Léger. Fondée par Agapit au VIe siècle, son porche et ses murs latéraux remontent au XIe.

455 - Jérôme Bilodeau (Jérôme & Marie Grandillart), «de St-Maixent[5]»; son acte de mariage le dit de St-Sorlin dans l'évêché de Poitiers, ce qui précise qu'il était de la paroisse Saint-Saturnin[6]. S'étant engagé à La Rochelle le 15 mars 1657 pour travailler durant trois ans en Nouvelle-France, il se marie dans la chapelle de Sillery, le 4 février 1664, et y sera recensé à la côte Saint-Ignace en 1666 et 1667. Suite à la mort de sa femme, il semble rentrer en France avec ses enfants peu après décembre 1671. [4 enfants]

Mélin Bonnet. Voir n° 658 au chapitre XII.

456 - Pierre Vacher (Jacques & Marie Morin), «de St-Saturnin, paroisse de St-Messen dans l'évêché de Poitiers». Le 5 février 1671, il abjure la religion prétendument réformée (le calvinisme huguenot) dans la chapelle de l'hôpital de Québec. Établi au Bourg-la-Reine, à Charlesbourg, il se marie à Québec le 26 octobre de la même année, et décède à la fin de 1672 ou début de 1673. [1 enfant]

---

5. Selon son contrat d'engagement.
6. Voir paroisse Saint-Saturnin à Poitiers, p. 180.

457 - Louis Niort de Lanoraye (Charles, sieur de la Nouray, & Marie Bauger), «de la paroisse de St-Saturnin de St-Mecan dans l'évêché de Poitiers», ce qui exclut Saint-Maixent-de-Beugné alors dans l'évêché de La Rochelle. Né en 1639, il arrive en Nouvelle-France en septembre 1665 comme capitaine d'une compagnie du régiment de Carignan. Le gouverneur général de la Nouvelle-France, Daniel de Remy de Courcelle, ainsi que l'intendant Jean Talon sont présents à son mariage à Québec, le 22 février 1672. Ayant reçu en concession la seigneurie de Lanoraie, le 3 novembre de la même année, elle dut lui être retirée parce qu'elle était située sur le territoire de la seigneurie de La Pérade. En 1688, il recevra conjointement la concession d'une nouvelle seigneurie de Lanoraye, dont il rachètera les autres parts, pour finalement la revendre à son fils en 1700. Il est décédé le 4 mai 1708 à Sainte-Famille dans l'île d'Orléans, où il habitait. [4 enfants[7]]

458 - Abraham-Jean Magneron ou Migneron dit Lajeunesse (Abraham & Jeanne Aselly), «de St-Messan dans l'évêché de Poitiers au Poitou». Soldat de la compagnie de Villiers, il se marie en 1688 à Repentigny où il était déjà établi. Bien enraciné à cet endroit, il y est inhumé à 84 ans, le 8 mai 1743. [12 enfants]

459 - Jean Berlouin dit Nantel (Jacques & Jeanne Charonne), «de St-Messant, paroisse de St-Léger, évêché dudit lieu», ce qui désigne Saint-Maixent-l'École dont la crypte de l'église Saint-Léger remonte au VIIe siècle. Il se marie à Lachenaie en 1694 pour aller ensuite habiter, vers 1700, à Saint-François dans l'île Jésus où, veuf en juillet 1704, il se remarie le 14 septembre de l'année suivante. Tout en habitant à l'île-Jésus, il était, en 1706, capitaine de milice à Lachenaie, fonction qu'il occupait encore à sa mort à Saint-François, le 4 novembre 1740, à l'âge de 70 ans. [5 + 7 enfants] GNA, p. 227.

460 - Jean Moreau dit Duplessis (f Jean & Suzanne Piet), «de la paroisse de St-Saturnin de la ville de St-Messan dans le diocèse de Poitiers». Sergent de la compagnie du sieur Bouillet de La Chassaigne, il est cité dès le 25 février 1699 à Montréal, se marie à Pointe-aux-Trembles dans l'île de Montréal le

---

7.   Voir le *Cahier des Dix*, n° 3 (1938), p. 283-306.

1ᵉʳ décembre 1703, et poursuit sa carrière militaire jusque vers 1711. Résidant encore à Montréal en février 1712, il s'installera à la côte de l'Assomption, dans la paroisse de Repentigny, où il est sans doute mort. Son épouse est dite veuve le 10 octobre 1735. [7 enfants]

461 - Pierre Laval (Girard & Catherine Dumas), «de la paroisse de Saint-Mexant dans l'évêché de Poitiers». Marié à 30 ans le 1ᵉʳ août 1707 à Montréal, il est mort peu après puisque sa veuve se remarie en septembre 1709. [Sans postérité]

462 - Jean-Baptiste Bertrand (Louis & Charlotte Denis), «de la paroisse St-Maixant dans le diocèse de Poitiers», ce qui exclut encore Saint-Maixent-de-Beugné dans le diocèse de La Rochelle. Marié à Québec le 20 juillet 1716, il s'installe aussitôt à Montréal où il sera dit potier, le 10 septembre 1736, et briquetier, le 4 décembre 1738. Encore présent à Montréal le 10 février 1749, il est décédé avant le 10 novembre 1755. [9 enfants]

463 - François Poisson (f François & f Suzanne Marsande), «de la paroisse de St-Maixant dans le diocèse de Poitiers». Veuf de Marie Dupré, jamais venue en Nouvelle-France, il habite à Québec où il se remarie le 28 avril 1732. Il sera qualifié de journalier à Montréal le 4 mars 1733, et semble ensuite rentrer en France. [1 enfant]

464 - François Sorin (...), «de Saint-Maixent», ce qui pourrait aussi désigner Saint-Maixent-de-Beugné dans le canton de Coulonges-sur-l'Autize en Bas-Poitou. Âgé de 15 ans, il est engagé à La Rochelle, le 9 juin 1751, afin de servir au couvent de Louisbourg en échange d'un salaire de 100 livres. Je n'ai pas retrouvé sa trace en Acadie. [Sans alliance] RHAF, vol. XIV (1960), p. 584.

465 - Isaac Sabourain (...), «de Saint-Saturnin de Saint-Maixent». Tireur d'étain âgé de 35 ans, il s'engage avec le suivant, le 20 mai 1754 à La Rochelle, pour aller travailler à Louisbourg, moyennant un salaire de 90 livres. Je n'ai pas retrouvé sa trace. [Sans alliance]

466 - Isaac Barrault (...), «de Saint Saturnin de Saint-Maixent». Également tireur d'étain âgé de 35 ans, il s'est engagé à La

Rochelle en même temps que le précédent, le 20 mai 1754, pour aller travailler à Louisbourg où il recevra un salaire de 90 livres. Je n'ai pas retrouvé sa trace en Acadie. [Sans alliance]

467 - Charles Giraud dit Poitevin (f Alexis & f Marie Guillaume), «de St-Maisant dans le diocèse de Poitiers». Il était domestique depuis six ans à Québec lorsqu'il obtint, le 27 octobre 1760, la permission de se marier. Marié à Québec le 4 novembre 1760, il sera qualifié de marchand le 21 août 1764, tenant commerce rue Saint-Joseph en 1767. Il est décédé le 16 juillet 1790. [4 enfants] TDG, vol. IV, p. 299.

SAINT-MARTIN-DE-SAINT-MAIXENT
Immédiatement au sud de Saint-Maixent-l'École.

468 - Louis Mageau ou Major dit Maisonseule (Abraham & Jacquette de la Veaux), «de St-Martin à Saint-Maixent dans l'évêché de Poitiers». Arrivé durant l'été de 1665 comme soldat de la compagnie de La Fouille (n° 470) du régiment de Carignan, il fut confirmé à Québec le 24 août 1676. Parrain le 3 février 1680 à Repentigny, le recensement de l'année suivante le dit âgé de 36 ans et lui reconnaît sept arpents en valeur, vraisemblablement à Saint-Sulpice. Marié à Repentigny le 8 janvier 1689, il s'installera alors dans la maison de son épouse où, après une hospitalisation d'environ deux semaines à l'Hôtel-Dieu de Québec en décembre 1695, il décédera le 17 janvier 1700. [2 enfants] MSGCF, vol. V (1952-1953), p. 179-180.

Pierre Devoyau dit Laframboise. Voir n° 663 au chapitre XII.

469 - Louis-François Tessier dit Laforest (Daniel & Marie Boineau ou Raimbault), «de la paroisse de Saint-Martin de la ville de St-Mexent dans le diocèse de Poitiers». Marié le 18 novembre 1728 au Cap-de-la-Madeleine, il semble aller habiter à Trois-Rivières, puis à Lanoraie où il se remarie le 3 mai 1733. Son épouse, encore citée à Lanoraie l'année suivante, fut semble-t-il inhumée à Repentigny le 9 août 1742. Remarié à 45 ans pour une troisième fois, à Montréal le 16 août 1746, il ira finalement se fixer à Laprairie où il semble bedeau l'année de sa mort, le 27 décembre 1754. [2 + 0 + 3 enfants]

SAINTE-ÉANNE[8]

Immédiatement à l'est de Saint-Martin-de-Saint-Maixent. L'édifice gallo-romain du Courtil-Morin comprend hypocauste, colonnes, chapiteaux et mobilier.

470 - Jean-Philippe Vernon de La Fouille (Joachim Vernon, seigneur de la Fontenelle et du Coulombier, & Marie-Françoise Thury, demeurant en 1647 à La Feuille, paroisse des Verruyes). Il arrive en juin 1665 comme capitaine d'une compagnie du régiment de Carignan dont son neveu (n° 472) était lieutenant. Il est dit âgé de 22 ans et originaire de St-Messan dans l'évêché de Poitiers[9], lors de sa confirmation à Québec, le 24 septembre de la même année. Encore en Nouvelle-France le 1er mars 1667, il est rentré en France peu après, probablement avec son régiment en 1668. [Sans alliance]

471 - Robert-Marie de Vernon (vraisemblablement frère ou parent du précédent). La compagnie de La Fouille du régiment de Carignan étant cantonnée à Trois-Rivières, il y fut confirmé le 6 juin 1666, en même temps que ses cousins qui suivent. Il est probablement rentré en France avec son régiment en 1668. [Sans alliance]

472 - Philippe Gaultier de Comporté (Philippe Gaultier, sieur du Rivault et de Comporté, inhumé à Sainte-Eanne le 22 novembre 1682, & Gilberte Vernou), neveu de Jean-Philippe Vernon de La Fouille (n° 470), et frère des suivants. Né vers 1641, il était sur le navire l'emmenant en Nouvelle-France lorsqu'il fut condamné à mort par contumace, le 10 mai 1665, suite au décès de deux personnes lors d'une rixe à propos d'une insulte faite à son régiment cantonné à La Mothe-Saint-Héray en 1665. En raison de sa bonne conduite, le roi lui accordera une lettre de rémission en 1681. Débarqué en Nouvelle-France en juin 1665 comme lieutenant de la compagnie de La Fouille du régiment de Carignan, il fut lui aussi confirmé à Trois-Rivières, où son régiment était cantonné, le 6 juin 1666. Resté en Nouvelle-France après le départ de son régiment, il sera

---

8. Les renseignements inédits dans les biographies qui suivent sont tirés de R. LARIN, «Philippe Gaultier de Comporté, Jean-Philippe Vernon de La Fouille et leur famille», à paraître dans *Mémoires de la Société généalogique canadienne-française*.
9. Saint-Maixent-l'École est à quatre kilomètres au nord-ouest de Sainte-Éanne.

commissaire des magasins du roi de 1668 à 1678, premier prévôt de la Maréchaussée de Québec en 1677, commissaire des troupes de la marine en 1685 et 1686, procureur personnel de l'intendant Talon et des hospitalières de Québec en 1675, ainsi que marguillier de la paroisse de Québec. Marié à Québec le 22 novembre 1672, il reçut cette année-là les seigneuries de Comporté et de La Malbaie dont il se départira en 1675 et 1687. Il sera aussi membre fondateur de la Compagnie du Nord en 1683, et seigneur de Bécancour en 1684. Il est décédé à Québec le 22 novembre 1687. [11 enfants]

473 - Gabriel Gaultier de Chaille (frère du précédent). Aussi confirmé à Trois-Rivières le 6 juin 1666, il est encore présent en Nouvelle-France le 23 octobre 1672, signant au contrat de mariage de son frère Philippe (n° 472). Il semble ensuite rentrer en France. [Sans alliance]

474 - Jacques Gauthier (...), probablement frère ou parent des précédents. Il est confirmé le 6 juin 1666 à Trois-Rivières, où la compagnie de La Fouille était cantonnée, en même temps que Philippe et Gabriel Gaultier, ainsi que Robert-Marie de Vernon (471). Il est probablement rentré en France avec son régiment en 1668. [Sans alliance]

475 - Louis Gaultier du Riveault (frère des précédents). Il a 25 ans en 1681, et habite à Québec chez son frère Philippe (n° 472). Parrain d'un neveu le 5 juin, il assistera à un mariage le 6 octobre, pour aussitôt rentrer en France où il épousera, le 12 juillet 1682, Claire Poitevin, fille de Pierre, procureur fiscal de Salles en Deux-Sèvres, et de Marie Beaugier. Il aura au moins un fils : Charles Gaultier, sieur du Rivault, marié le 17 septembre 1718 à Rose Pallardy, fille de Jean et de Marie Dupuy. [Mariage postérieur à son retour en France]

À l'est du Niortais, le canton de La Mothe-Saint-Héray a contribué pour 9 de ses ressortisants :

PAMPROUX

Sur la Départementale n° 5, près du département de la Vienne. On y trouve des traces d'occupation romaine dont un pont à la Liborlière.

476 - Jean Paquet (f Jean & Suzanne Baindeau ou Biraudeau), «du bourg de Pamprou dans l'évêché de Poitiers. Marié à

Sillery en 1669, il est décédé peu après son mariage puisque sa veuve se remarie l'année suivante. [*Sans postérité*]

SALLES

Immédiatement à l'ouest de Pamproux et au nord de La Mothe-Saint-Héray. Louis XIV, Louis XV, madame de Sévigné, madame de Lafayette et Ninon de Lenclos ont séjourné au château.

Pierre Desnoux. Voir n° 664 au chapitre XII.

LA MOTHE-SAINT-HÉRAY

Chef-lieu de canton situé à l'est de Niort, presque aux limites du département. Le dolmen de la Garenne ainsi que les nombreux tumulus témoignent d'une occupation préhistorique.

477 - François Freté dit Lamothe (François, marchand, & ...), «natif de Lamotte-St-Éloi dans le diocèse de Poitiers au Poitou[10]». Émigré en Nouvelle-Angleterre, le père Hans, alors missionnaire dans cette région, célèbre vers 1696 son mariage avec Marie-Marguerite Poitiers, née à Chambly. Passé en Nouvelle-France avec sa femme et leur aîné en mai 1697, il abjure le calvinisme, le 29 juin 1699 à Montréal, à l'âge de 30 ans. Qualifié d'habitant en 1702, il était installé à la côte Saint-Laurent où il passera le reste de son existence. Il y est décédé le 17 octobre 1748[11]. [6 enfants]

478 - Jean Massé dit Sancerre (Jacques & Jeanne Bernard), «de la paroisse de La Motte Saint Loy du diocèse de Poitier». À l'église de Laprairie, son acte de mariage non daté est intercalé entre le 2 décembre 1703 et le 17 octobre 1704. Il était bien établi à Chambly où il est encore cité le 24 décembre 1737. [11 enfants]

479 - Jacques Trein (...), «de la Motte-Sainte-Héraye». Boulanger âgé de 23 ans, le 31 mars 1720 à La Rochelle, il est engagé pour un salaire annuel de 216 livres afin d'aller travailler à l'île Saint-Jean en Acadie, où il n'a pas laissé de traces. [Sans alliance] RHAF, vol. XIII (1959), p. 416.

480 - René Brossard (...), «de La Mothe-St-Heraye en Poitou». Il est jardinier âgé de 26 ans lorsqu'il s'engage, le 19 mai 1683

---

10. D'après son acte d'abjuration.
11. M. FOURNIER, *De la Nouvelle-Angleterre à la Nouvelle-France*, Montréal, Société généalogique canadienne-française, 1992, p. 134.

à La Rochelle, devant le capitaine de la *Marie-Joseph*. N'ayant pas retrouvé sa trace en Nouvelle-France, je ne sais s'il est véritablement venu. [Sans alliance]

481 - Pierre Gauthier (...), «de La Motte-St-Heraye». Qualifié de garçon tailleur d'habit le 9 mai 1724, il est engagé à La Rochelle au salaire de 45 livres par an. Seulement l'aller au Canada lui est assuré. Je n'ai pas trouvé trace de sa venue. [Sans alliance]

482 - Jean-Baptiste Lelièvre dit Duval (Charles, marchand, & Jeanne Tard), «de Mythe Ste-Hairaie». Il s'est marié à Québec le 28 octobre 1725 après que Mgr l'évêque eut accordé la dispense de trois bans; le frère Boissinnau, cousin germain, était présent au mariage. Il fut chirurgien à Québec où il est décédé le 18 mai 1776. [10 enfants]

483 - Boissinnau (...), cousin du précédent. Le frère Boissinnau est cité à Québec le 28 octobre 1725. Je n'en sais guère plus.

484 - Antoine Briault (f Daniel, bourgeois, & Louise Mercier), «de la paroisse de Lamotre en Poitou», ce qui peut aussi correspondre à La Mothe-Achard en Bas-Poitou. Il habitait Québec, mais alla se marier à Trois-Rivières, le 16 janvier 1743, après une dispense de deux bans. Chirurgien du roi, il fut nommé, vers 1740, chirurgien-major de la marine, poste qu'il occupait encore à Québec le 30 septembre 1757. [3 enfants]

Le canton de Niort a fourni 10 migrants ruraux. Les 54 citadins de la ville même seront présentés au chapitre suivant.

SAINT-RÉMY

À cinq kilomètres au nord-ouest de Niort. On y verra une maison du XVe siècle à l'ouest de l'église

Jean Vergnault. Voir n° 62 à Saint-Rémy-sur-Creuse.

CHAURAY

Juste au nord-est de Niort par la Départementale n° 182. On y a élevé des mules jusqu'au XIXe siècle. L'église du XIIe siècle a été restaurée.

485 - Amable Breillard dit Laroche (Daniel & Jeanne Courtin), «de la paroisse de Chouré dans l'évêché de Poitiers». Marié à

Batiscan le 13 février 1687, il semble, au début du XVIIIe siècle, aller vivre quelque temps à Québec avant de déménager à Varennes vers 1720. Il y est décédé à 84 ans, le 10 avril 1736. [10 enfants]

SAINTE-PEZENNE

Ancienne paroisse située au nord de Niort et faisant maintenant partie de la ville. L'église possède une abside et un chœur romans. Le clocher-porche est aussi roman alors que la nef est gothique.

486 - Charles Seguin (f Nicolas & Françoise Richarelles), «de la paroisse de St-Pesain dans l'évêché de Poitiers»; son contrat de mariage le dit de Saint-Germain dans l'évêché de Poitiers. Marié à Sainte-Famille de l'île d'Orléans le 3 octobre 1669, il y est décédé le 3 décembre 1677 à l'âge de 40 ans. [3 enfants]

487 - Jacques Vadeau dit Saint-Jacques (f Jacques & Catherine Caillou ou Saillou), «de la paroisse de Pezenne dans le diocèse de Poitiers»; son contrat de mariage le dit natif de Niort dans l'évêché de Poitiers. Âgé de 25 ans, il était soldat dans la compagnie de monsieur Debeaujeu lors de son mariage à Montréal le 26 septembre 1740. Il se fera ensuite boulanger au même endroit, où il sera encore cité le 19 août 1765. [4 enfants]

SAINT-LIGUAIRE

À l'ouest de Niort, sur la Sèvre niortaise, ce bourg fait maintenant partie de la ville. Cette ancienne paroisse s'est construite autour de l'abbaye de la Roussille datant du XIIe siècle, et dont il ne reste que les ruines. L'église Sainte-Marie-Magdeleine a été rénovée au XVe siècle.

488 - Jean Gobeil (Pierre, laboureur à charrue, & Catherine Chaigneau, mariés à Saint-Liguaire le 18 février 1623), «de Ché, paroisse de Saint-Liguaire[12]». Habitant à Chey, lieu-dit de Saint-Liguaire, il se marie en 1654 après un contrat de mariage passé à Niort, le 14 avril, devant le notaire Abraham

---

12. Selon son contrat de mariage. Communication de M. Pierre Benoit, de la commission de généalogie de l'Association Québec-France. M. Benoit a bien voulu me communiquer des informations inédites ainsi que cet article qu'il a fait paraître : P. BENOIT, «Les origines de Marie Gobeil» dans *Nouvelles ... au vol*, bulletin de l'Association des descendants de Pierre Hudon dit Beaulieu, n° 5 (octobre 1991). M. Benoit possède plusieurs renseignements et documents encore inédits sur cette famille et promet un article dans les *Mémoires de la Société généalogique canadienne-française*.

Pérot. Arrivé en Nouvelle-France avec sa femme et leurs quatre enfants[13], il loue pour cinq ans, le 23 décembre 1665, la ferme du Sault-à-la-Puce à Château-Richer où il sera confirmé le 21 février 1666, à l'âge de 42 ans. Le 7 novembre 1669, il achète, à Sainte-Famille dans l'île d'Orléans, une terre qu'il revend le 16 mars 1688 parce qu'il habite sur une autre terre dans la paroisse Saint-Jean. En 1681, il ne possédait aucun bétail et seulement cinq arpents en culture alors qu'il en aura vingt-cinq à déclarer le 23 août 1695. Il mourra peu après un séjour de 18 jours à l'Hôtel-Dieu de Québec au début de l'année 1698. [8 enfants] MSGCF, vol. XXVI (1975), p. 173-183; NA, vol. XIV, p. 93-101.

489 - Jeanne Guyet (Pierre, maître maréchal, et Gabrielle Roquier), femme du précédent. Habitant à Niort, mais à l'extérieur de la porte Saint-Jean[14], elle se marie en 1654 et s'installe avec son mari à Saint-Liguaire où elle commence à élever une famille. Vers 1664-1665, elle décide d'émigrer en Nouvelle-France avec son mari et leurs quatre enfants. On lui donne 32 ans à Château-Richer en 1666. Elle déménage à l'île d'Orléans, probablement au printemps de 1670, où elle décédera après le 24 avril 1689. [8 enfants dont les 4 suivants nés en France]

490 - Marie Gobeil (fille des précédents). Baptisée à Saint-Liguaire[15], son acte de mariage la dit cependant de St-Didier dans l'évêché de Poitiers. Âgée de 11 ans en 1666, elle habitait à Château-Richer avec sa famille où elle se marie en 1668 (acte de mariage non daté). Le couple s'installe brièvement en banlieue de Québec et acquiert, le 28 octobre 1669, la terre voisine de celle qu'achètera Jean Gobeil quelques jours plus tard à Sainte-Famille dans l'île d'Orléans. Elle y élèvera une famille nombreuse et décédera après avril 1714. [14 enfants] NA, vol. XIX, p. 149-156.

---

13. On a jusqu'à maintenant attribué à ce couple cinq enfants nés en France. Je me rallie cependant à l'opinion de M. Pierre Benoit selon laquelle il n'y en eut que quatre, Jeanne et Françoise Gobeil ne constituant qu'un seule et même personne. Cette conclusion repose en particulier sur les actes de baptême retrouvés en France ainsi que les recensements de 1666, 1667 et 1681.
14. Selon son contrat de mariage. Communication de M. Pierre Benoit.
15. Date à communiquer.

491 - Françoise ou Jeanne Gobeil (sœur de la précédente). Baptisée à Saint-Liguaire[16], elle est confirmée le 21 février 1666, à l'âge de 10 ans, à Château-Richer où elle épousera Philippe Paquet (n° 329) en 1669 (acte non daté). Le couple s'est installé à l'île d'Orléans, d'abord dans Sainte-Famille, puis dans Saint-Jean sur la terre voisine de celle qu'occupait Jean Gobeil en 1681. Elle est décédée le 24 février 1716. [10 enfants]

492 - Marie Gobeil (sœur des précédentes). Baptisée à Saint-Liguaire le 2 avril 1659[17], elle arrive en Nouvelle-France avec sa famille vers 1665. Elle résidait dans la basse ville de Québec à son mariage, le 13 juillet 1676, puis ira habiter à Rivière-Ouelle où son époux était déjà installé. Veuve en avril 1710, elle administre alors le patrimoine familial et se donnera à un de ses fils le 15 avril 1723. Elle est décédée à Rivière-Ouelle le 25 novembre 1736. [12 enfants] NA, vol. VIII, p. 99-106.

493 - Jeanne-Angélique Gobeil (sœur des précédentes). Elle avait 3 ans en 1666 et sera, en 1681, domestique de Jacques Leber à Montréal. Hospitalisée durant deux jours à l'Hôtel-Dieu de Québec en juillet 1690, elle résidait à l'île d'Orléans au moment de son mariage à Québec le 30 juillet 1691. Son époux sera aubergiste en 1695, marchand-boulanger en 1703, ainsi qu'armateur et capitaine de port à Québec à partir de 1704. Elle fut recensée rue Sous-le-Fort dans basse ville de Québec en 1716. [3 enfants] DBC, vol. II, p. 554-555.

MAGNÉ

À l'ouest de Niort sur la rive sud de la Sèvre niortaise. Village pittoresque à l'orée du marais poitevin. L'église est de style gothique flamboyant des XVᵉ et XVIᵉ siècles.

494 - Robert Geoffroy (...), «de Magné», ce qui peut aussi correspondre à Magné dans le Civraisien (p. 211). Armurier

---

16. Date à préciser. Communication de M. Pierre Benoit. Baptisée sous le nom de Françoise, on la nomme cependant Jeanne à trois reprises en Nouvelle-France. Son contrat de mariage (greffe de Claude Aubert, le 12 juin 1669), rapporté dans le *Répertoire des actes de baptême, mariage, sépultures et des recensements du Québec ancien* (Montréal, Presses de l'Université de Montréal, 2ᵉ édition, vol. 6, p. 511), la dirait de Saint-André de Niort au Poitou. Or, vérification faite, le document ne dit rien de tel.

17. Acte reproduit dans P. BENOIT, *op. cit.*

âgé de 30 ans, il s'engage à La Rochelle, le 31 mars 1642, au service pendant trois ans de Charles de Saint-Étienne de la Tour à la rivière Saint-Jean. Il n'a pas laissé de traces en Acadie. [Sans alliance]

André Margorie. Voir n° 613 au chapitre XII.

Au sud-ouest de Niort, le canton de Frontenay-Rohan-Rohan a une contribution d'un seul migrant :

LE VANNEAU

À l'ouest de Niort, sur la Départementale n° 102, près de la Vendée. L'église moderne Sainte-Eutrope, de style XIVe, est très jolie.

495 - Pierre Blanchet dit Laforest (René & Marie-Jeanne Marié), «du bourg de Vanneau dans le diocèse de La Rochelle[18]». Meunier, il prit à bail le moulin de la seigneurie de Saint-Michel-de-la-Durantaye le 5 décembre 1690. Il fut aussi fermier à Champlain où il s'est marié le 4 juillet 1696. Le 29 mars 1697, il prendra pour un an le moulin de Boucherville pour ensuite revenir à Champlain. On le retrouvera plus tard au Cap-de-la-Madeleine, puis à Trois-Rivières où il est décédé le 3 décembre 1708. [6 enfants] GNA, p. 314.

Au sud-est de Niort, le canton de Prahecq n'a fourni qu'un seul ancêtre :

BRÛLAIN

Au sud du canton, à la jonction des Départementales n°s 101 et 104. Le château de la Mothe-du-Bois possède un joli parc.

496 - Jacques Lanthier (Jacques Lanthier dit Raquelet & Catherine Picard). On le dit de Brûlain en Poitou[19]. Cité dès le 17 novembre 1686 à Lachine où il fut confirmé en septembre 1688, il semblait cependant habiter à Montréal lorsqu'il s'y est marié le 8 février 1694. Il y vivra encore quelques mois avant de s'établir dans la paroisse de Lachine où il sera qualifié de laboureur en 1695 et 1697. Veuf vers 1711, il se remarie aussitôt à Pointe-Claire où il est décédé, à 75 ans, le 3 décembre

18. Ce bourg était effectivement dans le diocèse de La Rochelle.
19. Notamment dans R. JETTÉ, *Dictionnaire généalogique des familles du Québec*, Montréal, Presses de l'Université de Montréal, 1983, p. 649, et *Mémoires de la Société généalogique canadienne-française*, vol. XXIV (1973), p. 85.

1738. Le 23 août 1723, il avait vendu, à Montréal, ses biens successifs mobiliers et immobiliers situés dans les paroisses de Saint-Martin, de Périgné, et de Brûlain près de Niort[20]. [13 + 2 enfants]

À l'est de Niort, le canton de Celles-sur-Belle, contribue pour 7 ressortissants :

MOUGON

À 13 kilomètres au sud-est de Niort par la Départementale n° 948. Dès le Xe siècle, il existait dans cette ancienne localité un atelier de fabrication de pièces de monnaie.

497 - Jean Migneron (Pierre & Marie Guilminet), «de la paroisse de Mougon au Poitou». Cité pour la première fois en Nouvelle-France au moment de son mariage en août 1657, il a d'abord vécu à Québec, puis à Sillery où il sera confirmé le 6 juin 1661 et achètera une terre le 15 janvier 1663. On lui donnera 30 ans en 1666. Il déménagera à la côte Saint-François-Xavier, à Sainte-Foy, où il aura dix arpents en valeur en 1681. Hospitalisé durant 16 jours à l'Hôtel-Dieu de Québec en février 1699, il décédera à Sainte-Foy le 16 décembre 1700. [7 enfants]

CELLES-SUR-BELLE

Chef-lieu de canton situé à 20 kilomètres au sud-est de Niort par la Départementale n° 948. L'abbaye est du XIIe siècle. Louis XI visita la vierge de Celles et prodigua ses largesses aux moines, qui bénéficièrent aussi de celles des rois d'Angleterre dominant le Poitou.

498 - Joseph-Élie Gauthier (f Samuel & Hilaire Gourlatier), «de Notre-Dame de Selle dans l'évêché de Poitiers». Baptisé à Celles-sur-Belle le 11 octobre 1643, il était, dès février 1660, en possession d'une terre achetée à Sainte-Famille dans l'île d'Orléans et sur laquelle il passera toute sa vie. Confirmé à Château-Richer le 2 février 1660, il convient d'un contrat de mariage le 26 septembre de la même année avec Marguerite-Cécile Perrot, laquelle a dû mourir ou rentrer en France puisqu'on ne trouve plus aucune trace d'elle. Marié à Château-Richer le 24 octobre 1663, il sera en possession de

---

20. Greffe de Jean-Baptiste Adhémar, le 23 août 1723. Saint-Martin-les-Melle et Périgné sont des paroisses limitrophes de Brûlain.

cinq bêtes à cornes et de quinze arpents en valeur en 1681. Il est décédé à Sainte-Famille le 9 décembre 1700. [12 enfants] MSGCF, vol. XLIV (1993), p. 141-142; NA, vol. IX, p. 39-45.

Charles Humier. Voir n° 179 à Celle-Lévescault.

Jacques Garcin. Voir n° 180 à Celle-Lévescault.

Marie Saupoy. Voir n° 181 à Celle-Lévescault.

Jacques Chartier. Voir n° 182 à Celle-Lévescault.

Jean-Baptiste Marot dit Larose. Voir n° 183 à Celle-Lévescault.

499 - Henri Beaudouin (François & Françoise Bonhomme), «de la paroisse de Selle dans le diocèse de Poitiers», ce qui pourrait aussi être Celle-Lévescault (p. 147); le fait qu'il soit maître tanneur me porte à le situer à Celles-sur-Belle. Marié à Saint-Henri-de-Mascouche le 30 juillet 1770, il semble passer le reste de sa vie dans la région de Mascouche où il assiste au mariage de son fils en 1799. [1 enfant]

VERRINES-SOUS-CELLES

Hameau situé au sud de Celles-sur-Belle et où l'on a trouvé des sépultures et des poteries gallo-romaines[21].

Jeanne Vignault. Voir n° 536 à Brioux-sur-Boutonne.

Toussaint-Augustin Beaudry. Voir n° 52 à Verrine en Loudunais.

SAINT-MÉDARD

Sur la Départementale n° 740, entre Brûlain et Verrines-sous-Celles.

500 - Jean-Baptiste Jouffard dit Saint-Médard (François & Marguerite Deslandes), «de la paroisse de St-Médard dans le diocèse de Poitiers». Il avait 29 ans et était soldat dans la compagnie de Noyan à son mariage à Montréal, le 25 novembre 1743. Bien qu'il soit dit orfèvre le 25 décembre 1744, il était encore soldat dans la même compagnie le 14 octobre 1747. Il était présent au mariage de Pierre Gaboury dit Saint-Pierre (n° 565) le 26 juin 1752 à Montréal où on le cite encore le 13 septembre 1773. [10 enfants]

---

21. Il pourrait aussi s'agir d'un hameau du même nom situé à une vingtaine de kilomètres à l'est, c'est-à-dire à Sainte-Soline dans le canton de Lezay.

Encore vers l'est, le canton de Lezay a fourni 3 ressortissants :

SEPVRET

À sept kilomètres au nord-ouest de Lezay. Saint Martin y baptisait au IVe siècle à la Fontaine du Baptisant située au bois de Saint-Martin. Ce fut plus tard une étape de la route de Saint-Jacques-de-Compostelle.

501 - Pierre Granet (Abraham & Marie Gastineau), «de la paroisse de Sepvret en Poitou». Veuf de Marie-Jeanne Bellerivière, qui n'est jamais venue en Nouvelle-France, il est cité à Québec en décembre 1739 et résidait à Beauport au moment de son mariage à Saint-Augustin le 1er août 1740. On le retrouvera ensuite à Québec où il est décédé à l'Hôtel-Dieu, le 17 juin 1750, à l'âge de 66 ans. [Sans postérité]

LEZAY

Chef-lieu de canton arrosé par la Dive, au sud-est du département. Le château fort, maintenant en ruines, fut érigé au XIIe siècle.

502 - Pierre Auger (Louis, & Suzanne Nicollas, de Lezay; leur contrat de mariage est conservé au greffe de Girard, à la date du 21 septembre 1650), «de la paroisse d'Elzé dans l'évêché de Poitiers». À 26 ans, en 1681, il était domestique au cap Santé, à Portneuf. Établi ensuite à Neuville, il s'y est marié à 25 ans (sic) le 30 avril 1685. Devenu «caduc et infirme», il fit donation de ses biens à ses enfants le 16 mars 1709, et décéda à Neuville le 8 mars 1736. [6 enfants] GNA, p. 89; JDG, p. 32.

SAINT-COUTANT

À cinq kilomètres au sud de Lezay. Le château de Germain remonte au XVe siècle.

503 - Isaac Bourdeau ou Bordeau dit Leroux (Abraham & Catherine Rousseau), «de St-Contant dans l'évêché de Poitiers». Marié à Chambly avec une dispense de deux bans en décembre 1717, il était bien établi à cet endroit où il est décédé, à 97 ans, le 26 février 1755. [4 enfants]

Voici 9 migrants venus du canton de Melle :

SAINT-VINCENT-LE-CHÂTRE

À deux kilomètres au sud-ouest de Saint-Coutant. La voie romaine y passait. L'église possède une nef romane restaurée, un sanctuaire flamboyant et une chapelle gothique.

504 - Louis Aimé (Pierre & Marie Caillaud), «de la paroisse de La Chastre dans le diocèse de Poitiers». Installé à Québec, il s'y marie, le 3 octobre 1731, deux mois avant la naissance d'un fils. Qualifié de négociant domicilié rue de la Montagne, le 11 juillet 1750, il est encore cité à Québec, au mariage de Pierre-Guillaume Bruneau (n° 243), le 30 janvier 1758. [4 enfants]

MELLE

Chef-lieu de canton à 27 kilomètres au sud-est de Niort par la Départementale n° 948. Ses gisements de plomb argentifère firent de Melle un important atelier de fabrication de pièces de monnaie du VIIe au Xe siècle. En 1586, Catherine de Médicis y rencontra son neveu Henri de Navarre, le futur Henri IV.

505 - Pierre Martin (Pierre & Marie Martine), «de la paroisse de Mesle dans l'évêché de Poitiers». Il est dit de Villeneuve-la-Comtesse en Poitou (voir p. 282) à son engagement pour trois ans à La Rochelle, le 18 avril 1665. À 22 ans en 1666, il est domestique à Québec, puis à Beaupré l'année suivante. Marié à Château-Richer le 6 octobre 1670, il acquiert une terre dans Saint-François de l'île d'Orléans, le 13 février 1681, où il déclare deux bêtes à cornes et cinq arpents en valeur au recensement. Il y sera inhumé le 6 décembre 1702. [10 enfants]

Église Saint-Hilaire de Melle, XIIe siècle. (Musées de Niort. Photo : Berthrand Renaud, Musées de Niort.

Église Saint-Hilaire de Melle, XIIᵉ siècle. (Musées de Niort. Photo : Berthrand Renaud, Musées de Niort.)

506 - Jean Jollet (André & Marie Brau), «de la paroisse de St-Pierre de la ville de Merle dans l'évêché de Poitiers». Il se marie, âgé de 22 ans, à Saint-Laurent dans l'île d'Orléans le 18 février 1692, et habite ensuite dans la paroisse Saint-Pierre où il est encore présent le 11 octobre 1694. Laissant sa femme et son fils en Nouvelle-France, il ira mourir le 13 janvier 1698 à l'Hôpital

Église Saint-Hilaire de Melle, XIIᵉ siècle. (Musées de Niort. Photo : Berthrand Renaud, Musées de Niort.)

général de Saint-Louis de la basse ville de Boulogne-sur-Mer, dans le Pas-de-Calais[22]. [1 enfant]

507 - Jeanne Jugnode (...), «de Melle au Poitou[23]». Elle est dite femme de Lafontenne lorsqu'elle est hospitalisée, âgée de 50 ans, à l'Hôtel-Dieu de Québec en novembre-décembre 1691. Nulle autre mention. [Sans postérité]

508 - Pierre Aymard ou Émard dit Poitevin (f Pierre & f Marie Bido), «de St-Pierre-de-Mele dans l'évêché de Poitiers». À 34 ans, lors de son mariage le 6 février 1702, il habitait à Longueuil. Il a vécu toute sa vie au même endroit, où il est décédé le 22 septembre 1732. [8 enfants]

509 - Jean Mathieu dit Lamanque (François, laboureur, & Marguerite Lavaux), «de la paroisse de Meulle dans l'évêché de Poitiers». Marié à 32 ans à Montréal le 2 décembre 1730, on le retrouvera ensuite à Chambly où il n'a guère laissé de traces. Il semble avoir ensuite vécu dans la paroisse de Saint-Charles-sur-Richelieu. [2 enfants]

---

22. Renseignement tiré du remariage de sa veuve, le 9 février 1705 à Saint-Pierre de l'île d'Orléans.
23. *Registre des malades* de l'Hôtel-Dieu de Québec, le 20 novembre 1691.

SAINT-ROMANS-LÈS-MELLE

Immédiatement au sud-ouest de Melle, sur les rives de la Béronne.
Le bourg conserve quelques vieilles maisons, ainsi que l'église
Saint-Romans, bâtie au XIe siècle.

510 - François Terrières (f Jean & f Marie Geoffroi), «de St-Romand de Melle en Poitou». Il habitait Québec à son mariage, le 12 octobre 1729, et y sera qualifié de marchand âgé de 48 ans au recensement de 1741. Il sera encore cité au même endroit, le 27 septembre 1761, sur un certificat de liberté au mariage. [Sans postérité]

MAZIÈRES-SUR-BÉRONNE

Immédiatement au sud de Saint-Romans-lès-Melle. L'église ro-
mane est entourée de son cimetière. Sa charpente fut refaite après
avoir été détruite en 1793.

511 - Pierre Frechet (f Jean & Jacquette Goyon), «de la paroisse de Mazère dans l'évêché de Poitiers», ce qui peut aussi être Mazière-en-Gâtine (p. 245). Son contrat d'engagement, daté du 30 avril 1658 à La Rochelle, le dit de cette ville. Confirmé à 19 ans à Québec, le 10 août 1659, on le retrouvera à Beaupré où il se marie, le 9 novembre 1671, et élèvera sa famille. Décédé le 27 décembre 1677, il fut «enterré dans le cimetière de Ste-Anne, proche la grande porte». [4 enfants]

SAINT-GÉNARD

À cinq kilomètres au sud de Melle. L'église, classée monument
historique, fut construite au XIe siècle. Ses tours ainsi que le donjon
du château des Ousches-en-Saint-Génard remontent au XIVe siècle.

512 - Pierre Gendras ou Gendron (René & Catherine Blain), «natif de la paroisse de St-Génard province de Poitou». Il se marie en 1671 à Sainte-Anne-de-la-Pérade où il achètera une terre dans la seigneurie de Sainte-Marie, le 26 octobre 1676, et une autre le 24 juillet 1676. Âgé de 38 ans, on lui reconnaît quatre arpents en valeur en 1681, et il reçoit une autre terre en concession le 6 mars 1687. Veuf depuis 1713, il se remarie le 17 juillet 1715, et décédera au même endroit le 6 novembre 1724. [4 + 0 enfants]

Dans le canton de Sauzé-Vaussais, au sud-est du Niortais, sont exclus trois migrants venus de Montalembert, alors situé en Angoumois. Par contre, 8 migrants sont néanmoins poitevins et originaires des paroisses suivantes :

MAIRÉ-LÉVESCAULT

Immédiatement au nord-ouest de Sauzé-Vaussais par la Départementale n° 15. Saint Junien, décédé à Mairé, y avait fondé au VIe siècle un monastère qui fut dévasté au VIIIe. Il n'en reste plus que deux chapiteaux ainsi qu'un cadran solaire dans les murs de l'église actuelle.

513 - Isaac Nafrechou (Jacques & Louise Garnier), «de Méry en Poitou». Cette mention en a incité plusieurs à le croire de Mairé en Châtelleraudais, mais on a retrouvé sa trace à Mairé-l'Évescault[24]. Qualifié de meunier le 22 novembre 1662 à Montréal, où il sera confirmé en mai 1664, il y passera aussi le reste de sa vie. On lui donne 27 ans en 1667, année où il forme, le 12 août, une société pour la traite des fourrures avec Nicolas Perrot et deux autres associés. Qualifié d'habitant à son mariage le 19 novembre 1668, il possédera, en 1681, trois bêtes à cornes et dix arpents en valeur, toujours à Montréal, où il se fera aussi cabaretier. Il y sera inhumé le 29 août 1724. [10 enfants]

SAUZÉ

Paroisse maintenant fusionnée avec celle de Vaussais pour former Sauzé-Vaussais, chef-lieu de canton situé à 50 kilomètres au sud-est de Niort par la Départementale n° 948. On y trouve des traces de présence gallo-romaine, et saint Junien y aurait fait des miracles.

514 - Vincent Verdon (f Jacques & f Jeanne Brunel), «du bourg de Saussé dans l'évêché de Poitiers». Il est aussi dit de Saint-Martin dans l'évêché de Poitiers[25]. Confirmé à Québec le 8 novembre 1665, on le dira, en 1669, habitant de Sillery en septembre, et de l'île d'Orléans en octobre[26]. Marié au Cap-de-

---

24. Communication de M. Jean-Marie Germe, de l'Association Falaise-Acadie-Québec. Il serait neveu de François de Gannes (n° 60) si je comprends bien ce que m'écrit M. Germe dans sa lettre du 25 octobre 1988. M. Germe fut un précieux collaborateur qui, pour des raisons qui lui sont propres, a préféré ne pas répondre à mes demandes de précisions adressées lors de la préparation de ce livre.
25. Greffe de Pierre Duquet, le 1er octobre 1669.
26. Greffes de Romain Becquet, le 8 septembre 1669, et de Pierre Duquet, le 1er octobre 1669.

la-Madeleine le 1ᵉʳ septembre 1680, il semble habiter dans la paroisse de Boucherville, probablement à Chambly, après quoi on le retrouvera à Sainte-Anne-de-la-Pérade le 18 janvier 1684. C'est cependant à Trois-Rivières qu'il est décédé, le 14 novembre 1687, à l'âge de 45 ans. [Sans postérité]

LIMALONGES

Un peu à l'écart de la Nationale n° 10, à cinq kilomètres à l'est de Sauzé-Vaussais. Le dolmen de la Pierre-Pèse servait aux sacrifices. L'église Saint-Jean-Baptiste est issue du XIIᵉ siècle.

515 - François Chanluc ou Chalut dit Lagrange (Pierre & Jeanne Thibaude), «du bourg de Limalonges au Poitou». En juillet 1694, il avait 27 ans et était soldat dans la compagnie de Renaud d'Avesne des Méloizes lors de son hospitalisation pendant cinq jours à l'Hôtel-Dieu de Québec. Marié l'année suivante à Saint-François dans l'île d'Orléans, on le retrouvera à Saint-Thomas de Montmagny de 1697 à août 1704. Son épouse étant inhumée à Saint-François le 21 décembre 1705, il se fixe finalement à Québec où il se remarie le 10 avril 1714 et où il sera recensé dans la basse ville en 1716. Il est décédé à Québec le 15 juin 1731. [6 + 0 enfants]

MELLERAN

À neuf kilomètres à l'ouest de Sauzé-Vaussais par la Départementale n° 109. Melleran a une existence antérieure au Xᵉ siècle. Les cloches de l'église Notre-Dame sont du XIIᵉ siècle.

516 - Nicolas Giard dit Saint-Martin (Louis & Michelle David), «de Maleran en Poitou». Son contrat d'engagement, à La Rochelle le 14 mai 1658, le dit de la Coussardière, paroisse de Melleran, près de Chef-Boutonne. Il avait alors 23 ans. Confirmé à Québec le 10 août 1659, on le retrouvera en 1662 comme domestique à Montréal. Il y recevra une concession à la côte Saint-Martin le 6 avril 1665 et se mariera le 17 novembre. Possédant douze arpents en valeur et deux bêtes à cornes en 1681, il sera mentionné à Montréal jusqu'en août 1712. Il est décédé après cette date, peut-être à Contrecœur. [10 enfants]. TCI, p. 380.

François Hobinaux. Voir n° 614 au chapitre XII.

517 - Guillaume Taphorin dit Millerand (Jean & Jeanne Merigone), «de Mullaran dans l'évêché de Poitiers». Cité à

Québec dès le 10 novembre 1724, il y est dit résident lors de son mariage, à église de l'Ancienne-Lorette, le 23 novembre 1729. Le recensement de Québec le dira, en 1714, bedeau de la paroisse âgé de 60 ans; jusqu'au 4 avril 1759, il sera en effet témoin de nombreuses sépultures à l'église Notre-Dame. Il est décédé avant le 15 février 1762. [8 enfants]

518 - François Gigaut (Antoine & f Anne Frin), «de la paroisse de Melleran dans le diocèse de Poitiers». Il habite à Québec où il se marie le 8 février 1752, après avoir obtenu de l'évêque un certificat de liberté au mariage et une dispense de deux bans; le suivant est présent au mariage. Il semble ensuite aller habiter à Saint-François-de-la-Rivière-du-Sud en 1761-1762, puis, de retour à Québec, il y est qualifié de marchand le 13 février 1764. Il y sera encore cité le 2 décembre 1765. [9 enfants]

519 - Jean-Pierre Audry ou Andry (f Jean & f Jeanne Landan), «de la paroisse de Melleran dans le diocèse de Poitiers». Il habite à Québec lorsqu'il s'y marie, le 17 avril 1752, après avoir obtenu du doyen du Chapitre un certificat de liberté au mariage; le précédent assiste aux noces et le choisira comme parrain d'un de ses enfants. Il est décédé à Québec, âgé de 30 ans, le 13 février 1756. [3 enfants]

LORIGNÉ

Immédiatement au sud-ouest de Sauzé-Vaussais. On y trouvera une modeste église romane.

520 - Laurent Nafrechou (Simon & Louise Brissonnel), «de Lorigny dans l'évêché de Poitiers». Marié à Québec le 17 septembre 1667, ce charpentier y a été confirmé le 23 avril 1669, et semble être rentré en France avec sa famille après le 10 juillet 1673. [2 enfants]

Émery Leblanc. Voir n° 616 au chapitre XII.

En excluant au moins deux migrants de Pioussay, alors en Angoumois, 12 migrants poitevins sont venus du canton de Chef-Boutonne :

GOURNAY

Sur la Départementale n° 105, cette commune, située à cinq kilomètres au nord de Chef-Boutonne, est maintenant réunie à Loizé. Le pavillon du Bas-Gournay date du XIVe siècle.

521 - Jacques Proulx dit Le Poitevin (Jacques, laboureur, & f Madeleine Rivé), «de Gouray dans l'évêché de Poitiers». Il est cité à Lachine dès le 29 février 1704, mais il habitait peut-être à Pointe-Claire dans l'ouest de l'île de Montréal. Marié à Lachine le 1er février 1706, il est cité dans cette paroisse jusqu'en 1707, puis dans le registre de Pointe-Claire dès la fondation de cette paroisse. Il y sera inhumé à 80 ans, le 16 mai 1757. [11 enfants]

522 - Pierre Barret (...), «du bourg de Gournay en Poitou». Âgé de 16 ans, il fut engagé à La Rochelle en septembre 1738 pour aller travailler à l'île Royale. Il devait traverser sur le *Françoise*, mais on ne peut savoir s'il s'est vraiment rendu en Acadie. [Sans alliance] RHAF, vol. XIV (1960), p. 256.

LOIZÉ

Village circulaire situé à cinq kilomètres au nord-est de Chef-Boutonne, et maintenant fusionné dans Gournay-Loizé. L'église Saint-Pierre date du XIIe siècle.

523 - Marthe Ragot (Simon & Françoise Loreau), «du bourg et paroisse de Loysé dans l'évêché de Luçon au Poitou». Mariée à Québec le 26 février 1664, elle a 34 ans en 1666 et vit avec sa famille, d'abord à la côte Saint-François près de cette ville, puis à la côte Saint-Michel à Sillery. Elle est décédée à Québec le 22 mars 1693. [3 enfants] LFR, p. 361.

CHEF-BOUTONNE

Chef-lieu de canton situé au sud du département. Dans le cimetière mérovingien furent trouvés un coffret à bijoux en terre cuite, des pièces de monnaie, une statuette zoomorphe et des poteries.

524 - Jean Soulard dit l'Alouette (...), «de Chef-Boutonne en Poitou». Il avait 21 ans lorsqu'il s'est engagé à La Rochelle, le 7 octobre 1643, pour aller travailler durant trois ans au fort de la rivière Saint-Jean en Acadie où il ne semble pas être resté. [Sans alliance]

525 - Pierre Blais (Mathurin & Françoise Pénigaut, mariés à Melleran le 30 avril 1634), «de Chef-Boutonne[27]»; son acte de mariage le dit cependant d'Anc dans l'évêché d'Angoulême, c'est-à-dire d'Hanc en Angoumois. Il faisait partie de la liste des passagers du navire *Noir-de-Hollande* pour le voyage de 1664. Recensé comme travaillant âgé de 25 ans à l'île d'Orléans en 1667, il y recevra une concession le 22 juin dans la paroisse Saint-Jean, pour cependant se marier à l'église de Sainte-Famille, le 12 octobre 1669, en même temps que Gabriel Roger (n° 400). Le recensement de 1681 lui attribue quatre bêtes à cornes et quinze arpents en valeur dans la paroisse Saint-Jean. Veuf en juin 1688, il se remarie au même endroit le 5 juin 1689, et y mourra subitement le 16 février 1700. [10 + 5 enfants] GNA, p. 307; NA, vol. I, p. 19-21.

526 - Jean Damase (...), «de Chef-Boutonne». Il s'engage le 1er juin 1668 à La Rochelle pour venir travailler en Nouvelle-France où il n'a pas laissé de traces de sa venue. [Sans alliance]

527 - Jean ou Jean-Baptiste Laroche (Jean & Antoinette Larose), «de la paroisse de Chebotoin dans l'évêché de Poitiers». Il habite à Montréal où il se marie à 24 ans, le 29 octobre 1723, après une dispense de trois bans. Travailleur journalier, il réside ensuite à l'île Perrot, puis à Boucherville en 1727 et 1732, puis finalement à Longueuil à partir de 1734. Il y est décédé le 7 avril 1753. [11 enfants]

JAVARZAY

Hameau de la commune de Chef-Boutonne. Déjà habité à l'époque gallo-romaine, Javarzay possède une église dont la nef romane date du XIIe siècle. Le château fut bâti au XVIe siècle par François de Rochechouart.

528 - Pierre-François Chalou dit Saint-Pierre (f Pierre-François & Catherine Chalut), «de la paroisse de Gevergé dans l'évêché de Poitiers». Il logeait déjà à Québec au moment de son mariage le 18 octobre 1723. Qualifié de maître boulanger le 15 juillet 1729, il deviendra veuf en août 1743, se remariera le 28 décembre, et sera recensé l'année suivante en qualité de boulanger négociant âgé de 44 ans. Il est décédé à Beauport le 11 mars 1765. [11 + 12 enfants]

---

27. Selon son contrat d'engagement.

SAINT-MARTIN-D'ENTRAIGUES

Commune réunie à Fontenille pour former Fontenille-Saint-Martin-d'Entraigues, immédiatement à l'ouest de Chef-Boutonne. Le village a conservé son église romane.

529 - Clément Richard (...), «de Saint-Martin d'Entreve». Il a 23 ans, le 3 mars 1657, lorsqu'il s'engage à La Rochelle pour venir travailler en Nouvelle-France pendant trois ans. N'ayant pas laissé de traces dans les archives, on ne sait s'il y est réellement allé. [Sans alliance]

530 - Pierre Main (...), «de Saint-Martin près de Chef-Boutonne». À La Rochelle, le 21 avril 1714, il s'engage, âgé de 22 ans, à venir travailler durant trois ans au service à Montréal des sœurs de la Congrégation Notre-Dame. Il n'a cependant pas laissé de traces de sa venue en Nouvelle-France. [Sans alliance]

LA BATAILLE

À trois kilomètres au sud-ouest de Chef-Boutonne par la Départementale n° 110. La commune doit son nom à la bataille engagée en 1061 entre le comte d'Anjou et le duc d'Aquitaine pour la prise de Saintes.

531 - Louis Filiatrault dit Saint-Louis (René & Jacquette Genicau), «de la paroisse de La Bataille dans l'évêché de Poitiers». Il est mentionné dans la seigneurie de Beaupré le 9 janvier 1700 et se marie la même année, probablement à Saint-François dans l'île Jésus, où il s'établit sur une terre en bordure de la rivière des Prairies. Qualifié de bedeau de la paroisse Saint-François le 11 février 1721, il y décédera à 82 ans le 21 juillet 1752. [16 enfants]

BRET

Hameau de la commune d'Aubigné à 3,5 kilomètres au sud-ouest de La Bataille par la Départementale n° 110. L'ancienne église de Bret sert maintenant d'habitation.

532 - Vincent Beaumont (Vincent & Jeanne Arnoux, décédés à Aubigné les 2 décembre 1671 et 19 février 1673). Baptisé à Bret le 19 janvier 1642, on le retrouve à Québec, en juin 1670, comme domestique de Louis Rouer de Villleray. Ayant acheté une terre à Charlesbourg le 5 novembre 1674, il se marie le 13 du même mois à Québec. Confirmé à cet endroit le 26 mai

1681, il est recensé la même année chez Rouer de Villeray pour qui il continue de travailler. Il s'installe à Charlesbourg vers 1685 et, devenu veuf en février 1692, il se remarie le 27 octobre suivant. Il est décédé à Charlesbourg le 17 février 1709. [0 + 7 enfants] GNA, p. 180; NA, vol. XII, p. 15-22; MSGCF, vol. V (1952-1953), p. 177-178, et VIII (1957), p. 163-165 et 191-192.

Au centre-sud du Niortais, 8 ressortissants sont venus du canton de Brioux-sur-Boutonne :

LES FOSSES

À l'orée de la forêt de Chizé, à l'ouest du canton. L'église romane isolée est dédiée à sainte Radegonde.

533 - Louis Foucher dit Laforest (Jean & f Renée Hymbert), «de Ste-Radegonde au bourg de Fosse dans l'évêché de Poitiers». Habitant au Cap-de-la-Madeleine, il est âgé de 30 ans en 1666. Marié à Québec le 6 août 1668, il s'établit à Champlain sur une terre qu'il vendra le 12 mars 1675, pour en acheter une autre, le 27 avril, à Saint-Anne-de-la-Pérade où il aura trois arpents en valeur en 1681. Il est décédé à Batiscan le 11 mai 1685. [6 enfants]

SECONDIGNÉ-SUR-BELLE

À six kilomètres à l'est de Les Fosses. L'église fortifiée est du XIIe siècle. Une pierre tombale est curieusement encastrée près de la porte.

534 - René Abraham dit Desmarais (f Jean & Jeanne Brassart), «natif de la paroisse de Secondignay proche de Niort en Poitou[28]». Marié à Trois-Rivières le 16 novembre 1671, il s'installe à la rivière Cressé à Nicolet, pour ensuite s'établir à Saint-François-du-Lac où il possède sept arpents en valeur en 1681. Il a alors 36 ans et est veuf depuis novembre 1680. Après avoir reçu une autre concession au même endroit le 28 février 1684, il fera la traite des fourrures dans les années 1688, et se remariera, le 30 novembre 1690, à Saint-François quoiqu'il soit dit résident de Grondines. Qualifié de voyageur en 1695, on le dit absent de la colonie le 18 février 1716. Les circonstances de sa mort demeurent inconnues. [3 + 2 enfants] AGA, p. 12.

---

28. Selon son contrat de mariage. L'acte de son premier mariage le dit de Condans au Poitou.

VERNOUX-SUR-BOUTONNE

Immédiatement au nord-ouest de Brioux-sur-Boutonne. L'ancienne église romane dédiée à saint Joseph est actuellement désaffectée.

535 - Joseph Bonneau dit La Bécasse (f Pierre & Marie Lambert), «de St-Joseph de Vernoux dans l'évêché de Poitiers». Confirmé le 24 août 1667 à Québec, il est dit, la même année, domestique et âgé de 18 ans à la côte Saint-Ignace à Sillery. Il loue une terre dans la paroisse Saint-François de l'île d'Orléans en octobre 1669, se marie à l'église de Sainte-Famille le 16 septembre 1670, et achète une terre sur la rive nord de l'île le 18 octobre de la même année. Il en achètera d'autres et accomplira différents travaux à différents endroits, tout en demeurant sur son habitation où il sera recensé en 1681, en possession de trois bêtes à cornes et de sept arpents en culture. Travaillant surtout comme maçon à partir de 1682, il se remarie à Saint-François, le 11 avril 1684, et y décédera le 30 novembre 1701. [6 + 9 enfants] GNA, p. 356-357; NA, vol. X, p 15-22.

BRIOUX-SUR-BOUTONNE

Chef-lieu de canton situé à 10 kilomètres au sud-ouest de Melle par la Départementale n° 950. C'était le site d'une importante localité sur la voie romaine de Saintes à Poitiers, et une étape du pèlerinage vers Saint-Jacques-de-Compostelle.

536 - Jeanne Vignault (Abel & Suzanne Bonneau), «de la paroisse de Briou au Poitou»; elle est aussi dite de la paroisse de Vérine au Poitou[29], ce qui désigne Verrines-sous-Celles à 10 kilomètres au nord de Brioux-sur-Boutonne (p. 279). Elle est domestique lorsqu'elle épouse Jacques Greslon (n° 278) le 31 juillet 1657 à Québec. Âgée de 25 ans en 1667, elle se remarie au même endroit le 16 octobre 1679 et fera, à partir de 1689, plusieurs séjours à l'Hôtel-Dieu de Québec où elle est décédée le 20 mai 1700. [12 + 0 enfants]

JUILLÉ

À trois kilomètres au sud de Brioux-sur-Boutonne. Cette paroisse citée dès le XIe siècle dépendait de Melle avant la Révolution.

537 - Jacques Richard dit Larose (Jacques & Marie Amiode), «de Juiller dans le diocèse de Poitiers au Poitou». Maçon âgé de

---

29. *Registre des malades* de l'Hôtel-Dieu de Québec, le 10 novembre 1689.

23 ans, il fait un séjour de 11 jours à l'Hôtel-Dieu de Québec en juillet 1692. Il se marie à Montréal le 3 septembre 1696 et sera encore qualifié de maçon le 19 novembre de la même année. Il est décédé à l'Hôtel-Dieu de Montréal le 18 mars 1714. [9 enfants]

CHIZÉ

À la limite sud du département, le village de Chizé est sur la Boutonne, juste à l'est de la forêt domaniale de Chizé. Du Guesclin y a vécu et vaincu les Anglais. Le portail de l'église est du XIe siècle.

538 - Guillaume Boucquet (...), «de Chizé». Âgé de 30 ans, il s'engage à La Rochelle pour trois ans, le 13 mars 1657. Il n'a pas laissé de traces dans les archives de la Nouvelle-France et n'y est peut-être pas venu. [Sans alliance]

539 - Laurent Migneron (f Pierre & f Françoise Pelligouen ou Plessis), «de la paroisse de Saint-Hilaire de Chisé en la province de Poitou et évêché de Poitiers[30]». Confirmé à Château-Richer le 11 avril 1662, il possédait une concession à Saint-Joachim dans la seigneurie de Beaupré où il est recensé âgé de 26 ans en 1666. Marié la même année à Château-Richer, puis à l'Ange-Gardien en 1675, le recensement de 1681 lui attribuera cinq bêtes à cornes et huit arpents en valeur dans la seigneurie de Beaupré. Il est décédé à Saint-Joachim après le 30 décembre 1705. [4 + 7 enfants]

LEVERT

Au sud-ouest de Chizé, à la limite du département. Il y subsiste les restes de peintures murales d'un bâtiment gallo-romain.

540 - François Tef ou Teuve dit Lavergne (Jean & Marguerite Guerfet), «de la paroisse de St-Leder dans l'évêché de Poitiers». Âgé de 30 ans, il est soldat dans la compagnie de Laforest à son mariage à Montréal le 9 mars 1712. Il s'installe à la côte Saint-Laurent dans l'île de Montréal, mais décédera dans la paroisse du Sault-au-Récollet, le 21 janvier 1751. [8 enfants]

Au sud de Niort, 2 migrants ont quitté le canton de Beauvoir-sur-Niort :

---

30. Greffe de Paul Vachon, le 11 mai 1675.

BEAUVOIR-SUR-NIORT

Chef-lieu de canton situé à 18 kilomètres au sud de Niort par la Nationale n° 150. Ancien relais de la route de Saint-Jacques-de-Compostelle. Le moulin de Rimbault, à l'est, fut en fonction de 1682 à 1928.

541 - Pierre Chaignon (f Michel & f Madeleine Boursier), «de la paroisse de Beuvois sus Niort dans l'évêché de Poitiers». Marié à Beauport le 10 août 1694, il est décédé au même endroit, à l'âge de 70 ans, le 19 novembre 1708. [Sans postérité]

542 - Louis Émery dit Beauvais (Louis & Anne Feaut), «de Beauvais-sur-Nior». Soldat cantonné à Saint-Laurent dans l'île de Montréal le 2 septembre 1723, il s'est marié à 26 ans, au même endroit, le 1ᵉʳ mai 1725. Les époux ont alors «reconnu pour leur légitime enfant Louis Émmeri baptisé le 27 avril». Il était établi à la côte Notre-Dame-des-Vertus, dans la paroisse Saint-Laurent, où il est décédé le 27 février 1761. [10 enfants]

À l'extrémité sud-ouest du Niortais, dans le canton de Mauzé-sur-le Mignon, 2 migrants sont venus des paroisses suivantes :

DAY

Aujourd'hui Deyrançon, village fusionné avec celui de Prin et situé à l'écart de la Nationale n° 11, entre Frontenay-Rohan-Rohan et Mauzé-sur-le-Mignon. Village assez curieux en grande partie protestant. L'église Notre-Dame, d'origine romane, fut mutilée et restaurée. Encerclée par son cimetière, elle présente un aspect fruste et de curieux chapiteaux.

543 - Guillaume Jourdain (Hilaire & Anne Betreau), «de la paroisse de Day dans l'évêché de Saintes». Cité à Québec dès le 28 avril 1676, il est maître maçon et tailleur de pierre. Marié le 18 avril 1678, le recensement de 1681 le présente âgé de 30 ans et maçon dans la haute ville de Québec où il possède deux vaches. Vers 1701, il s'installe à la pointe de Lévy, à Lauzon, où, décédé le 19 février 1724, il sera inhumé dans l'église. [10 enfants]

MAUZÉ-SUR-LE-MIGNON

Chef-lieu de canton à l'extrémité sud-ouest du département des Deux-Sèvres, c'est-à-dire à 18 kilomètres au sud-ouest de Niort par la Nationale n° 11. Sur un site d'occupation romaine, l'église Saint-Pierre, construite au XII⁰ siècle, fut en partie détruite au XVI⁰. Les chapiteaux sont du XIII⁰ siècle. Patrie de René Caillié, explorateur du Sahara.

544 - Antoine Mérit (...), «de Mauzé». Le 1ᵉʳ avril 1665, il s'engage à La Rochelle à s'embarquer sur le *Cat-de-Hollande* afin d'aller travailler pendant trois ans en Nouvelle-France, où il n'a pas laissé de traces. [Sans alliance]

Au sud du Niortais, il faut ajouter 11 migrants haut-poitevins venus de paroisses maintenant en Charente-Maritime :

VILLENEUVE-LA-COMTESSE

Dans le canton de Loulay, sur la Nationale n° 150, tout juste à l'extérieur des limites des Deux-Sèvres.

545 - Pierre Dardenne (François, laboureur, & Marie Petit). Natif de Villeneuve-la-Comtesse, il était devenu voiturier à La Rochelle où, le 22 juin 1637, il avait épousé Gilette Chaigne dans l'église Notre-Dame-de-Cogne. Un contrat de mariage avait été rédigé le 8 juin par le notaire Juppin. Veuf et père de quatre enfants nés à La Rochelle, il décide, en 1663, de venir rejoindre sa fille Marie, laquelle, après son mariage à La Rochelle le 29 octobre 1656, avait émigré à Montréal avec son mari et leur fils en 1659. Ayant amené avec lui deux de ses enfants, il est recensé en 1666, âgé de 57 ans, et sera cité à Montréal jusqu'en 1675, après quoi on le retrouvera à Repentigny où il aura six arpents en valeur en 1681. Il sera inhumé à Pointe-aux-Trembles, dans l'île de Montréal, le 26 novembre 1687. [4 enfants] GER, p. 68; TCI, p. 416-417.

Pierre Martin. Voir n° 505 à Melle.

546 - Jean Mingou (f André & Andrée Auger), «de Villeneuve-la-Comtesse dans le diocèse de Poitiers». Âgé de 25 ans, il s'est marié le 17 septembre 1685 à Charlesbourg où il était installé dans la Petite-Auvergne. Il habitait cependant à Québec, aux Prés-du-Palais, en octobre 1694, semblant alors travailler pour l'intendant de la Nouvelle-France. Il est décédé à Québec peu avant le 28 janvier 1698. [6 enfants]

547 - Guillaume Gaillard (Hilaire & Catherine Clerc), «de la paroisse de Villeneufve-la-Comtesse dans l'évêché de Xaintes».

Instruit et possédant une certaine formation en droit, il arrive à 16 ans comme domestique en 1685 et se marie à Québec le 27 mai 1690. Devenu marchand bourgeois, il est nommé conseiller au Conseil supérieur le 5 mai 1710, achète la seigneurie de l'île d'Orléans le 20 mars 1712 et sera recensé dans la haute ville de Québec en 1716. Remarié depuis le 1er janvier 1719, il meurt à Québec le 12 novembre 1729 et sera inhumé le lendemain dans la crypte de l'église Notre-Dame. [13 + 0 enfants] DBC, vol. II, p. 243-244; BRH, vol. XLI (1935), p. 193-209.

DAMPIERRE-SUR-BOUTONNE

Tout juste à l'est, dans le canton d'Aulnay, au sud de la forêt de Chizé. On lira la devise «Estre, se cognestre et non parestre» sur la cheminée de la plus grande salle du château de style Renaissance.

548 - Jean Poitevin dit Laviolette (Laurent & Marie Gibault), «de Dompierre-sur-Boutonne dans l'évêché de Xaintes». En 1667, il était recensé, âgé de 25 ans, à la côte Sainte-Geneviève en banlieue de Québec comme domestique de Mathurin Moreau (n° 444). À son mariage, le 19 août 1669 à Québec, il possédait déjà une terre au Bourg-Royal, à Charlesbourg, où il aura deux vaches et huit arpents en valeur en 1681. Il achètera une autre terre au même endroit le 30 novembre 1688. Hospitalisé durant 343 jours à l'Hôtel-Dieu de Québec entre février 1694 et mai 1696, il est décédé après le 29 octobre 1696. [9 enfants] NA, vol. XVIII, p. 140-149.

549 - Antoine Bordeleau dit Laforest (f Jean, & Marie Villain), «de Dompierre-sur-Boutonne dans l'évêché de La Rochelle». Baptisé à cet endroit le 22 décembre 1633, il arrive en Nouvelle-France en septembre 1665 comme soldat de la compagnie de Maximy du régiment de Carignan. Il reçoit une concession à Dombourg, le 20 mars 1667, pour laquelle il recevra un titre en règle le 20 mai 1672. Confirmé à Neuville le 25 mai 1669, il se marie à Québec le 15 octobre de la même année, et sera recensé sur sa terre en possession d'une bête à cornes et de vingt arpents en valeur en 1681. Sa femme est rentrée en France peu après et ne devait plus donner de ses nouvelles. Il est décédé à Neuville le 18 septembre 1717. [2 enfants] GNA, p. 262.

550 - Jean Monet ou Moinet dit Boismenu (Michel, de Dampierre-sur-Boutonne, & Marie Bretelle, de Cognac), «de St-Hilaire, paroisse de Dampierre-sur-Boutonne dans l'évêché de Poitiers». Confirmé à Québec le 25 juillet 1665, à l'âge de 18 ans, il était domestique à Trois-Rivières en 1666, puis au Cap-de-la-Madeleine l'année suivante. Il possédait une terre à la côte Saint-Dominique, à Rivière-des-Prairies dans l'île de Montréal, lorsqu'il s'est marié à Pointe-aux-Trembles le 31 octobre 1678. Le recensement de 1681 lui attribue huit arpents à la côte Saint-Dominique où il habitera jusqu'à sa mort, à l'Hôtel-Dieu de Montréal, le 2 décembre 1701. [4 enfants]

551 - Pierre Gaigneur (...), «natif de Dampierre». Laboureur âgé de 26 ans, il s'engage, le 18 février 1720 à La Rochelle, pour aller travailler pendant 18 mois à l'île Saint-Jean, en Acadie, où il n'a pas laissé de traces. [Sans alliance] RHAF, vol. XIII (1959), p. 406.

552 - Jean Normandin (...), «du village de La Molte en la paroisse de Dampierre». Laboureur âgé de 30 ans, il est engagé à la même date et aux mêmes conditions que le précédent. Il est décédé à l'île Saint-Jean, le 24 mai 1721, qualifié de «garçon jardinier». [Sans alliance] RHAF, vol. XIII (1959), p. 406.

553 - Charles Bertou (...), «de Pompierre-sur-Boutonne». Âgé de 23 ans, il est qualifié de laboureur et signe son contrat d'engagement à La Rochelle en 1720. Il avait été engagé pour l'île Saint-Jean où il est cité le 21 avril 1721. J'ignore ce qu'il est ensuite devenu. [Sans alliance] RHAF, vol. XIII (1959), p. 415.

554 - Jean Devauzelle (...), «de Dompierre». Laboureur âgé de 24 ans et sachant signer, il est engagé pour l'île Saint-Jean le 21 avril 1721. Il n'a pas laissé de traces en Acadie. [Sans alliance] RHAF, vol. XIII (1959), p. 415.

555 - Jacques Bonhomme (...), «du même lieu». Laboureur âgé de 18 ans et sachant signer, il est engagé en même temps que les deux précédents pour un salaire de 50 livres par an. Il n'a pas laissé de traces à l'île Saint-Jean. [Sans alliance] RHAF, vol. XIII (1959), p. 415.

SALLES

Dans le canton d'Aulnay, ancienne commune située au nord-est d'Aulnay et maintenant rattachée à cette ville. L'église possède un portail remarquable.

Piere Desnoux. Voir n° 664 au chapitre XII.

Chapitre XI

La ville de Niort

Érigés chacun sur une colline, les deux villages de Niort, Saint-André et Notre-Dame, existaient déjà à l'époque celtique. Apportée en dot par Aliénor d'Aquitaine à Henri II Plantagenêt, la ville tomba sous domination anglaise, souffrit beaucoup de la guerre de Cent Ans, puis se développa au Moyen Âge. Une pelleterie s'y implanta dès le XIIIᵉ siècle et bientôt les fourrures venues de Nouvelle-France arrivèrent par le port pour y être traitées. La très belle église Notre-Dame bâtie aux XVᵉ et XVIᵉ siècles est de style gothique flamboyant alors que celle de Saint-André fut reconstruite au XIXᵉ siècle dans le style du XIIIᵉ. Les églises Saint-Étienne-du-Port et Saint-Hilaire sont aussi du XIXᵉ siècle. Au moins 54 migrants sont originaires de la ville de Niort.

Les 13 migrants qui suivent étaient de la paroisse Notre-Dame de Niort :

556 - Marie Girard (Pierre & Catherine Mounier), «de Notre-Dame-la-Grande dans la ville et évêché de Niort». Après avoir fait rédiger un contrat de mariage, le 17 juillet 1667, dans lequel elle apportait des biens estimés à 200 livres, elle semble tout de suite changer d'idée et décider de retourner en France. LFR, p. 318. [Sans alliance]

557 - René Beaudin (f Charles & Jeanne Moinet, mariés le 11 avril 1660 à Niort), «de la paroisse de Notre-Dame à Niort au Poitou». Baptisé le 29 juillet 1663 à l'église Notre-Dame de Niort, il se marie à Beauport le 10 février 1687. Maçon et tailleur de pierre, il est hospitalisé à l'Hôtel-Dieu de Québec en avril 1692 et en février 1693. Il a reçu entre temps, le 29 décembre 1692, une concession à Beauport qu'il vendra rapidement pour se faire pêcheur au Mont-Louis où il sera recensé en 1699. Revenu à Québec l'année suivante, il demeure, en 1716, dans la basse ville, rue du Sault-au-Matelot, pour finalement déménager sa famille à Laprairie vers 1718. Il y est décédé le 21 janvier 1737 [6 enfants] GNA, p. 152; MSGCF, vol. IX (1958), p. 102-105.

558 - Michel Cadet (f Michel, marchand boucher, & Elisabeth Lefebvre), «de la paroisse de Notre-Dame dans la ville de Niort en l'évêché de Poitiers». Ayant abjuré le protestantisme, il est hospitalisé durant trois semaines, âgé de 23 ans, à l'Hôtel-

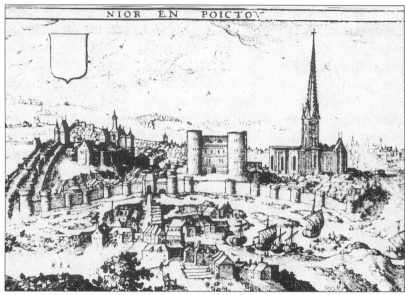

NIOR EN POICTOV

Vue générale de Niort au début du XVIIᵉ siècle, d'après une gravure de Claude Chastillon. (Musées de Niort. Photo : Berthrand Renaud, Musées de Niort.)

Dieu de Québec en mai-juin 1690; il est marchand boucher au moment de son mariage à Québec le 25 janvier 1694. Veuf en janvier 1703, il se remarie au même endroit, le 7 mai de la même année, et sera inhumé, qualifié de bourgeois, le 26 décembre 1708. [6 + 4 enfants[1]]

559 - Joseph Damour dit Poitevin (Jean & f Marguerite Moreau), «de la paroisse de Notre-Dame de la ville de Niort dans l'évêché de Poitiers». Il avait 23 ans et était soldat de la compagnie de Pierre Derivon de Budemont, à son mariage à

---

1.   *Le messager de l'Atlantique*, nᵒ 26 (3ᵉ trimestre 1993), p. 12-16. Après la conquête de la Nouvelle-France, un de ses petits-fils, Joseph-Michel Cadet, rentra à Paris, paroisse Saint-Roch, avec sa femme et leurs trois enfants, ainsi que sa sœur Marie-Josèphe Cadet, épouse de Jean-Raymond Vignau, et au moins deux cousines : Geneviève Cadet et sa sœur Louise-Joseph, épouse de Joseph Rouffio. Michel Cadet acquit, en janvier 1767, la baronnie de La Touche-d'Avrigny, à Saint-Gervais-les-Trois-Clochers, ainsi que le château de Barbelinière, à Thuré, en Châtelleraudais où nous les retrouvons. Voir «Émigrés de la Nouvelle-France au Poitou : Joseph-Michel Cadet, sa famille ses collaborateurs. Nouvelles perspectives de recherche sur les Canadiens en France au XVIIᵉ siècle», en préparation.

Montréal le 19 septembre 1733. Il s'y fera ensuite journalier pour être même qualifié d'artisan le 30 novembre 1750. Demeurant à la Côte-des-Neiges en décembre 1756, il vivait encore à Montréal en 1759. [10 enfants]

560 - Jean-Victor Varin de Lamare (Jean, sieur de Lasablonnière, écuyer, capitaine d'infanterie au service du roi Jacques II d'Angleterre et gendarme de la garde du roi, & Marthe de Lhéry), «natif de la paroisse Notre-Dame de Niort en Poitou». Né le 14 août 1699, il était écrivain de la marine à Rochefort en 1721, pour être ensuite nommé écrivain principal et contrôleur de la marine au Canada, le 22 mai 1729. Le 28 juin, il s'embarque alors à La Rochelle à bord de l'*Éléphant* et, devenu conseiller du roi au Conseil supérieur de Québec le 18 février 1733, il se marie le 19 octobre 1733. Ensuite promu commissaire contrôleur de la marine le 13 avril 1737, il fera un séjour en France en 1740-1741 et sera nommé commissaire de la marine et subdélégué de l'intendant à Montréal, le 1er janvier 1747. Il profitera alors de son poste pour commettre quelques abus et malversations. Rentré en France à l'automne de 1757, il sera emprisonné à la Bastille en décembre 1761, en même temps que Louis Pénisseau (n° 255), que le petit-fils de Michel Cadet (n° 558), et qu'une cinquantaine d'ex-administrateurs de la Nouvelle-France; il sera reconnu coupable et banni le 10 décembre 1763 au Châtelet. Ayant obtenu la permission de s'établir en Corse en 1770, puis de rentrer en France en 1780, il se retire à Malesherbes où il meurt avant mai 1786. [8 enfants] DBC, vol. IV, p. 813-815.

561 - Pierre Fournier dit Brisefer (f Pierre & f Marguerite-Hélène Métayer), «de la paroisse de Notre-Dame de Niort dans le diocèse de Poitiers». Est-ce le même Pierre Fournier qui fut tiré de la prison de Chalon et déporté au Canada comme faux saunier le 12 mars 1742? Il était en tout cas caporal dans la compagnie de Pierre-Thomas Tarieu de Lanaudière lors de son mariage à Québec, le 29 septembre 1749, auquel assistait le marquis de La Jonquière, gouverneur général de la Nouvelle-France. Il se fera ensuite journalier à Québec où il vivait encore en août 1768. [5 enfants]

562 - Antoine Sabourin dit Laperche (f Antoine & Françoise Gougeon), «de la paroisse Notre-Dame de Niort dans le diocèse de Poitiers». Cité à Québec le 27 décembre 1742, il y sera qualifié de perruquier âgé de 26 ans au recensement de 1744, et de marchand à son mariage le 14 avril 1750. Marchand à Québec jusque vers 1757, on le retrouvera, en janvier 1759, établi à Sainte-Anne-de-la-Pérade où il sera recensé dans le fief Sainte-Marie en 1765. Il y était encore en 1767. [13 enfants]

563 - Pierre Sabourin (frère du précédent), «de la paroisse de Notre-Dame de Niort dans le diocèse de Poitiers». Semblant vivre chez son frère, à Québec le 10 avril 1752, il se fera perruquier à Montréal où il se mariera à l'âge de 30 ans, le 5 mai 1755, et décédera le 29 octobre 1757. [2 enfants]

564 - Jean-Baptiste Guichard (Jean-Baptiste & Marie Aubry), «de l'évêché de Poitiers, paroisse de Notre-Dame de la ville du Grand Niort». Il se marie à Saint-François dans l'île d'Orléans le 7 janvier 1744, et habite ensuite à Québec où il vivait encore en avril 1756. [5 enfants]

565 - Pierre Gaboury dit Saint-Pierre (Pierre & Marie Rossignol), «de la paroisse de Notre-Dame de Niort dans le diocèse de Poitiers». À 32 ans le 26 juin 1752, il se marie à Montréal après une dispense de deux bans. Forgeron, il vivait encore à Montréal en avril 1756. [2 enfants]

566 - François Richard (f François & Françoise Lagode), «de la paroisse de Notre-Dame de Niort, dans l'évêché de Poitiers». Il avait 32 ans et demeurait en Nouvelle-France depuis dix ans lorsqu'il obtint la permission de se marier le 19 juin 1760. D'abord soldat de la marine dans la compagnie de monsieur de Gaspé, il fut ensuite domestique de madame Barbel puis, à partir de 1759, domestique de l'Hôpital général de Québec, ville où il s'est marié le 7 juillet 1760. Il semble ensuite disparaître. [Sans postérité]

567 - Michel-Marie Avice de Mougeon, sieur de Surimeau et de Lagarde (Charles Amateur, sieur de Mougeon, écuyer, ancien exempt des gardes du roi, colonel de cavalerie, & Blanche Colombe de Razilly), «de la paroisse Notre-Dame de Niort dans le diocèse de Poitiers». Officier depuis 1745, et capitaine depuis 1746, son acte de mariage, à Montréal le 15 septembre 1760, le dira écuyer âgé de 35 ans et capitaine du régiment de Berry. Il obtient la Croix de Saint-Louis en 1760 et rentre en

France après la conquête anglaise. [Sans postérité] MSGCF, vol. V (1952-1953), p. 43, et vol. XVII (1966), p. 101.

568 - Jean-Pierre Marin dit Potevin (Pierre & Renée Vivien), «de la paroisse Notre-Dame de la ville de Niort dans le diocèse de Poitiers». Cité à Montréal le 18 septembre 1761, il se marie à 30 ans au même endroit le 9 janvier 1764. J'ignore ce qu'il est devenu. [Sans postérité]

Au moins 24 migrants étaient originaires de la paroisse Saint-André de Niort :

569 - Barbe Émard ou Aymard (Jean, marchand et maître tailleur d'habit, & Marie Bineau). Née vers 1621, elle était mariée à Gilles Michel, maître tailleur de La Rochelle, et fit baptiser un fils à la paroisse Saint-Barthélemy de cette ville, le 2 décembre 1645. Veuve, elle épouse dans la même paroisse, le 21 mai 1648, Olivier Letardif déjà établi en Nouvelle-France et alors qualifié de capitaine de navire. Le couple avait convenu d'un contrat de mariage rédigé le 16 chez le notaire Fleury. Plusieurs Canadiens, également de passage à La Rochelle, ont assisté au mariage, dont Zacharie Cloutier et Noël Juchereau. Passée en Nouvelle-France avec son époux,

Vue générale de Niort. Au premier plan, la Sèvre; au fond, l'église Saint-André, reconstruite au XIXe siècle en style néogothique. (Musées de Niort. Photo : Berthrand Renaud, Musées de Niort.)

son fils et ses deux sœurs qui suivent, elle est citée à Québec à partir du 7 juin 1649. Elle vivra à Château-Richer où elle semble mourir en janvier 1759. [1 + 3 enfants[2]] NA, vol XXIV, p. 115; GER, p. 154; MSGCF, vol. I (1944-1945), p. 197-200, et vol. XII (1961), p. 14.

570 - Madeleine Émard ou Aymard (sœur de la précédente). Baptisée à Saint-André de Niort le 1er août 1626, elle épouse, le 2 avril 1648 à Saint-Barthélemy, paroisse de La Rochelle, Zacharie Cloutier fils, commis de la Communauté des Habitants de la Nouvelle-France et alors de passage en France avec plusieurs autres Canadiens. Un contrat de mariage avait été passé la veille chez le notaire Teuleron, et Olivier Letardif, futur époux de la précédente, assistait au mariage. Elle vivra d'abord à Québec puis, vers 1659, à Château-Richer où elle sera confirmée le 2 février 1660. S'étant donnée à ses enfants le 31 mars 1699, elle décédera à Château-Richer le 28 mai 1708. [8 enfants] MSGCF, vol. I (1944-1945), p. 197-200.

571 - Anne Émard ou Aymard (sœur des précédentes), «de la paroisse de St-André dans la ville de Niort». Baptisée le 22 octobre 1627, elle a traversé l'Atlantique avec ses sœurs en 1648 et s'est mariée à la Pointe-Lévy le 16 novembre 1649. Elle a élevé sa famille à Lauzon où elle est décédée le 18 janvier 1700. [10 enfants] MSGCF vol. I (1944-1945), p. 197-200.

572 - Laurent Glory dit La Bière (Pierre, brasseur de bière et maître sergetier inhumé le 12 mars 1683, & Louise Gaultier, mariés à Notre-Dame de Niort le 15 novembre 1638), «de Niort au Poitou». Baptisé le 30 août 1639 à Saint-André, paroisse de Niort, il est cité pour la première fois en Nouvelle-France lorsqu'il assiste à la signature d'un contrat de mariage le 4 décembre 1658 à Montréal. Il se marie au même endroit le 23 juillet 1664, et y sera recensé en 1666 et 1667. Il vendra sa concession le 28 septembre 1676 pour s'installer à Rivière-des-Prairies, dans l'île de Montréal, où il est décédé le 25 mars 1681. [7 enfants] MSGCF, vol. XV (1964), p. 22-24.

---

2.   À la dernière minute, je me rends compte que Barbe Émard avait mis au monde cinq enfants de son premier mariage. Quatre étant morts en bas âge, un seul, tel que rapporté, a donc émigré avec sa mère en Nouvelle-France. Les quatre enfants m'ayant échappé ne changent pas de façon significative les compilations statistiques apportées en conclusion.

573 - Catherine Fièvre (f Fiacre & Jacquette Dusol, mariés le 30 octobre 1644 à Saint-André de Niort), «de la paroisse de St-André de la ville de Niort». Baptisée dans cette paroisse le 19 novembre 1646, elle se marie à Québec le 10 novembre 1663. Après avoir vécu quelque temps à Château-Richer, elle déménagera à l'île d'Orléans, d'abord dans la paroisse de Sainte-Famille en 1666, puis dans celle de Saint-François, en la seigneurie d'Argentenay, en 1679. Veuve en 1690, elle se donnera à un de ses fils le 4 avril 1704, et décédera le 13 juin 1709 à l'Hôtel-Dieu de Québec. [13 enfants] MSGCF, vol. XI (1960), p. 135; NA, vol. X, p. 7-13.

574 - Jacques Antrade (f Louis, laboureur, & Louise Mettayer), «de St-André dans l'évêché de Poitiers». Baptisé le 19 avril 1643 à Saint-André, paroisse de Niort, il épouse, à Québec le 16 août 1668, Marie Bouart (n° 152), originaire de Bignoux dans la région de Poitiers. Installé à Batiscan, il décédera vers 1670. [1 enfant] GNA, p. 50.

575 - Jacques Chaliot (...), «de la paroisse de Saint-André de Niort dans le diocèse de Poitiers». Il abjure l'hérésie de Calvin à Québec le 8 septembre 1669. Nulle autre mention. [Sans alliance]

576 - Jean Daniau dit Laprise (f Jean & Renée Brunet, cités au temple protestant de Niort le 3 août 1636), «de St-André en la ville de Niort dans l'évêché de Poitiers». Il abjure l'hérésie de Calvin le 6 septembre 1670 à Québec où il se mariera quatre jours plus tard. Fermier, semble-t-il, au cap Saint-Ignace en 1672, il vit ensuite à Berthier où, âgé de 44 ans en 1681, il déclare avoir deux bêtes à cornes et six arpents en valeur. Veuf vers 1685, il contracte un deuxième mariage à Saint-Jean dans l'île d'Orléans le 7 juin 1686, puis recevra une concession le 1er juin 1691 à La Durantaye où il sera inhumé, le 6 janvier 1709, à l'église Saint-Michel. [4 + 8 enfants] MSGCF, vol. IX (1958), p. 94-101.

577 - Pierre Brunet (Jean & Nicole Cardinault), «de la paroisse de Saint-André en la ville de Niort dans l'évêché de Poitiers». Après avoir conclu, le 16 avril 1686, un contrat de mariage qui n'aura pas de suite, il se marie à Québec le 4 septembre 1690. Il a assisté au mariage de son compatriote Michel Cadet

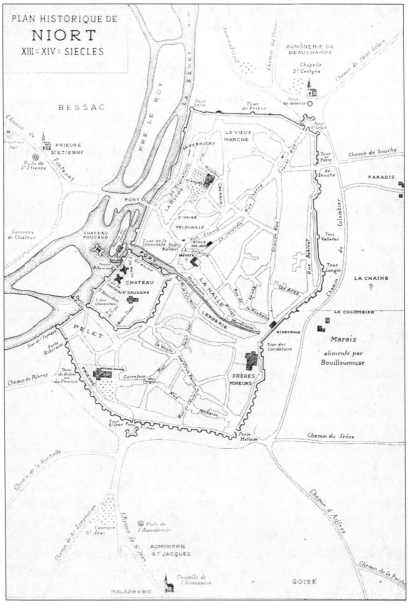

Plan historique de Niort, XIIIe et XIVe siècles. (Archives départementales des Deux-Sèvres. Photo : Berthrand Renaud, Musées de Niort.)

(n° 558) le 25 janvier 1694, et vivait dans la basse ville de Québec où il est décédé avant le 29 janvier 1712. [5 enfants]

578 - Jacob de Marsac, sieur de Lhommetrou (Jacob, sieur de l'Honneteau, médecin inhumé au temple protestant de Niort le 26 mars 1683, & Catherine de Marsac, sa cousine), «de la paroisse St-André dans l'évêché de Poitiers». Né à Niort le 19 mai 1675, on le retrouvera sergent en Nouvelle-France en 1701. Père à Montréal en novembre 1704, il y épouse la mère le 12 juin 1706 et achètera un emplacement le 10 mars suivant au village de Lachine où il s'occupera du commerce des fourrures. Poursuivant ensuite sa carrière à Détroit, il y sera inhumé le 27 avril 1747. [3 enfants] MSGCF, vol. V (1952-1953), p. 231-234.

579 - François Péloquin dit Crédit (Mathurin & f Ambroise Syllart), «de la paroisse de St-André à Niort au Poitou». Il est inscrit le 1ᵉʳ novembre 1690 au registre de l'Hôtel-Dieu de Québec, alors soldat dans la compagnie de Saint-Ours et âgé de 26 ans. Marié à Trois-Rivières le 20 juillet 1699, il semblait vivre à Nicolet en 1700, et à Baie-du-Febvre en 1706. Il habitait toutefois à Trois-Rivières au moment de son second mariage, le 7 janvier 1709, et décédera à Saint-Ours le 13 septembre 1727. [4 + 0 enfants]

580 - André Bernier (Pierre, marchand bourgeois, & Marguerite Baraton), «de la ville de Niort en l'évêché de Poitiers». Né le 3 mars 1670, il fut baptisé deux jours plus tard à l'église Saint-André. Marié à Charlesbourg le 11 août 1693, il achètera, le 5 mars 1696, une habitation à Gros-Pin dans la paroisse de Charlesbourg où il est décédé le 28 septembre 1729. [11 enfants] GNA, p. 236.

581 - Sébastien Grenat dit Lachapelle (f Paul, maçon, & f Marie Bauder), «de la ville de Niort dans la paroisse de Saint-André». Il se marie le 19 septembre 1695 à Québec où il exerce le métier de maçon. Hospitalisé à l'Hôtel-Dieu de cette ville en mars 1698, il y est décédé, à 23 ans, le 13 novembre suivant. [2 enfants]

582 - Pierre Duranceau dit Brindamour (Jean & Élisabeth Marsillac), «de la paroisse de St-André en la ville de Niort dans l'évêché de Poitiers». Il était soldat dans la compagnie de monsieur de Saint-Jean lors d'un séjour de 15 jours à l'Hôtel-Dieu de Québec en janvier 1695. On le dira âgé de 30 ans lors d'un autre séjour de 16 jours en mars 1698. Marié à Québec le 21 octobre 1696, il déménage à Montmagny vers 1702, pour finalement se fixer, vers 1709, à Québec où il sera recensé dans la basse ville en 1716. Il est mort le 7 mai 1731 à l'Hôtel-Dieu de Québec. [12 enfants]

583 - Jean-Baptiste de Labourlière dit Laplante (Jacques & Françoise Ferrande), «de St-André de Niort». Comme le précédent, il était soldat dans la compagnie du sieur de Saint-Jean au moment de son mariage, à Saint-Pierre de l'île d'Orléans, le 11 février 1697. Il s'installera ensuite à Kamouraska où il décédera avant janvier 1730. [9 enfants]

584 - Jean Veillet dit Laplante (Jean & Marguerite Arnault), «de la paroisse de St-André à Niort dans l'évêché de Poitiers». Né vers 1664, il abjure le protestantisme à l'église Saint-André de Niort le 24 avril 1685, et émigre en Nouvelle-France vers 1687[3]. Il est cité à Batiscan dès le 21 avril 1697, étant soldat de la compagnie du sieur de Vaudreuil lors de son mariage au même endroit le 19 novembre 1698, en présence de Jean Germain (n° 586). Solidement établi à Batiscan, il est inhumé à l'église Sainte-Geneviève le 21 février 1741. [11 enfants]

585 - François Picard dit Laroche (Jean & Marie Morin), «de la paroisse de St-André dans la ville de Niort». Soldat de la marine âgé de 23 ans, il est cité le 8 septembre 1697 à l'Hôtel-Dieu de Québec alors qu'on le dit de la paroisse Saint-Paul dans la ville de Lyon. Soldat dans la compagnie de Jacques-Charles de Sabrevois lors de son mariage à Montréal le 5 mai 1704, il se fera maître brasseur et s'installera à Trois-Rivières vers 1725. Veuf en mai 1732, il s'y remarie le 25 août, et y décédera le 4 avril 1743. [Sans postérité]

586 - Jean Germain dit Magny (Jean & Renée Charbonneau), «de la paroisse de St-André à Niort au Poitou». Cité le 17 février 1698 à Batiscan, il s'y marie le 9 septembre en présence de son compatriote Jean Veillet (n° 584). Bien établi à cet endroit, il

---

3. Le 26 septembre 1992, ses descendants ont apposé une plaque sur l'église Saint-André où il avait abjuré le protestantisme. Communication de M. Raymond Daugé, de l'Association France-Québec.

Le donjon de Niort, XIIe, XIVe et XVIIIe siècles. (Musées de Niort. Photo : Berthrand Renaud, Musées de Niort.)

y recevra une autre concession de cinq arpents le 24 juillet 1708 et la donnera à son fils le 17 février 1724. Il est décédé à Batiscan le lendemain 18 février. [7 enfants]

587 - Moïse Morin dit Chênevert (Aaron, maître tanneur, & Jeanne Boutin), «de la paroisse St-André en la ville de Niort dans l'évêché de Poitiers». Cité le 28 août 1699 à Montréal, alors caporal dans la compagnie de Noyan, il accomplit en 1705 un voyage de traite dans l'Ouest, et sera devenu sergent dans la compagnie de monsieur de Beaucourt au moment de son mariage à Québec le 26 novembre 1707. Résidant, en 1716, dans la basse ville où on le dit âgé de 45 ans, il sera encore qualifié de sergent, à Québec, le 3 octobre 1731. [10 enfants]

588 - François Simonet (f Philippe, marchand et contrôleur dans les fermes du roi, & Marie Boismenay), «de St-André de Niort dans le diocèse de Poitiers». Né le 29 décembre 1701 et baptisé dans cette paroisse le 1er janvier suivant, il fut, semble-t-il, recruté en France par le fondateur de la communauté des Frères hospitaliers de la Croix et de Saint-Joseph, et aurait traversé en 1717 à bord du *Chameau* avec cinq autres maîtres d'école. Hospitalier et missionnaire à l'Hôpital général de

Montréal le 14 septembre 1721, il enseigne ensuite à Longueuil, prononce ses vœux le 24 octobre 1724 et ira enseigner à Trois-Rivières jusqu'en 1730, puis à Boucherville. Il quitte sa communauté en septembre 1741 lorsque celle-ci cesse de bénéficier des octrois royaux, et se fait marchand à Boucherville où il se marie le 23 janvier 1736. Le 1er juillet de l'année suivante, il reçoit une commission de notaire royal à Boucherville et dans tout le gouvernement de Montréal. Déménagé à Montréal en octobre 1738, il y exerce le notariat et s'y remarie le 7 juillet 1749. Substitut du procureur du roi de 1754 à 1760, il sera ensuite procureur en titre à Montréal, et commis greffier à partir du 24 novembre 1758. Il fera l'accquisition de plusieurs terres et seigneuries dans la région de Montréal et s'adonnera à l'élevage du mouton ainsi qu'à l'exploitation de vergers. Il est décédé à Montréal le 9 décembre 1778. [0 + 1 enfant] DBC, vol. IV, p. 768-769.

589 - Élie-Jean Gauthier (Laurent & f Élisabeth Lanaux), «de Niort en Poitou, paroisse Saint-André». Marié à Québec le 30 juin 1727, il achète, le 1er novembre 1728, un tiers d'arpent dans le fief d'Orvilliers à Sainte-Anne-de-la-Pérade et s'y fait tanneur. Il est dit habitant de Sainte-Anne, près des limites de Batiscan, le 7 janvier 1755, et sera encore qualifié de maître tanneur le 9 mai 1757. [11 enfants]

590 - Charles-François Lebon ou Bon dit Ferrière et Divertissant (François & Marguerite Perrault), «de la paroisse de St-André en la ville de Niort dans le diocèse de Poitiers». Étant arrivé en Nouvelle-France en même temps que son régiment en 1757, il est depuis six ans soldat du régiment de Berry lorsqu'il obtient, à l'âge de 21 ans, la permission de se marier le 23 décembre 1760. Son compatriote Jacques Denis (n° 591) lui sert alors de témoin. Il est dit habitant de Québec à son mariage le 12 janvier 1761. [4 enfants]

591 - Jacques Denis (...), «natif de la paroisse de St-André à Niort au Poitou». Au Canada depuis trois à quatre ans, il était tailleur et soldat dans la compagnie de Penneleau et Milledieu du régiment de Berry lorsqu'il servit de témoin au précédent, le 23 décembre 1760. J'ignore ce qu'il est ensuite devenu. [Sans alliance]

592 - Jacques Branger (Jacques, laboureur, & Catherine Gonbau ou Gourbeau), «de la paroisse de St-André de Niort dans le diocèse de Poitiers». Il est âgé de 32 ans et caporal dans la compagnie de Constant Lemarchand, sieur de Lignery, lors de son mariage au Sault-au-Récollet, dans l'île de Montréal, le 4 avril 1758. Vivant à cet endroit, il semble déménager à Châteauguay vers 1762. [1 enfant] MSGCF, vol. V (1952-1953), p. 56.

Les 17 migrants qui suivent sont venus de Niort sans que l'on puisse déterminer de quelle paroisse ils étaient originaires[4].

593 - Jacques Gourdeau de Beaulieu (f Nicolas, procureur du roi à Niort, & Marguerite Michau), «de Niort au Poitou». Il est peut-être cet artificier dont parlent les jésuites dans leur *Relation* de 1637. D'ascendance noble, il est signalé pour la première fois de façon certaine le 6 juin 1652 à Trois-Rivières, mais il habite à l'île d'Orléans lorsqu'il épouse la seigneuresse Éléonore de Grandmaison, le 13 août de la même année. Après un séjour en France sur l'ordre du roi en 1657-1658, il agit comme greffier de la Sénéchaussée de Québec de 1660 à 1662, puis comme notaire au même endroit de 1662 à sa mort. Il fut assassiné par un de ses serviteurs, à l'île d'Orléans, le 29 mai 1663. [4 enfants] BRH, vol. XXXIX (1933), p. 321-324.

594 - Pierre Laurent (...), «de Niort». Âgé de 24 ans, il s'engage le 14 mars 1657 à La Rochelle pour trois ans au Canada, où il n'a laissé aucune trace dans les archives. [Sans alliance]

595 - Mathurine Lacroze (...), «de Niort». Elle s'engage à La Rochelle, âgée de 22 ans, le 14 mai 1658. C'est probablement elle, arrivée à bord du *Taureau*, que le gouverneur Voyer d'Argenson renvoie pour être arrivée enceinte.

---

4. Il faudrait rajouter Philippe Biraud de Laferté (...), trouvé après la conclusion de la présente étude. Ce marchand de la ville de Niort est présent en Nouvelle-France de 1715 à 1721. Il assiste notamment au mariage de Léon Levrault, sieur de Langis (n° 88), à Batiscan le 23 février 1718. Rentré à Niort, les marchands Charles (ou Claude) Porlier, Louis Aimé (n° 504) et Jean Couste dit Lagrange s'occupent de ses affaires à Québec. Il semble encore vivant à Niort en 1758. Il sera abondamment question de lui dans un article en préparation sur les relations commerciales entre Niort et la Nouvelle-France.

302 *La contribution du Haut-Poitou...*

596 - André Bonnault (...). Il serait né à Niort le 27 septembre 1643[5]. Entré chez les jésuites à Bordeaux le 31 octobre 1662, il est cité à Sillery du 14 novembre 1676 au 13 août 1677. Il rentre ensuite en France où il décède à Pau, le 3 janvier 1731. ADC, vol. VI, p. 123.

597 - Mathurin Richard dit Dusablon (f Charles, marchand drapier ou droguiste, & Marie Hérault ou Nérault), «de Niort au Poitou[6]». Soldat dans la compagnie de Guillaume de Lorimier au moment de son mariage à Boucherville le 5 décembre 1688, il habitait à cet endroit où il avait été transféré dans la compagnie de Nicolas Daneau de Muy en 1691. Il y sera tué par les Iroquois le 22 août 1695. [4 enfants]

598 - Jean Boismene (François & Jeanne Sauvestre), «de la ville de Niort dans l'évêché de Poitiers». Marié à l'âge de 38 ans à Batiscan le 6 février 1689, sa femme est inhumée au même endroit en septembre 1712. Il n'a guère laissé d'autres traces. [Sans postérité]

599 - Roch Ripault dit Rolet (Pierre & Marie Duval), «natif de Niort en Poitou». Marié au Cap-Santé le 6 février 1689, il habite à Saint-Charles de Grondines où il devient veuf en août 1712. Il ira se remarier, âgé de 50 ans, à Neuville le 15 novembre 1713, et décédera à Grondines le 14 mai 1715. [6 + 0 enfants]

600 - Isaac Christin ou Cristin dit Saint-Amour (Pierre & Marie Thomasse), «de Niort dans l'évêché de Poitiers». Marié à Repentigny le 2 mars 1699, il vit à Saint-François dans l'île Jésus jusque vers 1705. Il se fait ensuite maître cordonnier à Montréal avant de se fixer à Rivière-des-Prairies où il reçoit une concession le 27 septembre 1711. Encore cité à cet endroit le 6 septembre 1750, il a dû mourir peu après cette date. [12 enfants]

---

5. J.-B. ALLAIRE, *Dictionnaire biographique du clergé canadien-français*, Saint-Hyacinthe, Imprimerie du *Courrier de Sainte-Hyacinthe*, 1934, vol. VI, p. 123.

6. Son contrat de mariage le dit de Niort en l'évêché de Poitiers. R. JETTÉ, dans son *Dictionnaire généalogique des familles du Québec* (Montréal, Presses de l'Université de Montréal, 1983, p. 982), le dit de la paroisse Saint-André.

601 - Louis Roy dit Saint-Louis (Pierre & Marie Granate), «natif de Niort». Âgé de 32 ans et étant depuis 13 ans au Canada, il se marie à Boucherville le 4 juin 1727. On le retrouvera à Québec dès l'année suivante et il s'établira à Beaumont vers 1730. Veuf en mai 1743, il habitait encore Saint-Étienne de Beaumont au moment de son remariage à Montmagny le 21 février 1746. Il vivra ensuite brièvement à Berthier pour finalement, en 1748, déménager à Québec où il sera qualifié de journalier le 28 juin. [8 + 2 enfants]

602 - Thomas Foru, Feru ou Ferreux (Pierre & Catherine Levraude), «de la paroisse de Niort en Poitou dans le diocèse de Poitiers». Il était soldat dans la compagnie de monsieur de Beaujeu au moment de son mariage à Québec le 1er janvier 1727. Il semble décéder peu après. Sa femme vivait aux forges du Saint-Maurice le 23 juillet 1741 et y sera déclarée veuve le 2 septembre 1748. [Sans postérité]

603 - Jean Arnou (...), «natif de Niort en Poitou». Âgé de 20 ans, «de taille haute, cheveux châtains», et devant s'embarquer sur le *Saint-Joseph* pour Québec où il a affaire, son nom est inscrit, à la date du 3 juin 1752, dans les passeports des passagers embarqués à Bordeaux. Son nom figure aussi sur la liste des passagers du *Saint-Joseph*, le 26 juin de la même année. C'est probablement lui qui sert de témoin à un baptême, à Saint-Pierre-de-la-Rivière-du-Sud, le 11 mars 1753. [Sans alliance]

604 - Pierre-Nicolas Duguay (...), «natif de Niort en Poitou». Boutonnier âgé de 18 ans, il s'engage à Bordeaux le 16 avril 1755 à venir travailler en Nouvelle-France pendant trois ans, moyennant 320 livres de sucre brut. Il devait traverser sur *La Bonté*, mais je n'ai pas retrouvé sa trace en Nouvelle-France. [Sans alliance]

605 - Louis Saillant dit Sanssoucy (...), «natif de Niort au Poitou[7]». Âgé de 25 ans, il est en service depuis quatre ans dans la compagnie de Delmas du régiment de La Reine lorsqu'il obtient, le 25 janvier 1759, la permission de se marier. Il convole quelques semaines plus tard et vivra avec sa famille à Beaupré. On le dit encore soldat du regiment de La Reine, le

---

7. Selon le témoignage de liberté au mariage.

Le Pilori, XVIe siècle. Ancien hôtel de ville. (Musées de Niort. Photo : Berthrand Renaud, Musées de Niort.)

6 juillet 1763, lorsque, «revenant de la découverte», il enterra le corps d'un soldat nommé Bellehumeur, tué vers la chute de Carillon[8]. Il semble s'établir à la côte Saint-Joachim vers 1766. [7 enfants]

606 - André Brillan dit Poitevin (...), «natif de Niort». Soldat dans la compagnie de Montreuil depuis quatre ans, il a 22 ans lorsque Pierre Brunelot dit Lapierre (n° 184) et lui servent de témoin à Louis Saillant (n° 605) le 25 janvier 1759. Nulle autre mention. [Sans alliance]

607 - Louis Thibault (Simon & Françoise Lecompte), «de Niort en Poitou». Le 17 novembre 1760 à Champlain, il épouse après dispense de deux bans Marie-Thérèse Saint-Ours, veuve depuis peu. Le couple venait d'avoir un enfant qui sera inhumé à l'âge de quatre mois le 10 janvier 1761 à Québec. J'ignore ce qu'il est ensuite devenu. [1 enfant]

608 - Charles-François de Ferrière ou Ferrier (Charles-Hector & Marguerite Sabourin), «de la ville de Niort dans le diocèse de Poitiers». Cité dès le 21 janvier 1765 à l'île Dupas où il habitait avec sa famille, il s'installe ensuite à Sainte-Anne-de-la-Pérade où il se remarie le 1er juillet 1782. Il déménagera peu après à Québec, alors que ses enfants demeureront à Saint-Anne-de-la-Pérade où ils se marieront entre 1785 et 1800. Il est décédé après le 9 juillet 1800. [3 + 0 enfants]

609 - Pierre Brunet (f André & Louise Roy), «de la ville de Niort dans l'évêché de Poitiers au Poitou». Arrivé en 1760, il obtient la permission de se marier le 20 juin 1767. Âgé de 31 ans, il habitait dans la paroisse de Saint-Antoine de Chambly lors de son mariage, le 13 juillet 1767; son contrat de mariage précise qu'il était marchand. On le retrouvera ensuite à Saint-Mathias-sur Richelieu où il sera qualifié de négociant de cette paroisse, le 16 août 1790. [3 enfants]

---

8. C. TANGUAY, *À travers les registres*, Montréal, Librairie Saint-Joseph, 1886, p. 184.

Chapitre XII

Les autres

Le Haut-Poitou dans la France avec les limites du diocèse de Poitiers.

Certains migrants poitevins sont d'origine paroissiale indéterminée, qu'il s'agisse d'un lieu de provenance que je n'ai pu localiser ou d'une mention insuffisamment précise. Voici une liste non exhaustive de migrants dont l'appartenance haut-poitevine reste à établir. Elle sera suivie de la liste, beaucoup plus courte, des migrants haut-poitevins s'étant établis dans la vallée du Saint-Laurent sous le Régime anglais.

La province du Poitou était cernée par la Bretagne et l'Anjou au nord, par la Touraine au nord-est, le Berry et la Marche à l'est, le Limousin au sud-est, l'Angoumois et la Saintonge au sud, l'Aunis au sud-ouest, et l'océan Atlantique à l'ouest. Les 46 migrants qui suivent sont venus de paroisses ou de lieux-dits indéterminés du Poitou, mais ne sont pas nécessairement haut-poitevins.

GOURIOLE EN POITOU

610 - Marc Fouquet (...), «de Gouriole en Poitou». Peut-être était-il de Gascougnolles, hameau de la commune de Vouillé dans le Niortais? Il est dit laboureur lorsqu'il s'engage, le 31 mars 1642 à La Rochelle, pour aller travailler pendant trois ans en Nouvelle-France. C'est probablement lui qui fut pris par les Iroquois le 13 juin 1658. [Sans alliance] TCI, p. 116.

CHANDAUX EN POITOU

611 - Hilaire Bonjeu (...), «natif du lieu de Chandaux en Poitou». Il pourrait s'agir de Le Chaudaur, ancien hameau près de Mirebeau, ou de l'ancien lieu-dit Les Chandor dans la commune de Vouneuil-sur-Vienne[1]. Il s'engage comme laboureur à La Rochelle, le 16 mai 1642. Comme il n'a pas laissé de traces dans les archives, on ne sait s'il est vraiment venu en Nouvelle-France. [Sans alliance]

LA BARANTIÈRE AU POITOU

612 - Pierre Maillarchaux ou Maiorchon dit Jolicœur (...), «de St-Jean au Poitou, de la paroisse de La Baradière, La

---

1. L. REDET, *Dictionnaire topographique du département de la Vienne comprenant les noms de lieux anciens et modernes*, Paris, Imprimerie nationale, 1881, p. 104 et 88.

Barantière, La Baravière et La Baratière au Poitou²», ce qui pourrait correspondre à plusieurs endroits dont La Baronnière à Vançais, La Barlière à Saint-Georges-de-Noisné, La Balandière à Linazay, Les Barbalières à Bonnes, La Bourrelière à Cuhon dans la commune de Mirebeau, Brandallière à La Roche-Rigault, etc. Soldat de la compagnie de Saint-Ours, il est dit âgé de 23 ans et de 25 ans à l'Hôtel-Dieu de Québec où il fut hospitalisé d'octobre 1690 à avril 1691. Il a dû mourir des suites de sa maladie. [Sans alliance]

MARGUE AU POITOU

613 - André Margorie (...), «de Margue au Poitou³», ce qui pourrait désigner Marnes dans le canton d'Airvault, Magné dans le canton de Niort (p. 260), Magné dans le canton de Gençay (p. 209), Marnay dans le canton de Vivonne... Matelot âgé de 20 ans, il fut hospitalisé pendant deux mois à l'Hôtel-Dieu de Québec durant l'été de 1691. Nulle autre mention. [Sans alliance].

MILLERAY AU POITOU

614 - François Hobinaux (...), «de Milleray au Poitou⁴», ce qui pourrait désigner : Mézeray, hameau de la commune de Pleumartin; Melleran, commune de Chef-Boutonne (p. 273); ou la Meilleraie-Tillay, commune du canton de Pouzauges en Vendée. Âgé de 22 ans, il est hospitalisé durant 24 jours à l'Hôtel-Dieu de Québec en août 1691. Nulle autre mention. [Sans alliance]

SAINTE-BARBE AU POITOU

615 - Marie-Anne Lemère (...), «de Ste-Barbe au Poitou⁵», ce qui pourrait peut-être désigner Saint-Barbant dans le canton de Mézières-sur-Issoire en Haute-Vienne. Elle est dite femme de Jasin et âgée de 39 ans, le 20 novembre 1691, à l'Hôtel-Dieu de Québec. Nulle autre mention. [Sans postérité]

---

2. *Registre des malades* de l'Hôtel-Dieu de Québec, les 10 octobre 1690, 1ᵉʳ janvier, 1ᵉʳ février, 1ᵉʳ mars et 1ᵉʳ avril 1691.
3. *Registre des malades* de l'Hôtel-Dieu de Québec, le 1ᵉʳ juillet 1991.
4. *Registre des malades* de l'Hôtel-Dieu de Québec, le 8 août 1691.
5. *Registre des malades* de l'Hôtel-Dieu de Québec, le 20 novembre 1691.

LOUVRIERS AU POITOU

616 - Émery Leblanc (...), «de Louvriers au Poitou[6]», ce qui pourrait correspondre à Loubigné dans le canton de La Mothe-Saint-Héray, à Lorigné, canton de Sauzé-Vaussais (p. 272), ou encore à Loubigné ou Loubillé, toutes les deux dans le canton de Chef-Boutonne. Soldat âgé de 25 ans, il fut hospitalisé de juillet à septembre 1693 à l'Hôtel-Dieu de Québec. Nulle autre mention. [Sans alliance]

SAINT-BOISIER AU POITOU

617 - Louis Richen (...), «de St-Boisier au Poitou[7]». Peut-être Saint-Basile au sud de Rochechouart? À 24 ans, en juillet 1693, ce soldat fut hospitalisé à l'Hôtel-Dieu de Québec. Nulle autre mention. [Sans alliance]

DALOYES AU POITOU

618 - Jacques Masson (...), «de Daloyes au Poitou[8]», ce qui pourrait désigner soit Alloue, jadis en Poitou dans le canton de Champagne-Mouton, soit Allonne dans le canton de Secondigny, soit Aslonnes dans le canton de Vivonne, soit Asnois (p. 218) dans le canton de Charroux, ou peut-être même Allois, à l'est de Limoges dans l'ancien Limouzin. Soldat âgé de 18 ans, il fut hospitalisé durant plus de deux semaines à l'Hôtel-Dieu de Québec en juillet-août 1993. Nulle autre mention. [Sans alliance]

SAINT-PIERRE AU POITOU

619 - René Lesqueux (...), «de Saint-Pierre au Poitou[9]», ce qui peut correspondre à Saint-Pierre-d'Exideuil (p. 221) ou à Saint-Pierre-de-Maillé (p. XXX) dans la Vienne, à Saint-Pierre-des-Échaubrognes en Deux-Sèvres, à Saint-Pierre-du-Chemin ou Saint-Pierre-le-Vieux en Vendée, ainsi qu'à plusieurs autres endroits. Soldat âgé de 17 ans, il fut hospitalisé durant neuf jours à l'Hôtel-Dieu de Québec en août 1693. Nulle autre mention. [Sans alliance]

---

6. *Registre des malades* de l'Hôtel-Dieu de Québec, le 25 juillet 1693.
7. *Registre des malades* de l'Hôtel-Dieu de Québec, le 30 juillet 1693.
8. *Registre des malades* de l'Hôtel-Dieu de Québec, le 2 août 1693.
9. *Registre des malades* de l'Hôtel-Dieu de Québec, le 8 août 1693.

JEANCE EN POITOU

620 - Étienne Février (...), «de Jeance en Poitou», ce qui pourrait correspondre à Gençay (p. 210), à Joussé dans le canton de Charroux, ou à Jassay, hameau de la commune de Chenay dans le canton de La Mothe-Saint-Héray. Soldat du régiment de La Reine, il est admis à l'Hôtel-Dieu de Québec en septembre 1759. Nulle autre mention. [Sans alliance] MSGCF, vol. IX (1958), p. 119.

POITOU

621 - Michel Regnaudeau (...), «du Poitou». À 21 ans, il s'engage pour trois ans à La Rochelle, le 3 mars 1657. N'ayant pas laissé de traces en Nouvelle-France, on ne sait s'il est vraiment venu. [Sans alliance] TCI, p. 367.

622 - Marie Taupier (Joseph & Jeanne Drapon), «du Poitou». Mariée à Québec le 13 octobre 1661, elle vit d'abord à Château-Richer, puis à l'île d'Orléans. On la dit âgée de 30 ans en 1666. Elle fut inhumée, le 16 novembre 1700, à Sainte-Famille dans l'île d'Orléans. [9 enfants]

623 - Jean Serreau ou Sarreau de Saint-Aubin (...). Il obtient une terre vers 1662 à Argentenay dans l'île d'Orléans et épouse, vers 1663, la loudunoise Marguerite Boileau (n° 18). Ayant commis un meurtre passionnel en juillet 1665, il s'enfuit en France où il obtient des lettres de grâce de Louis XIV qu'il fera enregistrer à Québec au cours de l'automne 1666. Le seigneur lui ayant retiré sa terre d'Argentenay, il s'occupe alors de commerce de fourrures et est soupçonné, en 1670, d'avoir vendu de l'alcool aux indigènes. Il exploitera ensuite une goudronnerie à Baie-Saint-Paul, qu'il vendra en septembre 1676 à Mgr de Laval, pour se retrouver à la rivière Sainte-Croix, en Acadie, où il se fait concéder la seigneurie de Pesmocadie en juin 1684. Amené en captivité avec sa famille à Boston en 1692, il s'évade héroïquement et paie une rançon pour faire libérer les siens. Il participe ensuite aux expéditions de Le Moyne d'Iberville à Terre-Neuve en 1696-1697, et obtiendra en 1703 un certificat attestant ses services et sa fidélité. Passé brièvement en France, il reviendra mourir, à l'âge de 84 ans, à Port-Royal en 1705. [3 enfants] TCI, p. 493; SVL, p. 405-409; DBC, vol. II, p. 631-632.

624 - Pierre Boisseau (...), «du Poitou». Il fut confirmé à Québec le 31 mai 1667. Nulle autre mention. [Sans alliance]

625 - René Salé (...), «du Poitou et de l'évêché de Poitiers[10]». Confirmé à l'âge de 27 ans à Nicolet le 14 juillet 1681, il était habitant de Baie-du-Febvre au moment de son mariage à Trois-Rivières, le 11 février 1686. Après un séjour de 10 jours à l'Hôtel-Dieu de Québec en mars 1693, on le retrouve à Montréal où il sera qualifié d'habitant de 1696 à 1699. En 1709, il semble résider à Québec où il sera inhumé le 3 avril 1715. [6 enfants]

626 - Jacques Feriaux dit Lacoste (...), «du Poitou». Soldat de la compagnie de Maupoux, comte de l'Estrange, il était âgé de 44 ans lorsqu'il fut hospitalisé à l'Hôtel-Dieu de Québec. Il y est mort un mois plus tard, le 3 juillet 1693. [Sans alliance]

627 - Marie Vignée (...), «du Poitou». À 37 ans, en janvier 1694, elle fut hospitalisée durant une semaine à l'Hôtel-Dieu de Québec. Nulle autre mention. [Sans alliance]

628 - Louis Defoy (...), «du Poitou[11]». Marié vers 1694 à Batiscan où il fait baptiser un fils l'année suivante, il vivra ensuite très discrètement à Québec. Il est décédé à l'âge de 72 ans, le 21 janvier 1724, à l'Hôtel-Dieu de cette ville. [1 enfant]

629 - André Moineau dit Desmoulins (...), «du Poitou et de (l'évêché de) Poitiers[12]». Âgé de 25 ans, il fut hospitalisé durant quelques semaines en mai et juin 1695 à l'Hôtel-Dieu de Québec, où il fera d'autres séjours en mai, en novembre et en décembre 1696. Parrain à Québec le 22 novembre 1700, il est probablement rentré en France par la suite. [Sans alliance]

630 - Lespérance (...), «du Poitou et de Bourges[13]». Soldat de la compagnie d'Aloigny de La Groix âgé de 47 ans, il fut hospitalisé à l'Hôtel-Dieu de Québec d'avril 1697 jusqu'à sa mort, le 6 octobre de la même année. [Sans alliance]

---

10. Selon le *Registre des malades* de l'Hôtel-Dieu de Québec, le 17 mars 1693 et l'acte de sa confirmation.
11. Selon son acte de décès.
12. *Registre des malades* de l'Hôtel-Dieu de Québec, les 29 mai 1695 et 27 novembre 1693.
13. *Registre des malades* de l'Hôtel-Dieu de Québec, les 8 avril et 6 juin 1697.

631 - Grandpré (...), «du Poitou». À 42 ans, il était soldat de la compagnie de Jean Bouillet de La Chassaigne lorsqu'il fut hospitalisé pendant deux semaines à l'Hôtel-Dieu de Québec, au printemps de 1697. [Sans alliance]

632 - Lepoydevin (...), «du Poitou». Soldat âgé de 21 ans dans la compagnie de Charles-Henri Aloigny de La Groix, il fut hospitalisé pendant environ trois semaines à l'Hôtel-Dieu de Québec en mai 1697. [Sans alliance]

633 - Labussière (...). Soldat dans la compagnie de Lamothe de Cadillac, il fut, à 29 ans, hospitalisé durant 11 jours à l'Hôtel-Dieu de Québec, en juin 1697. [Sans alliance]

634 - Ansirt (...), «du Poitou». Âgé de 25 ans et soldat de la compagnie de Pierre Petit de Levilliers, il fut hospitalisé durant cinq jours à l'Hôtel-Dieu de Québec, au début d'août 1697. [Sans alliance]

635 - Laliberté (...), «du Poitou». Matelot de 19 ans, il fut hospitalisé durant 16 jours à l'Hôtel-Dieu de Québec au cours de l'été de 1697. [Sans alliance]

636 - Sancartier (...), «du Poitou». Soldat âgé de 20 ans, il était dans la compagnie de Charles-Henri Aloigny de La Groix lorsqu'il fut hospitalisé pendant une semaine à l'Hôtel-Dieu de Québec, en août 1697. [Sans alliance]

637 - Jean Baron (...), «du Poitou». À l'âge de 17 ans, il fut hospitalisé durant deux semaines à l'Hôtel-Dieu de Québec, en août-septembre 1697. Cité à Laprairie le 24 novembre 1698, il est probablement rentré en France par la suite. [Sans alliance]

638 - François Legain (...), «du Poitou». Pendant trois mois, il fut hospitalisé, à l'âge de 21 ans, à l'Hôtel-Dieu de Québec à la fin de 1697. J'ignore ce qu'il est ensuite devenu. [Sans alliance]

639 - Pierre Moro (...), «du Poitou». Âgé de 16 ans, il fut hospitalisé durant deux semaines à l'Hôtel-Dieu de Québec, en août-septembre 1697. [Sans alliance]

640 - Mathurin Defardraux (...), «du Poitou». À 22 ans, il fut hospitalisé durant trois semaines à l'Hôtel-Dieu de Québec, en août-septembre 1697. [Sans alliance]

641 - Joseph Goupil (...), «du Poitou». À 17 ans, il fut hospitalisé durant 10 jours à l'Hôtel-Dieu de Québec, en septembre 1697. [Sans alliance]

642 - Jean Larose (...), «du Poitou». Âgé de 15 ans, il fut hospitalisé durant près de deux mois à l'Hôtel-Dieu de Québec, au cours de l'automne 1697. C'est peut-être lui que l'on cite à Saint-Laurent de l'île d'Orléans le 1er novembre 1705. [Sans alliance]

643 - Louis Galoncha, Galochia ou Galoucha (...), «du Poitou et de (l'évêché de) La Rochelle[14]». À 20 ans, il fit un séjour de deux semaines à l'Hôtel-Dieu de Québec, à la fin de 1697. On le dira âgé de 17 ans (sic) lors d'un second séjour en août 1698. Canonnier dans la compagnie de Daniel Greyselon Dulhut, il y reviendra encore en novembre 1698 et au printemps de 1699. [Sans alliance]

644 - Vincent Renaux (...), «du Poitou». Il fut hospitalisé, à l'âge de 24 ans, durant 11 jours à l'Hôtel-Dieu de Québec en février-mars 1698. Il y passera encore six jours en avril-mai 1699. [Sans alliance]

645 - Louis Day (...), «du Poitou». Soldat de la compagnie de Philippe Rigaud de Vaudreuil âgé de 19 ans, il fit un court séjour à l'Hôtel-Dieu de Québec en juin 1698. [Sans alliance]

646 - Thomas Fontenay (...), «du Poitou». À l'âge de 31 ans, il fut hospitalisé durant trois semaines à l'Hôtel-Dieu de Québec, au cours de l'été de 1698. [Sans alliance]

647 - Antoine Fournier (...), «du Poitou». Il était soldat dans la compagnie de Charles-Henri Aloigny de La Groix lorsqu'il fut hospitalisé, d'août à octobre 1698, à l'Hôtel-Dieu de Québec. Âgé alors de 35 ans, il fera un second séjour d'une semaine en avril suivant. [Sans alliance]

648 - Jean Croisac (...), «du Poitou». Âgé de 21 ans et soldat dans la compagnie d'Olivier Morel de La Durantaye, il fut hospitalisé à l'Hôtel-Dieu de Québec de novembre 1698 à janvier 1699. [Sans alliance]

---

14. *Registre des malades* de l'Hôtel-Dieu de Québec, les 14 août 1698 et 10 mai 1699.

649 - Pierre Poyan (...), «du Poitou». Soldat dans la compagnie de Renaud d'Avesne des Méloizes, il est décédé âgé de 20 ans à l'Hôtel-Dieu de Québec, le 16 avril 1699, après une hospitalisation d'une dizaine de jours. [Sans alliance]

650 - Jacques Desvarenne (...), «du Poitou». À 21 ans, il fut hospitalisé durant quelques semaines à l'Hôtel-Dieu de Québec, en octobre 1699. [Sans alliance]

651 - Joseph Deniau (...). Né dans le Poitou vers 1668, il fait ses études à Angers et arrive en Nouvelle-France comme soldat. Il entre ensuite chez les récollets de Québec où il est ordonné, le 3 décembre 1700, sous le nom de père Chérubin. Curé de Louiseville avec desserte à Yamachiche de 1716 à 1732, il œuvre aussi à Laprairie et à Longueuil en 1730, puis décède à l'Hôtel-Dieu de Montréal le 11 janvier 1733. Il sera inhumé le lendemain dans l'église des récollets. ADC, vol. I, p. 155.

652 - Jean Renou (...), «résidant au Poitou». Boulanger âgé de 22 ans, il est engagé le 1er mai 1730 à La Rochelle pour un salaire de 300 livres; l'aller et le retour en Nouvelle-France lui sont garantis. Je ne l'ai pas retracé. [Sans alliance]

653 - Jean Rajot dit Lafeuillade (...), «natif du Poitou». Il était soldat, âgé de 20 ans, dans la compagnie d'Arlens du régiment de Berry lorsqu'il fut hospitalisé à l'Hôtel-Dieu de Québec en août 1757. [Sans alliance] MSGCF, vol. XIX (1968), p. 56.

654 - François Marier dit Lavolonté (...), «du Poitou». À 24 ans, il était soldat dans la compagnie de Delmas du régiment de La Reine lorsqu'il fut hospitalisé à l'Hôtel-Dieu de Québec de janvier à mai 1758. Il est décédé à l'Hôpital général de Québec le 12 décembre de la même année. [Sans alliance] MSGCF, vol. XIV (1963), p. 19.

655 - Pierre Lefort (...), «du Poitou». Soldat de recrue du régiment de Berry, il avait 30 ans à son entrée à l'Hôtel-Dieu de Québec en juillet 1758. [Sans alliance] MSGCF, vol. XII (1961), p. 230.

Les 44 migrants suivants sont dits du diocèse de Poitiers et ne sont donc pas nécessairement haut-poitevins. Le diocèse de Poitiers débordant quelque peu du Poitou, il existe aussi la mince possibilité qu'ils ne soient même pas poitevins[15].

COUVRAY ou LIVEURDAIS, ÉVÊCHÉ DE POITIERS

656 - Philippe Dion dit Deslaurier (f Philippe & f Françoise Bernard), «de la paroisse de Liveurdais dans l'évêché de Poitiers, de Cœurvrais dans l'évêché de Poitiers, et de Courvray dans l'évêché de Poitiers[16]». En 1666, âgé de 34 ans, il était travailleur volontaire en banlieue de Québec. Renonçant à un projet de mariage en 1676, il était alors habitant de la seigneurie de Lauzon où on lui reconnaîtra un fusil et six arpents en valeur en 1681. Il se marie le 13 novembre 1684 à Québec, où il semble aller habiter en 1690, et mourir en 1691 ou 1692. [4 enfants]

SAINT-PIERRE-JOUINIENS, ÉVÊCHÉ DE POITIERS

657 - Léonard Girardin dit Sanssoucy (Joseph & Jeanne Boulanger), «de la paroisse de St-Pierre-Jouiniens dans l'évêché de Poitiers», ce qui pourrait peut-être correspondre à

---

15. Au cours d'une dernière révision, je constate l'oublie de Pierre Payment dit Larivière (Pierre, laboureur, & Françoise Lafleur), demeurant au bourg de Favard en la paroisse Saint-Antoine dans l'évêché de Poitou (greffe de La Cetière, le 16 janvier 1706). L'acte de son premier mariage le dit de Favar dans l'évêché de Poitiers, alors que son second mariage, en 1724, le dira de la paroisse de Notre-Dame-de-Castelnaudary dans l'évêché de Saint-Papoul en Languedoc. Soldat de la marine, il conclut un contrat de mariage à Québec le 16 janvier 1706; un fils lui naîtra en décembre suivant, mais il ne pourra épouser sa compagne, alors enceinte de sept mois, que le 5 avril 1709 après que le gouverneur de Vaudreuil lui en aura donné la permisssion. Le recensement de 1716 le présente encore à Québec, âgé de 41 ans, et exerçant le métier de charpentier de navire. Il se déplace à Montréal vers 1720 et s'installe à la Côte-des-Neiges où, le 14 janvier 1723, il prend à bail pour une période de sept ans le moulin à eau que possèdent les seigneurs à cet endroit. Veuf quelques mois plus tard, il se remarie dans la paroisse Saint-Laurent, le 31 janvier 1724, et élève une deuxième famille à la Côte-des-Neiges. On l'inhumera à Sainte-Geneviève le 4 mars 1750. [3 + 6 enfants]. Les compilations présentées à la fin de cet ouvrage ne tiennent pas compte de lui.
16. Greffe de Pierre Duquet, les 26 mai 1676 et 13 novembre 1684; *Registre de Notre-Dame-de-Québec*, mariage du 13 novembre 1684.

Jouarenne dans la commune d'Aslonnes au sud de Poitiers. Son contrat de mariage le dit de la ville de St-Guyvien (?) dans l'évêché de Poitiers. Habitant à Bellechasse, il se marie à Québec le 12 octobre 1671. Vers 1676, il s'établit à Lachine, où le recensement de 1681 le dira âgé de 36 ans et en possession d'un taureau et de huit arpents en culture. Il est décédé en 1687 ou 1688. [7 enfants]

SAINT-LÉGER, ÉVÊCHÉ DE POITIERS

658 - Mélin Bonnet (f Jean & Jeanne Antigny), «de Saint-Léger dans l'évêché de Poitiers», ce qui peut correspondre à Saint-Léger-de-la-Martinière en Niortais, à Saint-Léger-de-Montbrun dans le Thouarais, à la paroisse Saint-Léger de Saint-Maixent-l'École (p. 253) ou à Saint-Léger-de-Montbrillais en Loudunais[17]. Arrivé à Québec vers 1670, il est dit habitant de Saint-Bernard, à Charlesbourg, où il se mariera l'année suivante. Âgé de 40 ans en 1681, il sera qualifié de maréchal possédant quatre bêtes à cornes et dix arpents en valeur au même endroit. Il est décédé à Charlesbourg le 30 septembre 1703. [7 enfants]

SAINT-RENÉ, ÉVÊCHÉ DE POITIERS

659 - Jean Garceau dit Tranchemontagne (Pierre & Jacquette Soulard), «de la paroisse de Saint-René dans le diocèse de Poitiers». Né vers 1680, il était soldat de la garnison de Port-Royal où il s'est marié le 20 novembre 1703, pour y décéder vers 1710. [4 enfants[18]]

LOMES, (ÉVÊCHÉ DE) POITIERS

660 - Anne Gillebert (...), «de Lomes (dans l'évêché de) Poitiers», ce qui pourrait désigner Lonnes en Charente, Les-Ormes dans la Vienne, Lhoumois ou Louin (p. 239) en Deux-Sèvres... À 40 ans, elle fut hospitalisée durant quatre semaines à l'Hôtel-Dieu de Québec, en janvier 1690. Nulle autre mention. [Sans alliance]

---

17. Mme Lucienne Recouppé-Blanchard, de la Maison de l'Acadie, n'a pas retrouvé son acte de baptême à la paroisse de Saint-Léger-de-Montbrillais. C.-M. SAUGRAIN, dans son *Dictionnaire universel de la France ancienne et moderne et de la Nouvelle-France* (Paris, 1727, vol, III, p. 295), mentionne aussi un Saint-Léger au Poitou, diocèse et élection de Poitiers.

18. B. ARSENAULT, *Histoire et généalogie des Acadiens*, Montréal, Leméac, 1978, vol. 2, p. 551.

SAINT-LOUIS, (ÉVÊCHÉ DE) POITIERS

661- **Jacques Lemarquis dit Labrane** (...), «de Saint-Louis (dans l'évêché de) Poitiers[19]». Âgé de 39 ans, il fut hospitalisé durant 11 jours à l'Hôtel-Dieu de Québec, en novembre 1691. Nulle autre mention. [Sans alliance]

SAINT-NIEL, ÉVÊCHÉ DE POITIERS

662 - **Pierre Garneau** (...), «de St-Niel dans l'évêché de Poitiers», ce qui peut renvoyer à bien des endroits, notamment : Nieull'Espoir, canton de La Villedieu-du-Clain. À 30 ans, il fut hospitalisé pendant 19 jours à l'Hôtel-Dieu de Québec, en mars-avril 1694. Nulle autre mention. [Sans alliance]

SAINT-MARTIN, ÉVÊCHÉ DE POITIERS

663 - **Pierre Devoyau dit Laframboise** (f Léonard, tisserand, & Anne Daté ou Letay), «de Saint-Martin dans l'évêché de Poitiers», ce qui pourrait correspondre à Saint-Martinl'Ars[20] (p. 216), à Saint-Martin-du-Fouilloux (p. 244), à Saint-Martin-de-Saint-Maixent (p. 256) ou à Saint-Martin-la-Rivière[21] (p. 198). Marié à Montréal le 24 mai 1706, à l'âge de 24 ans, il déménage vers 1721 à Côte-Vertu en banlieue de Montréal, où il décède le 10 octobre 1758. [12 enfants]

SALLES, ÉVÊCHÉ DE POITIERS

664 - **Pierre Desnoux ou Desnouches** (f Pierre & Jeanne Morineau), «de la paroisse de Salles dans l'évêché de Poitiers», ce qui peut correspondre à Salles-en-Toulon (p. 199), à Salles-en-Saint-Maixent (p. 259) ou à Salles, ancienne commune rattachée à Aulnay (p. 285). Ce chirurgien s'est marié le 21 octobre 1728 à Québec où il était installé. Le recensement de 1744 lui donne 53 ans. Il est décédé au même endroit le 29 septembre 1747. [8 enfants]

---

19. *Registre des malades* de l'Hôtel-Dieu de Québec, le 20 novembre 1691.
20. Les migrants disant venir de Saint-Martin-l'Ars dans l'évêché de Luçon venaient de Saint-Martin-l'Ars dans le canton de Sainte-Hermine en Bas-Poitou, ce qui n'est pas le cas ici.
21. C.-M. SAUGRAIN (*op. cit.*, vol. III, p. 426) mentionne aussi un Saint-Martin au Poitou, diocèse de Poitiers, élection de Châtellerault, 318 habitants.

ÉVÊCHÉ DE POITIERS

665 - Jacques Bilodeau (f Pierre & Jeanne Fleurie), «de l'évêché de Poitiers[22]». Marié à Québec le 28 octobre 1654, il obtient une terre le 2 avril 1656 dans le fief de Lirec à l'île d'Orléans. Confirmé le 2 février 1660 à Château-Richer, on le dira âgé de 30 ans en 1666. Sa vie durant, il a exploité sa concession ainsi que d'autres terres à l'île d'Orléans, tout en fondant aussi quelques petites entreprises de chasse et de pêche. Son épouse fut compromise dans une histoire de meurtre en 1677. Il fut inhumé le 8 février 1712 à Saint-François, dans l'île d'Orléans. [7 enfants] GNA, p 272; NA, vol. XIII, p. 34-45.

666 - Daniel-Joseph Gendreau (...), «de l'évêché de Poitiers[23]». Il fut confirmé le 2 février 1660 à Château-Richer, où il était domestique en 1667[24]. Il décéda au même endroit, le 29 mai 1668, à l'âge de 80 ans. [Sans alliance]

667 - Jean Pichet dit Pégin (...), «de l'évêché de Poitiers[25]». Confirmé à Château-Richer le 2 février 1660, il obtient une terre le 10 août 1662 dans l'île d'Orléans où on le dira âgé de 30 ans en 1666, époque où il se marie. En 1667, il possède une tête de bétail et un arpent en valeur à Saint-Pierre dans l'île d'Orléans, alors qu'il aura 11 bêtes à cornes et 20 arpents en valeur en 1681. Il est décédé au même endroit le 17 juin 1699. [6 enfants]

668 - Mathurin Sinsous (...), «de l'évêché de Poitiers». Comme les précédents, il fut confirmé à Château-Richer le 2 février 1660. Nulle autre mention. [Sans alliance]

669 - Pierre Jarrye (...), «de l'évêché de Poitiers». Confirmé à l'âge de 35 ans à Québec le 24 février 1660, il est cité à un mariage le 17 novembre 1665 à Montréal. Recensé au même endroit en 1667, il est probablement rentré en France par la suite. [Sans alliance]

---

22. D'après son acte de confirmation.
23. Selon son acte de confirmation.
24. Il devait y avoir deux individus homonymes puisque cette biographie ne concorde pas avec la description de M. TRUDEL, *Catalogue des immigrants 1632-1662*, Montréal, Hurtubise HMH, 1983, p. 402.
25. Selon son acte de confirmation.

670 - Simon Bourbeau (...). Né vers 1626, il avait épousé la suivante, en France, vers 1661. D'abord arrivé seul en Nouvelle-France en 1662, ce maître charpentier fera ensuite venir sa femme et sa fille en 1667. Le 18 juin 1663, il obtient une terre au bord de la rivière Saint-Charles où il possédera quatre bêtes à cornes et dix arpents en valeur en 1681. Après plusieurs marchés de charpenterie, il décède au village Saint-Joseph et sera inhumé à Charlesbourg, le 3 mars 1692. [6 enfants] GNA, p. 417-418.

671 - Françoise Letard (...), épouse du précédent, «de l'évêché de Poitiers[26]». Amenant leur fille qui suit, elle vient rejoindre son mari en Nouvelle-France en 1667. Confirmée à Québec le 23 avril 1669, on lui donnera 44 ans en 1681. Elle sera hospitalisée durant quatre jours à l'Hôtel-Dieu de Québec, au début d'avril 1694, et décédéra à Charlesbourg le 10 décembre 1700. [6 enfants]

672 - Marie-Madeleine Bourbeau (fille des précédents). Née vers 1662, elle est arrivée avec sa mère en 1667. Elle abandonne un projet de mariage, convenu le 24 août 1677, pour se faire religieuse chez les sœurs de la Congrégation Notre-Dame. Elle est décédée à Montréal le 27 septembre 1688.

673 - Michel Thibault (...), «de l'évêché de Poitiers[27]». Ayant épousé Jeanne Soyer ou Sohier[28] vers 1660 en France, il semble habiter dans l'évêché d'Angers avec sa femme et leur fille[29] au moment de leur décision d'émigrer en Nouvelle-France, vers 1663. Confirmé âgé de 35 ans à Québec le 23 mars 1664, il s'établit à la côte Saint-Ignace, à Sillery, où il déclare posséder douze arpents en valeur en 1667. Vers 1680, il déménage à Saint-Augustin des Maures où il possédera deux vaches et quinze arpents en valeur l'année suivante. Décédé le 15 février 1715, son acte de sépulture, le lendemain, doit faire erreur en le disant «âgé de cent ans et trois mois et demi». [6 enfants]

---

26. Selon son acte de confirmation.
27. Selon son acte de confirmation.
28. Elle est dite de l'évêché de La Rochelle lors de sa confirmation à Québec le 19 mai 1671.
29. Marie Thibault, née vers 1661, est dite de l'évêché d'Angers lors de sa confirmation, le 31 juillet 1681, à Montmagny.

674 - François Huteau (...), «de l'évêché de Poitiers». Il est confirmé à l'âge de 39 ans à Québec, le 21 septembre 1665. Nulle autre mention. [Sans alliance]

675 - André Letard dit Lespérance (...). Confirmé à Québec le 21 septembre 1665, à l'âge de 20 ans, il était peut-être soldat du régiment de Carignan. Il sera bedeau à Montréal de 1676 jusqu'à sa mort, le 9 août 1678. [Sans alliance]

676 - François Gibault (...), «de l'évêché de Poitiers[30]». Soldat de la garnison de Québec, il est confirmé le 7 novembre 1665, et décédera à l'âge de 76 ans, le 9 avril 1715, à l'Hôtel-Dieu de Québec. [Sans alliance]

677 - Nicolas Ragueneau (François & Jeanne Geoffroi), «de l'évêché de Poitiers». Engagé à La Rochelle le 18 avril 1665, il avait 20 ans au recensement de 1666; alors domestique à Charlesbourg, il devient, l'année suivante, employé des jésuites dans leur seigneurie Notre-Dame-des-Anges. Confirmé à Québec le 31 mai 1667, il se mariera le 27 novembre 1681 à Pointe-aux-Trembles où il sera recensé la même année à l'île Sainte-Thérèse, comme domestique de Sidrac-Michel Dugué, sieur de Boisbriant. Il est décédé à Pointe-aux-Trembles, dans l'île de Montréal, le 4 janvier 1688. [Sans postérité]

678 - Isaac Cailhaut (...), «du diocèse de Poitiers». Il fut confirmé à Trois-Rivières le 6 juin 1666. Nulle autre mention. [Sans alliance]

679 - François Cardinal (...) «du diocèse de Poitiers». Il fut également confirmé à Trois-Rivières le 6 juin 1666. Nulle autre mention. Je ne crois pas qu'il s'agisse de François Leroux dit Cardinal (n° 86). [Sans alliance]

680 - Pierre Forget (...), «du diocèse de Poitiers». Comme les précédents, il fut confirmé le 6 juin 1666 à Trois-Rivières. Nulle autre mention. [Sans alliance]

681 - Mathurin Banlier dit Laperle (...), «de l'évêché de Poitiers[31]». Ayant fort probablement été soldat dans la compagnie du sieur de Saint-Ours du régiment de Carignan, il s'installe, vers 1671, dans la seigneurie de Saint-Ours, à

---

30. Selon l'acte de confirmation.
31. Selon l'acte de confirmation.

Contrecœur, où il recevra une concession le 6 novembre 1673. Il s'y marie vers 1678, se fait confirmer le 13 juin 1681, et déclare avoir 40 ans et posséder neuf arpents en valeur au recensement de la même année. Il se remariera au même endroit vers 1690, pour mourir, le 22 janvier 1720, à Contrecœur. [3 + 2 enfants] GNA, p. 118.

682 - Charles Soursigan (...), «de l'évêché de Poitiers». Il fut confirmé le 23 avril 1669 à Québec. Nulle autre mention. [Sans alliance]

683 - Jacques Chaviau (...), «de l'évêché de Poitiers». Il fut confirmé à Québec le 15 août 1670. Nulle autre mention. [Sans alliance]

684 - Louis Évau (...), «de l'évêché de Poitiers». Il fut également confirmé à Québec le 15 août 1670. Nulle autre mention. [Sans alliance]

685 - Jean Marnay (...), «de l'évêché de Poitiers». Il fut lui aussi confirmé à Québec, le 15 août 1670, sans autre mention en Nouvelle-France. [Sans alliance]

686 - Jean Michau (...), «de l'évêché de Poitiers». Il fut confirmé à Québec le 15 août 1670. Nulle autre mention. Un homonyme originaire d'Olonne, dans l'évêché de Luçon, avait été confirmé au même endroit le 24 août 1667. [Sans alliance]

687 - Jacques Pouyet (...), «de l'évêché de Poitiers». Il fut lui aussi confirmé à Québec le 15 août 1670. Nulle autre mention. [Sans alliance]

688 - François Roland (...), «de l'évêché de Poitiers». Il fut confirmé à Québec, comme les précédents, le 15 août 1670. [Sans alliance]

689 - François Giro (...), «de l'évêché de Poitiers». Confirmé le 24 août 1676 à Québec, sans autre mention en Nouvelle-France. [Sans alliance]

690 - Lucien Monteau (...), «de l'évêché de Poitiers». Il fut confirmé à Saint-Louis-de-Lotbinière le 1er juin 1681. Nulle autre mention. [Sans alliance]

691 - Vincent Camusat (...), «de l'évêché de Poitiers[32]». Confirmé à l'âge de 45 ans, le 10 juillet 1681 à l'île Jésus, il est aussi dit de «cette paroisse» le 10 novembre de la même année à Québec. Ne laissant plus de traces après cette date, il est peut-être rentré en France. [Sans alliance]

692 - Pierre Roy (...), «de l'évêché de Poitiers[33]». Il habitait dans l'île Jésus au nord de Montréal où, à l'âge de 20 ans, il fut confirmé le 10 juillet 1681, en plus d'être cité à quelques reprises. Il habitait encore au même endroit à l'été de 1683, lorsqu'il fut reconnu coupable d'avoir harcelé de ses avances et calomnié publiquement des femmes de Lachenaie, de Repentigny et de l'île Jésus. Condamné à une amende et à se rétracter devant l'église de Lachenaie, il a ensuite mené une vie exemplaire. S'étant marié à l'île Jésus vers 1688, il fut pris et tué par les Iroquois à la fin de juillet 1692. [3 enfants] SVL, p. 59-65; MSGCF, vol. XXIII (1982), p. 119-120.

693 - Martial Desroches (...), «de Poitiers[34]». Il avait 27 ans et habitait à l'Ancienne-Lorette lorsque sa présence fut mentionnée le 17 janvier 1693 à l'Hôtel-Dieu de Québec. Marié vers 1695 à l'Ancienne-Lorette où il sera encore cité le 30 juillet 1710, il décédera, âgé 78 ans, à l'Hôpital Général de Québec, le 1er janvier 1736. [1 enfant]

694 - Daniel Frégeau dit Laplanche (Daniel & Marie Mergot), «du diocèse de Poitiers». Marié à l'âge de 23 ans à Montmagny, le 11 mai 1699, il y est bien établi, à Saint-François-de-la-Rivière-du-Sud, où il mourra le 10 mai 1750. [12 enfants]

695 - Jacques Soulard (Jacques & Catherine Messant), «de l'évêché de Poitiers». Cité le 15 mars 1699 à Rivière-Ouelle où il se marie, à 27 ans, le 9 novembre 1699, il sera encore cité au même endroit le 17 décembre 1713. Il est décédé vers 1715 puisque sa veuve se remarie l'année suivante. [7 enfants]

696 - Louis Chauvet dit La Chaume ou La Germe (Louis & Catherine Tessier), «du diocèse de Poitiers». Né vers 1680, il était sergent de compagnie au moment de son mariage à Port-

---

32. Selon l'acte de confirmation.
33. Selon l'acte de confirmation.
34. Selon son acte de sépulture.

Royal, en Acadie, le 16 septembre 1702. Il était devenu cabaretier à Louisbourg, en 1724. [4 enfants[35]]

697 - Bourbeaux (...), «poitevin», de prénom inconnu. Il fut tué par les Nachez, en descendant le fleuve Mississippi, en Louisiane, entre novembre 1729 et août 1730[36]. [Sans alliance]

698 - Larose (...), «né au Poitou», de prénom inconnu. Ancien soldat ayant servi pendant plus de 40 ans à Détroit, il fut inhumé le 16 juillet 1786 à Prairie-du-Rocher, à 60 kilomètres au sud de Saint-Louis au Missouri. Il avait environ 87 ans[37]. [Sans alliance]

699 - Maurice Labrau (Jean & Jeanne Labarre). Il se marie à 37 ans, le 1er juin 1772, à Montréal où il n'a guère laissé de traces. [Sans postérité]

Les migrants suivants sont dits de Poitiers à leur confirmation ou à l'occasion de leur hospitalisation, au XVIIe siècle, à l'Hôtel-Dieu de Québec. Ces deux sources sont, en général, peu précises, et «Poitiers» doit être pris au sens d'«évêché de Poitiers».

700 - Jean Legris (...), «de Poitiers». Âgé de 21 ans, il est confirmé à Québec le 24 septembre 1665. Nulle autre mention. [Sans alliance]

701 - Jean Ovraud (...), «de Poitiers». Il a 20 ans à sa confirmation à Québec le 24 septembre 1665. Nulle autre mention. [Sans alliance]

702 - Denis Guyet (...), «de Poitiers». Il fut confirmé à Québec le 31 mai 1667. Nulle autre mention. [Sans alliance]

703 - Louis Renoudeau (...), «de Poitiers». Il fut aussi confirmé à Québec le 31 mai 1667. Nulle autre mention. [Sans alliance]

704 - Pierre Poinot ou Poincet dit Laverdure (...), «de Poitiers». Caporal dans la compagnie de monsieur de Chambly, il est cité à Montréal le 18 mars 1668. Confirmé au fort de

---

35. B. ARSENAULT, *op. cit.*, tome II, p. 610-611.
36. M. FARIBAULT-BEAUREGARD, *La population des forts français d'Amérique (XVIIIe siècle)*, Montréal, Éditions Bergeron, 1984, tome II, p. 313.
37. M. FARIBAULT-BEAUREGARD, *op. cit.*, tome II, p. 291.

Chambly le 20 mai 1669, il semble ensuite disparaître. [Sans alliance] MSGCF, vol. XVI (1965), p. 295.

705 - Gabriel Dumay (...), «de Poitiers». Il fut confirmé à Sainte-Famille, dans l'île d'Orléans, le 14 février 1669. Nulle autre mention. [Sans alliance]

706 - Louis Doux dit Ladouceur (...), «de Poitiers». Il fut confirmé au fort de Chambly le 20 mai 1669. Il possédait alors une terre à cet endroit où il sera cité jusqu'en octobre 1675. J'ignore ce qu'il est ensuite devenu. [Sans alliance] MSGCF, vol. XVI (1965), p. 288-289.

707 - Vincent Baillé ou Balé (...), «de Poitiers[38]». Confirmé le 24 mai 1669 à Champlain, il est homme à tout faire. C'est lui qu'on engage en 1676 pour surveiller les animaux en pâturage dans la commune de Sainte-Anne-de-la-Pérade[39]. Encore cité à Champlain le 16 mai 1681, il disparaît après cette date. [Sans alliance]

708 - Mathurin-André Planseau (...), «de Poitiers». Il fut confirmé à Québec le 8 avril 1670. Nulle autre mention. [Sans alliance]

709 - François Bourin (...), «de Poitiers». Il fut aussi confirmé à Québec le 8 avril 1670. Nulle autre mention. [Sans alliance]

710 - Jacques Rivou (...), «de Poitiers». Comme les précédents, il fut confirmé le 8 avril 1670 à Québec. Nulle autre mention. [Sans alliance]

711 - Claude Pugen ou Pigent (...), «de Poitiers[40]». Il possède deux arpents en valeur dans la seigneurie de Sorel en 1681. On lui donne alors 40 ans, mais le *Registre des malades* de l'Hôtel-Dieu de Québec le dira âgé de 46 ans le 31 octobre 1696. Il est probablement mort ou rentré en France après cette date. [Sans alliance]

712 - Nicolas Lahaie ou de Lahaye (...), «de Poitiers[41]». En 1681, il possédait quatre arpents en valeur à Saint-Antoine-

---

38. Selon l'acte de confirmation.
39. R. LARIN, *Quatre cousins loudunais en Nouvelle-France*, Montréal, Éditions du Méridien, 1992, p. 153.
40. *Registre des malades* de l'Hôtel-Dieu de Québec, le 31 octobre 1996.
41. *Registre des malades* de l'Hôtel-Dieu de Québec, le 8 septembre 1694.

de-Tilly, en plus d'être travailleur volontaire à la côte Saint-Michel. On lui donne alors 41 ans. Hospitalisé durant 12 jours à l'Hôtel-Dieu de Québec en 1694, il y est peut-être mort, puisqu'il n'est plus mentionné par la suite. [Sans alliance]

713 - Jean Millot ou Minost dit Lafleur (...), «de Poitiers». Soldat âgé de 21 ans, il fut hospitalisé pendant deux mois à l'Hôtel-Dieu de Québec au cours de l'été de 1692. Il pourrait aussi s'agir de Jean Mimeau (n° 436). [Sans alliance]

714 - Charles Lhurope (...), «de Poitiers». À 26 ans, il était soldat dans la compagnie de Maupous, comte de l'Estrange, lorsqu'il fut hospitalisé durant environ un mois à l'Hôtel-Dieu de Québec, à l'été de 1693. Nulle autre mention. [Sans alliance]

715 - Pierre Genot (...), «de Poitiers». Âgé de 26 ans, il fut hospitalisé durant six jours à l'Hôtel-Dieu de Québec en octobre 1693. Nulle autre mention. [Sans alliance]

716 - Michel Dornier (...), «de Poitiers». Âgé de 56 ans, il fut hospitalisé durant cinq semaines à l'Hôtel-Dieu de Québec à l'été de 1694. Nulle autre mention. [Sans alliance]

717 - François Lamoureux (...), «de Poitiers». Il est dit matelot lorsqu'il est hospitalisé pendant six jours à l'Hôtel-Dieu de Québec, en septembre 1694. [Sans alliance]

718 - Renée Baudin (...), «de Poitiers». Âgée de 36 ans, elle fut hospitalisée pendant neuf jours à l'Hôtel-Dieu de Québec, à l'automne de 1695. Nulle autre mention. [Sans alliance]

719 - Philippe Lerielle (...), «de Poitiers». À l'âge de 30 ans, il fut hospitalisé, en octobre 1695, à l'Hôtel-Dieu de Québec. Nulle autre mention. [Sans alliance]

720 - Jean Poulein (...), «de Poitiers». Il fut hospitalisé pendant quatre jours, à l'âge de 58 ans, à l'Hôtel-Dieu de Québec en novembre 1695. Nulle autre mention. [Sans alliance]

721 - Dutrisal (...), «de Poitiers». Soldat de la compagnie de Daniel Auger de Subercase âgé de 25 ans, il fut hospitalisé durant environ une semaine à l'Hôtel-Dieu de Québec, en juin 1697. Nulle autre mention. [Sans alliance]

722 - Daniel Lavergne (...), «de Poitiers». Soldat âgé de 26 ans, il fit un séjour de quatre jours à l'Hôtel-Dieu de Québec en septembre 1696. Nulle autre mention. [Sans alliance]

723 - Baguette (...), «de Poitiers». Soldat dans la compagnie de monsieur de Longueuil, il avait 32 ans lorsqu'il dut passer le mois d'août 1697 à l'Hôtel-Dieu de Québec. Il pourrait peut-être s'agir de Pierre Sarrin dit Baguette, tambour de la compagnie de Louis Liénard de Beaujeu, inhumé à l'âge de 50 ans, le 11 mars 1720 à Montréal. [Sans alliance]

724 - Jean Léon dit Lapanse (...), «de Poitiers». Il est décédé, à l'âge de 39 ans, le 26 juin 1703 à l'Hôtel-Dieu de Québec. [Sans alliance]

725 - François Pénigault (...), «de Poitiers». Il est décédé, âgé de 70 ans, le 20 juin 1716 à l'Hôtel-Dieu de Québec. [Sans alliance]

726 - Nicolas Dupont (...), «de Poitiers». Il était soldat dans la compagnie du sieur de Saint-Jame, du vaisseau du roi *Le Chameau*, lorsqu'il est décédé, âgé de 38 ans, le 31 janvier 1725 à l'Hôtel-Dieu de Québec. [Sans alliance]

727 - François Sabourin dit Brisefer (...), «de Poitiers». Âgé de 29 ans, il était caporal dans la compagnie de Saint-Vincent du régiment de Berry au moment de son décès, le 4 octobre 1757, à l'Hôtel-Dieu de Québec. [Sans alliance] MSGCF, vol. XIX (1968), p. 120.

Le dépouillement exhaustif, jusqu'à 1825, des mariages postérieurs à l'époque de la Nouvelle-France ne permettra d'identifier que deux migrants haut-poitevins, auxquels il faudra ajouter le sulpicien Jacques-Antoine Gaiffe qui, d'ailleurs, n'est peut-être même pas haut-poitevin. Ces trois personnes représentent à elles seules, semble-t-il, la totalité des Haut-Poitevins établis au Canada après la chute de la Nouvelle-France. Si, comme le démontre la recherche encore inédite de Marcel Fournier[42], l'arrivée de ressortissants français s'est poursuivie après la Conquête de 1763, il semble bien que

---

42. M. FOURNIER, *Les Français au Québec, 1765-1865*, ouvrage actuellement en préparation, dans lequel seront présentés 1 300 ressortissants français passés au Québec entre 1763 et 1865.

l'émigration du Haut-Poitou vers le Canada, quant à elle, se soit pratiquement tarie.

CANTON DE TAUNOIS

728 - Pierre-Louis Defaulle (Pierre & Françoise Ferrand), «du canton de Taunois département de la Vienne royaume de France», ce qui pourrait peut-être désigner Asnois (p. 218) bien que ce ne soit pas un chef-lieu. Lors de son mariage à Québec le 11 juin 1816, il est dit journalier domicilié en cette ville. Il n'est pas recensé à Québec en 1818[43], et j'ignore ce qu'il est devenu. [Sans postérité]

CHÂTELLERAULT

Sur Châtellerault, voir p. 110.

729 - Jean Requiem (Jean & Marguerite Desplégris), «de la ville de Châtellerault au département de la Vienne en France». Il habite à Québec et est sergent, peut-être dans le septième bataillon, lorsqu'il y épouse, le 10 août 1819, Thérèse Fortier. Celle-ci doit être celle qui avait été recensée en 1818, âgée de 27 ans, chez l'orfèvre Jean Amiot, rue des Jardins à Québec. Jean Requiem n'apparaît pas à ce même recensement. [Sans postérité]

POITOU

730 - Jacques-Antoine Gaiffe (...). Né en Poitou le 25 janvier 1763[44], il est ordonné le 6 mai 1788. D'abord vicaire à La Jarrie en Charente-Maritime, il entre chez les sulpiciens à Paris en 1790, pour ensuite devenir professeur au Séminaire de La Rochelle en 1791-1792. Exilé par la Révolution, il devient instituteur en Angleterre, de 1792 à 1798, et arrive à Montréal le 20 septembre 1798. Professeur au Séminaire de Montréal en 1798-1799, il sera brièvement missionnaire à Saint-Régis et à L'Assomption, avant de devoir se retirer à Montréal où il mourra de tuberculose pulmonaire le 15 juillet 1800. ADC, vol. I, p. 223.

---

43. SOCIÉTÉ HISTORIQUE DE QUÉBEC, *Recensement de la ville de Québec en 1818*, Québec, Cahiers d'Histoire, n° 29, p. 266.
44. J.-B. ALLAIRE, *Dictionnaire biographique du clergé canadien-français*, Montréal, Imprimerie de l'École catholique des sourds-muets, 1910, vol. I, p. 223.

Conclusion

L'immigration haut-poitevine en Nouvelle-France

Afin de dégager, de façon descriptive et peut-être trop sommaire, quelques-unes des caractéristiques de l'immigration haut-poitevine vers la Nouvelle-France, les notices biographiques individuelles des 730 migrants répertoriés ont été méticuleusement codifiées et informatisées[1]. Cette première analyse a été réalisée à l'aide du logiciel de statistique *Statistical Package for Social Sciences* (SPSS/PC+ version 4.0)[2]. Précisons tout de suite que les résultats qui en sont ressortis ne doivent pas dès maintenant être interprétés comme l'affirmation de faits historiques scientifiquement démontrés, mais simplement comme les premiers résultats d'une vaste analyse qui reste encore à faire.

Disons tout de suite, et en vrac, que parmi les 730 migrants, il faut compter 670 hommes, dont 162 militaires, et seulement 60 femmes; 382 étaient d'origine rurale, 249 d'origine urbaine, et 99 cas sont indéterminés. Chez les 114 ayant un contrat d'engagement, 63 n'ont pas laissé de traces de leur venue. L'histogramme de la figure 1 présente les périodes migratoires.

Au moment de leur migration, 662 des 730 migrants haut-poitevins en Nouvelle-France étaient des adultes célibataires, 16 étaient des enfants, 36 étaient mariés, 8 étaient veufs ou veuves, alors que les 8 autres étaient religieux. Si 75 individus ont émigré accompagnés de membres de leur famille, 26 autres allaient rejoindre ou seront rejoints en Nouvelle-France

---

1. Cette banque de données pourrait, et je le souhaite, être utile autant à l'histoire de France qu'à celle de la Nouvelle-France. Elle contient notamment l'année de naissance, de migration, de mariage et de décès de chacun des migrants, son métier, son origine urbaine ou rurale, les modalités de sa migration, ses régions d'origine et d'établissement, le nombre de ses enfants, l'apparentement en Nouvelle-France, etc. Les historiens français pourraient, par exemple, évaluer si les migrants d'origine citadine étaient autant portés à exploiter une terre que ceux d'origine rurale, si les artisans de la ville de Poitiers étaient plus enclins à émigrer que leurs contemporains d'une autre région, si telle région, à telle époque, recrutait plus de militaires que telle autre, etc. Je mets donc cette banque de données à la disposition des chercheurs qui voudront l'exploiter.

2. Je remercie ma compagne, Anne Charbonneau, professeure et chercheuse de l'Université de Montréal, pour l'aide technique apportée lors de l'analyse statistique à l'aide de ce logiciel.

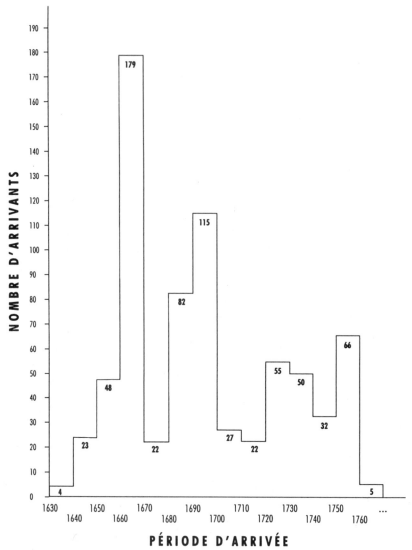

Figure 1 Le mouvement migratoire haut-poitevin vers la Nouvelle-France.

par un membre de leur parenté. Ajoutons que les 487 migrants mariés après ou avant leur arrivée en Nouvelle-France sont parents, en moyenne, de 5,6 enfants connus. Parmi tous les arrivants, 473 se sont véritablement établis; 19 sont morts à peine arrivés; 9 ont décidé, après s'être installés, de rentrer en France; 33, qui s'étaient bien établis, sont ensuite soudainement disparus sans que je sache s'ils sont rentrés en France; et 117 travailleurs ou militaires ne furent de passage que pour quelque temps; les 79 autres sont ceux qui n'ont laissé aucune trace de leur passage en Nouvelle-France.

Reprenons ces données livrées en vrac en rapport avec ce que l'on connaît actuellement de l'ensemble du mouvement migratoire français vers la Nouvelle-France. L'étude synthèse d'André Guillemette et de Jacques Légaré[3] permet d'établir cette comparaison. Jusqu'à un certain point toutefois, car il est assez difficile de mesurer l'incidence de deux différences importantes. Premièrement, ces auteurs ont étudié les structures familiales de l'ensemble des migrants français établis au XVIIe siècle dans la vallée du Saint-Laurent; or, la présente étude ne concerne qu'un sous-groupe particulier, celui des migrants haut-poitevins, mais dans toute la Nouvelle-France, et dans le temps, et dans l'espace. Deuxièmement, pour les démographes Guillemette et Légaré, la notion de *migrant établi* se rapporte aux migrants établis par mariage, incluant ceux qui sont retournés en France après un certain temps, alors que, dans le présent ouvrage, cette notion inclut les célibataires et les religieux, mais exclut ceux qui sont repartis.

En dépit de ces différences importantes, les deux mouvements migratoires peuvent, à première vue, paraître assez semblables, de même que les profils des deux groupes étudiés[4].

---

3. A. GUILLEMETTE et J. LÉGARÉ, «The Influence of Kinship on Seventeenth-Century Immigration to Canada» dans *Continuity and Change*, vol. 4, n° 1 (February 1989), p. 79-102.

4. Par exemple, les 88 veufs et veuves parmi les 5 007 migrants établis au XVIIe siècle dans la vallée du Saint-Laurent, soit 1,8 % (A. GUILLEMETTE et J. LÉGARÉ, *op. cit.*, p. 87), par rapport aux 8 parmi les 473 migrants haut-poitevins établis en Nouvelle-France, soit 1,7 %. Une légère différence, toutefois, concerne les retours en France : chez Guillemette et Légaré (*op. cit.*, p. 99), 11,9 % des migrants français établis par mariage rentrent en France après quelques années, alors que ce taux est de 8,9 % chez les migrants haut-poitevins. Pour soutenir la comparaison entre les deux études, il a cependant fallu ajouter aux 9 retours en France formellement assurés, les 33 cas de disparition inexpliquée pour un total de 42 retours probables sur les 473 migrants haut-poitevins établis. L'écart de 3 % peut être attribué soit à des définitions différentes des concepts de *migrant établi* et *de retour*, soit au manque d'information concernant certains migrants haut-poitevins, ceux qui se sont installés en Acadie notamment, soit à des retours en France peut-être moins nombreux au XVIIIe siècle qu'au XVIIe.

En réalité, au moins quatre grandes différences les distinguent et méritent quelque intérêt. Je reviendrai ultérieurement sur une première quant à la sous-représentation des migrantes haut-poitevines[5] par rapport à l'ensemble des migrantes françaises. Mieux vaut, pour l'instant, constater au passage l'omission d'un nombre assez considérable de ressortissants haut-poitevins, pour tout de suite s'arrêter sur la quasi-absence d'une immigration haut-poitevine dans la vallée du Saint-Laurent au cours de la première moitié du XVIIe siècle, et en observer les répercussions sur le phénomène d'apparentement.

Sur les 14 400 migrants français venus dans la vallée du Saint-Laurent au XVIIe siècle, 5 007 s'y sont établis, soit environ le tiers[6]. Par contre, chez les migrants haut-poitevins, les 473 qui se sont établis représentent environ les deux tiers des 730 cas retrouvés, ce qui révèle l'omission d'un nombre important de ressortissants parmi ceux qui ne sont pas restés en Nouvelle-France. Les quelque 117 militaires et travailleurs haut-poitevins de passage répertoriés ne constituent de toute évidence qu'une faible portion, peut-être le huitième, de leur nombre réel.

Parmi les 5 007 immigrants français établis dans la vallée du Saint-Laurent au XVIIe siècle, Guillemette et Légaré ont compté 563 migrants mariés ainsi que 561 enfants[7], soit 11,2 % de l'ensemble dans chacun des deux cas. Par contre, chez les 473 migrants haut-poitevins établis en Nouvelle-France, ceux arrivés mariés constituent environ 6 % de l'ensemble[8] et sont venus avec seulement 16 enfants, soit 3,4 %. La proportion de migrants accompagnés d'un conjoint est donc plus faible chez ces derniers que chez l'ensemble des migrants français établis dans la vallée du Saint-Laurent au XVIIe siècle. De plus, ceux-ci ont amené avec eux proportionnellement plus d'enfants que les migrants hauts-poitevins.

L'émigration française vers la vallée du Saint-Laurent au XVIIe siècle, telle qu'observée par Guillemette et Légaré, est

---

5. Soit 60 femmes sur 730 migrants.
6. A. GUILLEMETTE et J. LÉGARÉ, *op. cit.*, p. 83.
7. A. GUILLEMETTE et J. LÉGARÉ, *op. cit.*, p. 87.
8. Soit 30 migrants mariés sur les 473 qui se sont établis, pour 6,3 %. Six autres migrants mariés ne se sont pas établis.

marquée par le fait qu'avant 1647, les recruteurs avaient souvent tendance à faire venir des familles entières, alors qu'à partir de cette date, ils voudront davantage recruter des jeunes célibataires ou des couples sans enfant[9]. Or, l'émigration française vers la vallée du Saint-Laurent antérieure à 1650, c'est-à-dire au moment de la politique familiale de recrutement, équivaut à 9,2 % de l'émigration observée au XVIIe siècle par Guillemette et Légaré[10]. Par contre, ainsi que le révèle la figure 1, les 27 migrants haut-poitevins arrivés avant 1650, et parmi lesquels 19 sont allés en Acadie, ne constituent que 3,7 % de l'ensemble de l'immigration haut-poitevine. Celle-ci est donc beaucoup moins tributaire de la politique familiale de recrutement d'avant 1650.

La même réalité ressort clairement lorsque l'on considère l'ensemble du phénomène d'apparentement. Au XVIIe siècle, dans la vallée du Saint-Laurent, 1 522 migrants sur 5 007, c'est-à-dire 30,4 %, étaient apparentés avec au moins un autre migrant établi[11]. Chez les Haut-Poitevins en Nouvelle-France, les 75 venus avec au moins un membre de leur famille, et les 26 autres ayant un lien quelconque de parenté avec un autre migrant, constituent au total 13,8 % des 730 migrants répertoriés. Toutefois, le taux d'apparentement s'élève jusqu'à 17,8 %, soit 84 migrants sur 473, lorsque, comme Guillemette et Légaré, on ne considère que les migrants établis. Le taux tend alors vers celui de 20 % observé au XVIIe siècle dans la vallée du Saint-Laurent après la période favorable à l'immigration familiale[12].

Le diagramme de la figure 2 montre le premier lieu de résidence en Nouvelle-France des 730 migrants haut-poitevins répertoriés.

---

9. A. GUILLEMETTE et J. LÉGARÉ, *op. cit.*, p. 84 et 89-92. À ce sujet, voir aussi M. TRUDEL, *Histoire de la Nouvelle-France*, tome II du volume III, *La société*, Montréal, Fides, 1983, p. 80.
10. Soit 463 migrants sur 50 007. H. CHARBONNEAU, B. DESJARDINS, A. GUILLEMETTE, Y. LANDRY, J. LÉGARÉ et F. NAULT, *Naissance d'une population. Les Français établis au Canada au XVIIe siècle*, Institut national d'études démographiques, Presses de l'Université de Montréal et Presses universitaires de France, 1987, p. 19.
11. A. GUILLEMETTE et J. LÉGARÉ, *op. cit.*, p. 84.
12. A. GUILLEMETTE et J. LÉGARÉ, *op. cit.*, p. 84.

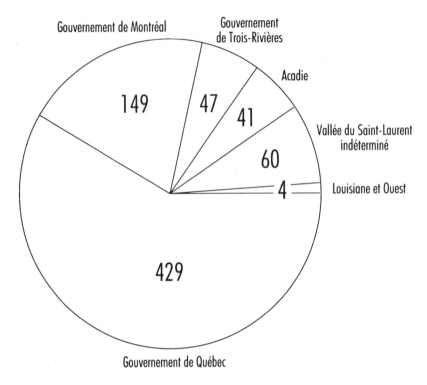

Gouvernement de Montréal

Gouvernement
de Trois-Rivières

Acadie

149   47   41

Vallée du Saint-Laurent
indéterminé

60

4   Louisiane et Ouest

429

Gouvernement de Québec

Figure 2 Premier lieu de résidence des 730 migrants haut-poitevins.

À une époque où les gouvernements de Montréal et de Trois-Rivières étaient encore sous-développés, l'importance relative du gouvernement de Québec, comme premier lieu de résidence, s'explique aisément par le fait que c'était là où allait s'établir une portion élevée des arrivants, au moins temporairement. Les gouvernements de l'Acadie, de l'Ouest et de la Louisiane étaient moins peuplés et ont surtout laissé moins de sources d'information de sorte que leur juste part ne peut guère leur être convenablement attribuée.

———————

Ces premières compilations de l'immigration haut-poitevine en Nouvelle-France ne constituent qu'une approche préliminaire qui se doit d'être affinée. D'abord, il faut exclure les trois ressortissants postérieurs à l'époque étudiée[13], pour

———————

13. Soit les numéros 728 à 730.

obtenir 727 migrants haut-poitevins en Nouvelle-France; ils constituent le nombre maximal que le relevé autorise. Les migrants n°s 610 à 727 sont originaires de lieux indéterminés du Poitou ou du diocèse de Poitiers; en outre, à cause de la duplicité des toponymes identiques ou semblables, 11 autres sont originaires d'une paroisse qui pourrait aussi être située dans le Bas-Poitou[14]. Retenons donc 598 ressortissants haut-poitevins constituant le nombre minimal, c'est-à-dire le nombre de cas pratiquement certains. En retenant l'hypothèse selon laquelle 50 % des cas incertains devaient provenir du Haut-Poitou, le nombre réel de ressortissants haut-poitevins peut ainsi, dans un premier temps, être fixé à 663. Mais, comme on le verra plus loin, ce nombre est bien en deçà de la réalité compte tenu du fait que le *Registre des malades* de l'Hôtel-Dieu de Québec n'a pu être dépouillé que pour le XVIIe siècle et qu'une multitude de militaires ou de travailleurs haut-poitevins ayant séjourné en Nouvelle-France n'ont pas eu l'occasion de révéler leur lieu d'origine, ont échappé à mon attention ou n'ont tout simplement pas laissé de traces dans les archives dépouillées. Par contre, ceux qui se sont véritablement installés et établis dans la vallée du Saint-Laurent ont bien été repérés et rapportés, sauf, bien sûr, ceux dont l'origine reste inconnue.

La plupart des migrants recensés se sont établis dans la vallée du Saint-Laurent bien que quelques-uns aient pu séjourner en Louisiane, dans l'Ouest ou en Acadie. La pénurie de documentation rend difficile le dénombrement exhaustif de ceux qui se sont installés en Acadie. Les quelques ressortissants haut-poitevins établis en Louisiane et dans l'Ouest que j'ai pu identifier ont aussi été intégrés dans ce répertoire sans qu'ils ne soient d'aucune façon représentatifs de la contribution haut-poitevine dans ces régions. Le tableau 1 présente la répartition des migrants haut-poitevins identifiés en Nouvelle-France.

---

14. Ce sont les numéros 143, 155, 326, 327, 352, 363, 396, 452, 453, 464 et 484.

Tableau 1

Répartition des migrants haut-poitevins identifiés en Nouvelle-France

	nombre minimal	nombre maximal	estimation moyenne
Vallée du Saint-Laurent	558	682	620
Acadie	38	41	40
Ouest et Louisiane	2	4	3
Nouvelle-France	598	727	663

Abandonnons, non sans regret, l'Ouest et la Louisiane dont la très faible représentation n'est nullement significative[15] et attardons-nous quelque peu à l'Acadie. Seuls les cas bien documentés ont été retenus, soit 41 migrants (34 hommes, 5 femmes et 2 fillettes[16]). L'origine haut-poitevine de trois d'entre eux n'est pas absolument certaine[17]. Parmi les 38 d'origine assurée, 22 se sont engagés par contrat à aller en Acadie où le peu d'archives conservées empêche de vérifier s'ils y ont véritablement séjourné[18]. Je ne crois pas cependant qu'il y ait parmi ces travailleurs beaucoup de colons s'étant véritablement établis. Il reste donc 15 ressortissants haut-poitevins à s'être installés en Acadie pour y faire carrière; parmi eux : les promoteurs loudunais Isaac de Razilly et Charles de Menou d'Aulnay ainsi que leurs compatriotes Martin le Godelier et son fils, Jeanne Chebra ainsi que Vincent Brun et sa famille[19]. On pourrait aussi mentionner le couple

15. Les cas certains sont Catherine Barroux et Jean-Baptiste Duberger (n°s 150 et 165) auxquels s'ajoutent peut-être les dénommés Bourbeaux et Larose (n°s 697 et 698) dont la certitude de l'origine haut-poitevine reste à établir.
16. Ce sont les numéros 1, 23, 24, 25, 33, 37, 38, 39, 40, 41, 42, 43, 78, 96, 179, 180, 181, 182, 195, 216, 275, 292, 293, 310, 311, 405, 434, 464, 465, 466, 479, 494, 522, 524, 551, 552, 553, 554, 555, 659 et 696.
17. Ce sont les n°s 464, 659 et 696.
18. Ce sont les numéros 23, 24, 25, 78, 96, 182, 195, 216, 275, 292, 293, 311, 434, 465, 466, 479, 494, 522, 524, 551, 554 et 555. Un vingt-troisième, le n° 464, est parmi les trois dont l'origine haut-poitevine n'est pas formellement assurée.
19. Dans l'ordre, les n°s 1, 33, 37 à 43.

Jean Serreau et Marguerite Boileau, ainsi que les frères Louis et François de Gannes, qui sont inclus parmi les migrants de la vallée du Saint-Laurent bien qu'ils soient allés poursuivre leur carrière en Acadie[20]. Par ailleurs, il faudra surtout retenir que sous l'impulsion d'Isaac de Razilly et de Menou d'Aulnay, 50 % de l'immigration haut-poitevine vers l'Acadie fut antérieure à 1650, alors que 98,9 % de l'immigration haut-poitevine vers la vallée du Saint-Laurent fut postérieure à cette date[21].

Il convient de distinguer parmi les 558 ressortissants haut-poitevins bien identifiés dans la vallée du Saint-Laurent, soit 513 hommes et 45 femmes, ceux qui se sont véritablement établis et qui ont participé au peuplement. Pour ce faire, j'ai défini sept types de migrants :

Type 1 :   Migrant s'étant établi au Canada où souvent il s'est marié, où sa carrière est relativement bien connue et où il est décédé, bien que son acte de sépulture puisse parfois être inexistant.

Type 2 :   Migrant s'étant installé au Canada, qui souvent s'y est marié et qui, après plusieurs années, rentre en France, la plupart du temps avec sa famille, pour s'y retirer définitivement.

Type 3 :   Migrant qui semble installé définitivement au Canada et qui, à un âge encore relativement jeune, disparaît soudainement, étant peut-être décédé ou ayant quitté la colonie.

Type 4 :   Migrant qui meurt célibataire quelque temps après son arrivée au Canada sans qu'on sache quelles étaient ses intentions.

Type 5 :   Travailleur, militaire ou autre, semblant avoir séjourné de quelques semaines à quelques années au Canada où, souvent, il ne fut cité qu'une ou deux fois.

Type 6 :   Travailleur qui devait venir au Canada, dont je n'ai pas retrouvé la trace, et qui n'est peut-être pas venu.

Type 7 :   Faux saunier déporté au Canada et dont je n'ai pas retrouvé la trace.

Le tableau 2 présente le nombre de migrants haut-poitevins pour chacun des sept types définis.

---

20. Dans l'ordre. les n°s 623 (d'origine haut-poitevine incertaine), 18, 59 et 60.
21. Soit 19 migrants sur 38, et 552 sur 558.

Tableau 2

Les types de migrants haut-poitevins dans la vallée du Saint-Laurent

	nombre minimal	nombre maximal	estimation moyenne
Type 1	420	462	441,0
Type 2	7	7	7,0
Type 3	28	33	30,5
Type 4	10	17	13,5
Type 5	41	117	79,0
Type 6	36	40	38,0
Type 7	16	16	16,0
Total	**558**	**682**	**620**

Au sens strict, les 441 migrants de type 1 peuvent donc être considérés comme des migrants authentiquement issus du Haut-Poitou et s'étant véritablement installés dans la vallée du Saint-Laurent pour participer à son peuplement. À vrai dire, il paraît tout à fait acceptable de leur adjoindre les migrants des types 3 et 7, pour un total de 488. Ainsi, en comparant ces résultats aux estimations avancées par le démographe Hubert Charbonneau pour l'ensemble de la Nouvelle-France[22], il ressort qu'au moins 3,5 % des 14 000 migrants français venus s'établir dans la vallée du Saint-Laurent étaient d'origine haut-poitevine.

D'autre part, parmi les 558 et les 682 migrants haut-poitevins vers la vallée du Saint-Laurent, le nombre d'individus mariés, soit avant, soit après leur arrivée en Nouvelle-France, s'établit respectivement à 435 et 469, pour une estimation moyenne de 452 migrants mariés sur 620. Puisque que 90 % des migrants français établis par mariage dans la vallée du Saint-Laurent sont d'origine régionale connue[23], on peut supposer que ces 452 Haut-Poitevins représentent 90 % de leur nombre réel, que l'on peut ainsi estimer à 502. Or, si l'immigration haut-poitevine est à l'image de celle de l'ensemble des

22. Voir p. 35.
23. Selon A. GUILLEMETTE et J. LÉGARÉ, *op. cit.*, p. 81.

régions françaises, les migrants établis par mariage, incluant ceux des types 2 et 3, constitueraient le tiers de l'ensemble des ressortissants haut-poitevins établis par mariage dans la vallée du Saint-Laurent[24], ce qui permet d'évaluer leur nombre à 1 506.

Par rapport à l'estimation moyenne de 620 Haut-Poitevins dans la vallée du Saint-Laurent, 886 individus m'auraient donc échappé. Ce groupe, dans lequel se trouveraient les migrants des types 6 et 7 ayant véritablement séjourné en Nouvelle-France, comprendrait une cinquantaine d'immigrants établis par mariage plus environ 836 migrants de type 5 dont le dénombrement devient, du coup, beaucoup plus réaliste.

En résumé, on peut donc estimer à environ 1 500 le nombre des ressortissants hauts-poitevins dans la vallée du Saint-Laurent. Parmi eux, environ 550 s'y seraient véritablement établis quoiqu'une cinquantaine auraient peut-être finalement décidé, souvent après plusieurs années, de rentrer en France. Une vingtaine seraient morts peu après leur arrivée dans la vallée du Saint-Laurent, tandis qu'environ 900 militaires ou travailleurs n'y auraient séjourné que pour la période de leur service.

――――――――

Pour tracer le portrait de l'immigration haut-poitevine vers la vallée du Saint-Laurent, ne considérons maintenant que les 558 cas d'origine haut-poitevine absolument certaine s'étant établis dans la vallée du Saint-Laurent. Le tableau 2 incite à les répartir en trois groupes.

Le premier groupe est constitué des cas disparates et marginaux : sept migrants de type 2 sont rentrés en France après avoir vécu plusieurs années dans la vallée du Saint-Laurent où ils semblent avoir vainement tenté de s'établir; dix autres, de type 4, sont décédés célibataires peu après leur arrivée en Nouvelle-France. Au total, ces cas marginaux représentent 3,0 % de l'immigration haut-poitevine réperto-

――――――――

24. M. BOLEDA, «Trente mille Français à la conquête du Saint-Laurent» dans *Histoire sociale/Social History*, vol. XXIII, n° 45 (mai 1990), p. 176.

riée; ils apparaissent négligeables d'autant plus que leur importance relative décroîtrait si on devait considérer le nombre réel estimé de ressortissants haut-poitevins dans la vallée du Saint-Laurent.

Dans un deuxième groupe, beaucoup plus nombreux, 41 travailleurs et militaires haut-poitevins sont venus dans la vallée du Saint-Laurent pour y gagner leur vie. Certains n'y ont séjourné que quelques semaines, mais la plupart, quelques années. En plus, 36 travailleurs se sont engagés, le plus souvent par un contrat notarié conservé à La Rochelle, à venir dans la vallée laurentienne où je n'ai pu retrouver leur trace. Dans l'ensemble, 13,8 % des arrivants haut-poitevins identifiés ne furent donc que des travailleurs ou des militaires de passage. Par contre, leur pourcentage réel se situerait autour de 60 % si la plupart de ceux qui auraient dû appartenir à ce groupe ne m'avaient pas échappé.

Dans un dernier groupe, 448 migrants des types 1 et 3 se sont établis dans la vallée du Saint-Laurent et ont participé à son peuplement même si quelques-uns, à mon insu, sont peut-être allés terminer leurs jours en France. En ajoutant 16 faux sauniers condamnés à venir terminer leurs jours en Nouvelle-France bien que je n'aie pu les y retrouver, on constatera que 83,2 % des migrants haut-poitevins répertoriés se sont intégrés dans la population de la vallée du Saint-Laurent; leurs gènes se perpétuent dans la population du Québec actuel. Ce groupe est à peu de chose près exhaustif et devrait cependant représenter environ le tiers du nombre réel de ressortissants haut-poitevins venus dans la vallée du Saint-Laurent.

Regardons en détail l'émigration haut-poitevine vers la vallée du Saint-Laurent afin d'en ébaucher le portrait. D'abord, il étonnera peut-être que 122 des 558 migrants, c'est-à-dire 21,9 %, soient venus comme soldats; leur pourcentage réel, compte tenu des cas omis devrait théoriquement se situer entre

40 et 50 %[25]. Parmi les 122 soldats identifiés, 56,6 % étaient d'origine rurale. Les militaires constituent un sous-groupe intéressant que je me propose d'étudier ultérieurement.

Par ailleurs, 80 migrants sur 558, soit 14,3 %, sont venus comme travailleurs sous contrat. Parmi eux, 36 n'ont pas été retracés en Nouvelle-France, huit n'y ont travaillé que quelques années pour ensuite rentrer chez eux, un est mort peu de temps après son arrivée, et 35 se sont véritablement établis. L'engagement par contrat n'apparaît donc pas, pour l'instant du moins, comme une source importante de recrutement de colons s'établissant dans la vallée du Saint-Laurent. Un projet de dépouillement systématique des archives notariées de La Rochelle pourra cependant venir modifier cette constatation[26].

Ajoutons que 64,5 % des 558 migrants haut-poitevins identifiés dans la vallée du Saint-Laurent ne déclarent aucune habilité à exercer un métier particulier. Par contre, 21 se déclarent trafiquants, marchands, négociants ou marchands pelletiers, constituant le groupe le plus nombreux. Suivront les 14 qui furent toute leur vie travailleurs journaliers, hommes à tout faire ou volontaires. À la tête des véritables hommes de métier, viendront ensuite 13 maçons et 11 charpentiers.

Dans la vallée du Saint-Laurent, 90,9 % des arrivants haut-poitevins répertoriés étaient des adultes célibataires, hommes ou femmes. Les autres sont cinq pères jésuites[27], un frère de la même communauté et un frère hospitalier[28], sept hommes veufs venus seuls et un avec ses enfants[29], cinq

---

25. Hubert Charbonneau l'estime à 50 %. Voir p. 41. Sur un total de 30 000 ressortissants français dans la vallée du Saint-Laurent, Mario Boleda estime le nombre des militaires à 13 000, soit 43,3 %. Voir M. BOLEDA, *op. cit.*, p. 165. Par ailleurs, on encourageait beaucoup les soldats à se marier et à se faire colons. Voir H. CHARBONNEAU et Y. LANDRY, «La politique démographique en Nouvelle-France» dans *Annales de démographie historique*, 1979, p. 36-38.
26. À ce jour, sur un total estimé de 3 900 engagés, seulement 922 contrats d'engagement ont été retrouvés. Voir M. BOLEDA, *op. cit.*, p. 167.
27. Ce sont les n°s 201, 212, 213, 230 et 596.
28. N°s 55 et 588.
29. Les n°s 74, 99, 105, 420, 463, 501, 545; le n° 231 est venu avec ses enfants.

couples avec des enfants[30], trois couples sans enfants[31], trois couples où seule la femme est haut-poitevine[32], deux hommes mariés venus sans leur femme[33], et trois femmes mariées de passage à Québec apparemment sans leur mari[34]. Les autres sont des enfants venus avec leurs parents.

Nous avons donc affaire à une immigration haut-poitevine essentiellement masculine à 91,9 % ne comptant, en effet, que 45 migrantes identifiées. En plus des cinq mères de famille, des six femmes venues avec leur mari et des trois femmes mariées de passage déjà rapportées[35], ajoutons une Fille du roi, une adolescente de 15 ans, ainsi que neuf fillettes ou bébés de sexe féminin venues toutes les onze avec leurs parents[36].

Seulement 21 migrantes haut-poitevines étaient adultes et célibataires, soit quatorze Filles du roi incluant celle déjà mentionnée, plus sept autres femmes célibataires. Chez ces dernières, deux sont venues seules dans des circonstances indéterminées, une semble avoir accompagné sa sœur Fille du roi, une autre est venue avec ses sœurs mariées, une semble avoir été amenée de France par Chomedey de Maisonneuve, une autre est venue avec la grande recrue montréalaise de 1653, et une dernière, s'étant engagée à La Rochelle, a été renvoyée en France pour être arrivée enceinte[37].

Selon les données du Programme de recherche en démographie historique (PRDH), sur un total de 9 300 migrants fondateurs établis dans la vallée du Saint-Laurent entre 1608 et 1760, 1 969 étaient de sexe féminin, soit 21,2 %[38]. Par contre, dans le sous-groupe des haut-poitevins, je ne compte que 41 migrantes parmi les 488 migrants établis, soit seulement

---

30. Les nᵒˢ 206-207, 244-245, 246-247, 202-203 et 488-489.
31. Les nᵒˢ 28-29, 97-98 et 357-358.
32. Les nᵒˢ 451, 569 et 570. L'une d'elles, le nᵒ 569, en fait, amène un fils rochellois issu d'un précédent mariage.
33. Les nᵒˢ 57 et 236.
34. Ce sont les nᵒˢ 273, 274 et 507.
35. Voir les notes 32, 33, 34 et 36.
36. Ce sont les nᵒˢ 210, 233, 248, 249, 304, 305, 306, 490, 491, 492 et 493. Elles ont toutes 12 ans ou moins, sauf celles présentées aux nᵒ 233, âgée d'environ 15 ans, et au nᵒ 249, une Fille du roi venue avec sa famille.
37. Ce sont, dans l'ordre, les nᵒˢ 162, 536, 18, 571, 263, 280 et 595.
38. Voir M. BOLEDA, *op. cit.* p. 168.

8,4 %. La différence déjà exposée entre la définition de *migrant établi* du PRDH et celle de la présente étude n'est nullement responsable du déficit des migrantes haut-poitevines par rapport à la présence féminine observée à l'intérieur de l'ensemble de l'émigration française vers la vallée du Saint-Laurent.

L'arrivée des Filles du roi, dont seulement 14 étaient d'origine haut-poitevine, ne saurait non plus expliquer ce phénomène. Ainsi, si des 1 969 migrantes françaises établies, nous enlevions les 770 Filles du roi répertoriées par Yves Landry[39], nous obtiendrions que 12,9 % de l'ensemble des migrants fondateurs étaient de sexe féminin sans être Filles du roi. En excluant les Filles du roi, le sexe féminin ne représente plus, en comparaison, que 5,5 % des migrants haut-poitevins établis dans la vallée du Saint-Laurent. La contribution haut-poitevine au peuplement de la vallée du Saint-Laurent comprend donc, toute proportion gardée, deux fois moins de femmes que celle de l'ensemble des régions françaises.

Il faut donc constater une immigration à peu près exclusivement célibataire et masculine. Quelques couples, quelques femmes célibataires et quelques familles font exception. Si 89,4 % des migrants haut-poitevins connus de la vallée du Saint-Laurent semblent avoir émigré seuls, au moins 84 individus, soit 15,1 %, sont partis avec des membres de leur famille ou de leur parenté[40], ou encore avaient été précédés ou seront plus tard rejoints par ceux-ci.

Terminons le portrait en ajoutant que 413 migrants haut-poitevins se sont mariés au moins une fois dans la vallée du Saint-Laurent. En leur ajoutant les 22 qui ne se sont mariés qu'une seule fois en France, nous leur connaissons en moyenne 5,8 enfants chacun. En comparaison, l'ensemble des migrants établis dans la vallée du Saint-Laurent ont élevé en moyenne

---

39. Y. LANDRY, *Orphelines en France, pionnières au Canada : les Filles du roi au XVIIᵉ siècle*, Montréal, Leméac, 1992.

40. En plus des cas déjà cités, 19 hommes ont émigré avec leur frère (nᵒˢ 15-16, 18-19, 30-31, 167-168, 186-361, 252-253, 264-265, 470-471, 472-473-474). Les deux derniers groupes étaient en plus cousins entre eux. Nous connaissons aussi au moins un autre couple de cousins ayant émigré ensemble (nᵒˢ 290-291).

7 enfants connus chacun[41]. La moyenne est à 6,3 pour la période antérieure à 1680[42].

———————

Les migrants haut-poitevins identifiés dans la vallée du Saint-Laurent étaient à 57,9 % d'origine rurale[43], par rapport à 65,3 % pour l'ensemble de l'immigration masculine[44] établie par mariage avant 1680[45]. Force est de constater ici une représentation citadine plus forte chez les migrants établis au Canada que parmi l'ensemble de la population française, alors pour 80 à 85 %[46] d'origine rurale. Le mouvement migratoire vers la Nouvelle-France, on le verra plus loin, se révèle déjà comme un phénomène social particulièrement flagrant en milieu urbain. Il est à supposer que les recruteurs devaient avoir tendance à exercer leur activité dans les gran-

———————

41. H. CHARBONNEAU et B. DESJARDINS, «Les familles nombreuses en Nouvelle-France» dans *Mémoires de la Société généalogique canadienne-française*, vol. XLIV (hiver 1993), p. 293-305.

42. H. CHARBONNEAU et coll., *Naissance d'une population. Les Français établis au Canada au XVIIe siècle, op. cit.*, p. 111.

43. Soit 323 migrants d'origine rurale et 235 d'origine urbaine pour un total de 558. Pour déterminer l'origine urbaine ou rurale, j'ai considéré le nombre de «feux», c'est-à-dire le nombre de foyers que les documents fiscaux, par exemple, attribuaient aux différentes localités du Haut-Poitou. Il m'est apparu huit villes comptant chacune plus de 780 feux alors que toutes les autres localités en avaient moins de 500. Ont donc été considérés d'origine urbaine les ressortissants de Châtellerault, Loudun, Niort, Parthenay, Poitiers, Richelieu, Thouars et Saint-Maixent-l'École. Tous les autres migrants haut-poitevins ont été considérés d'origine rurale même s'ils sont venus de gros bourgs comme La Mothe-Saint-Heray, Mirebeau ou Civray.

44. Inclure les femmes dans la comparaison aurait donné, compte tenu de l'origine urbaine de la plupart des Filles du roi, une immigration d'origine rurale à 54,6 %. Toutefois, le Haut-Poitou ayant envoyé dans la vallée du Saint-Laurent un nombre assez minime de femmes, j'ai cru plus pertinent de comparer sa contribution à l'ensemble de l'immigration masculine.

45. Calculé sur la base de 1 143 hommes d'origine rurale et de 607 d'origine urbaine. Voir H. CHARBONNEAU et coll., *Naissance d'une population. Les Français établis au Canada au XVIIe siècle, op. cit.*, p. 49.

46. Selon M. R. REINHARD, A. ARMENGAUD et J. DUPÂQUIER, *Histoire de la population mondiale*, Paris, Montchrestien, 1968, p. 267, rapporté par Y. LANDRY, «Mortalité, nuptialité et canadianisation des troupes françaises de la guerre de Sept ans» dans *Histoire Sociale/Social History*, vol. XII, n° 24 (novembre 1979), p. 314.

des agglomérations urbaines. Le même phénomène a d'ailleurs été constaté dans l'armée, celle-ci recrutant davantage ses effectifs dans les villes, se rabattant, en temps de guerre, sur les agglomérations rurales pour compléter ses rangs[47].

L'origine régionale de 548 d'entre eux est localisée avec certitude alors que 10 autres ont déclaré un lieu de provenance pouvant appartenir à deux régions différentes[48]. Ces cas équivoques ont été inscrits dans chacune des deux régions à laquelle ils peuvent appartenir[49], puis pondérés à 50 %. Le tableau 3 et la figure 3 présentent les résultats

Tableau 3
Répartition régionale des migrants haut-poitevins connus dans la vallée du Saint-Laurent

	cas certains	cas ambigus	résultats pondérés
Loudunais	42	3	43,5
Châtelleraudais	35	2	36,0
Région de Poitiers	78	4	80,0
Ville de Poitiers	129	0	129,0
Montmorillonnais	28	0	28,0
Civraisien	42	3	43,5
Région à l'est du Thouet	45	1	45,5
Niortais	95	7	98,5
Niort	54	0	54,0
Haut-Poitou	548	20	558,0

Je reviendrai sur les particularités régionales imputables aux 548 Haut-poitevins dans la vallée du Saint-Laurent dont l'origine régionale est parfaitement connue. Pour l'instant, considérons globalement l'influence de l'origine régionale sur l'ensemble du mouvement migratoire.

---

47. Selon A. CORVISIER, *L'armée française de la fin du XVIIe siècle au ministère de Choiseul - le soldat*, Paris, Presses universitaires de France, 1964, tome premier, p. 392, cité par Y. LANDRY, *op. cit.*, p. 314.
48. Ce sont les n°s 21, 22, 52, 62, 94, 134, 183, 373, 499 et 511.
49. Les migrants pour qui j'hésitais entre plus de deux lieux de provenance ont été placés dans les cas indéterminés du chapitre XII et n'appartiennent pas à ce corpus des 558 migrants haut-poitevins dans la vallée du Saint-Laurent.

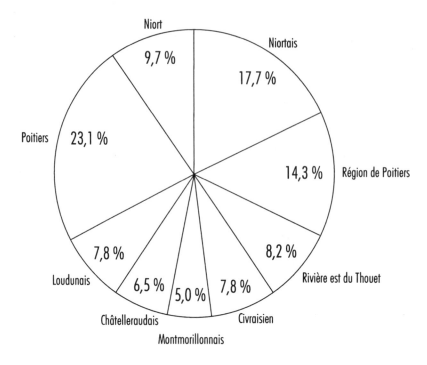

Figure 3 Origine régionale des 558 migrants haut-poitevins connus dans la vallée du Saint-Laurent.

La masse des migrants, ainsi que la figure 3 le met en évidence, peut se répartir en trois groupes à peu près égaux. Dans un premier tiers, les grands centres urbains, Poitiers et Niort, contribuent pour 32,8 % avec une concentration plus grande du côté de Poitiers, ville d'ailleurs beaucoup plus populeuse. Compte tenu que 42,1 % de l'ensemble des migrants haut-poitevins de la vallée du Saint-Laurent sont d'origine urbaine, 77,9 % d'entre eux proviennent de ces deux villes. Dans un deuxième tiers, les régions rurales[50] périphériques des grands centres participent au phénomène migratoire pour un total équivalant à 32,0 % avec, cette fois-ci, une prédominance du côté de Niort. Comme la région niortaise était deux fois moins populeuse que celle de Poitiers, le fait étonne et reste à expliquer. Pour un troisième tiers (35,3 % des cas), le mouve-

---

50. Sauf pour Saint-Maixent-l'École dont les 13 ressortissants sont d'origine urbaine.

ment migratoire provient du reste du territoire, régions principalement rurales, où les quelques villes totalisent 7,0 % de l'apport haut-poitevin[51]. Puisque Poitiers et sa région[52] envoient 37,4 % des migrants, et que Niort et sa région contribuent pour 27,4 %, l'émigration haut-poitevine vers l'Amérique apparaît donc comme un phénomène social lié, pour les deux tiers des cas, à ces deux régions contiguës et dominées chacune par un grand centre urbain.

Il n'existe pas d'étude retraçant l'évolution démographique du Haut-Poitou de sorte qu'il est assez difficile de préciser la population de ses neuf sous-régions. Pour ce faire, je me suis d'abord servi des évaluations d'Expilly[53] auxquelles j'ai appliqué la norme habituelle de 4,5 habitants par feu. Ensuite, j'ai essayé, tant bien que mal, de départager la population de la région à l'est du Thouet de celle de Poitiers. Enfin, j'ai apporté quelques rectifications, notamment pour considérer le territoire loudunais situé en Indre-et-Loire, et en tenant compte de certains travaux récents d'historiens[54]. En considérant aussi que les circonscriptions d'Ancien Régime coïncident mal avec les découpages actuels, les évaluations avancées au tableau 4 demeurent, faute de mieux, assez approximatives.

Reprenant la répartition régionale présentée au tableau 3, le tableau 4 précise, pour chacune des régions d'origine, le nombre moyen d'immigrants haut-poitevins connus dans la vallée du Saint-Laurent.

---

51. Outre les citoyens de Poitiers et de Niort, il reste 52 migrants d'origine urbaine, soit 9,3 %. Puisque parmi ceux-ci, les 13 originaires de Saint-Maixent-l'École étaient Niortais, il reste donc 39 migrants d'origine urbaine venus de Châtellerault, de Loudun, de Parthenay, de Richelieu ou de Thouars.

52. Surtout la région au nord-est de Poitiers.

53. EXPILLY, l'abbé (J.-A.), *Dictionnaire géographique, historique et politique des Gaules et de la France*, Amsterdam et Paris, 1762-1768, 6 volumes. Vol. II, p. 448; vol. IV, p. 340 et 449; vol. V, p. 733, 734-735 et 187; vol. VI, p. 267-268.

54. La population de Poitiers est estimée à 20 000 habitants selon les travaux inédits de J. Peret. Les curés de Niort (Archives départementales de la Vienne, G 433) font état de 10 000 âmes environ en 1729. *L'Histoire de Niort* (ouvrage collectif publié à Poitiers en 1987, p. 211) avance le nombre de 12 500 habitants. Communication du professeur Jacques Marcadé, de l'Université de Poitiers. Tous mes remerciements au professeur Marcadé pour ses conseils et sa collaboration.

Tableau 4

Nombre de migrants haut-poitevins connus dans la vallée du Saint-Laurent par 1 000 habitants

	population estimée	nombre pondéré de migrants	nombre de migrants par 1 000 habitants
Loudunais	25 000	43,5	1,7
Châtelleraudais	40 000	36,0	0,9
Région de Poitiers	115 000	80,0	0,7
Ville de Poitiers	20 000	129,0	6,5
Montmorillonnais	20 000	28,0	1,4
Civraisien	25 000	43,5	1,7
Région à l'est du Thouet	45 000	45,5	1,0
Niortais	50 000	98,5	2,0
Niort	10 000	54,0	5,4
Haut-Poitou	350 000	558,0	1,6

Bien que ces compilations ne représentent que les ressortissants haut-poitevins clairement identifiés dans la vallée du Saint-Laurent, l'immigration haut-poitevine apparaît donc comme un phénomène urbain puisque les villes de Poitiers et de Niort laissent respectivement partir vers la vallée du Saint-Laurent 6,5 et 5,4 migrants connus par millier d'habitants. Les autres régions suivent d'assez loin, envoyant de 0,7 à 2,0 migrants par millier d'habitants. Il est assez étonnant de constater que ces deux extrêmes sont occupés par les régions de Poitiers et de Niort, régions voisines, pourtant semblables, et chacune dominée par un grand centre urbain. Par ailleurs, si le Haut-Poitou envoie 1,6 migrant connu par 1 000 habitants, le nombre de 4,3 serait plus conforme à la réalité si l'on se fie à l'estimation antérieure de 1 500 ressortissants haut-poitevins en Nouvelle-France. Alors que la France envoyait chaque année 8 migrants par million de Français[55], le Haut-

55. Selon Hubert Charbonneau; voir p. 35. La même moyenne demeure pour la période 1608-1680. Voir H. CHARBONNEAU et coll., *op. cit.*, p. 21.

Poitou, de 1608 à 1760, aurait pu en envoyer en moyenne 28 si seulement sa population avait été d'un million d'habitants!

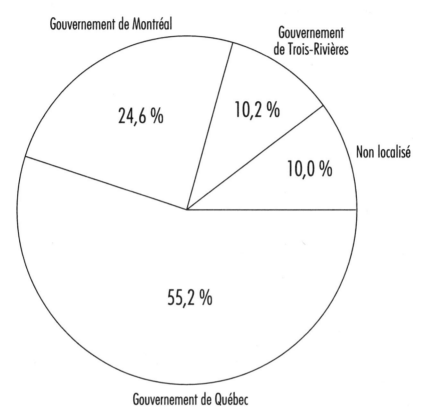

Figure 4 Lieu de première résidence des 558 migrants haut-poitevins de la vallée du Saint-Laurent.

Ayant été colonisé plus tôt, le gouvernement de Québec était davantage peuplé et attirait à lui seul plus de la moitié des migrants haut-poitevins. De plus, Québec exerçait aussi beaucoup d'attrait en tant que lieu d'arrivée, étant la métropole et la capitale de la colonie.

———

On ne décèle, dans l'immigration haut-poitevine vers la vallée du Saint-Laurent, aucun élan particulier imputable à une quelconque entreprise; ce ne fut pas non plus un mouvement sporadique. De 1642 à 1760, au moins un migrant

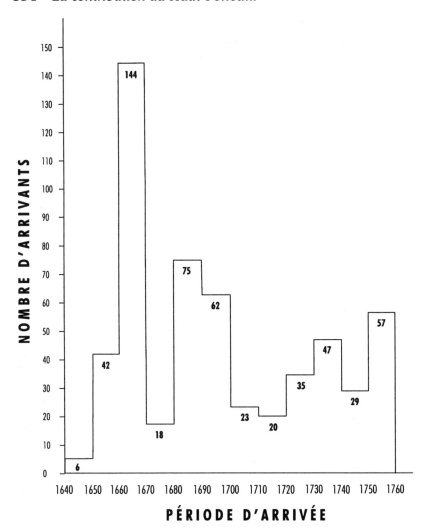

Figure 5 L'arrivée des 558 migrants haut-poitevins dans la vallée du Saint-Laurent.

connu arrive presque chaque année pour une moyenne générale annuelle de 4,6[56]. Par ailleurs, 45,9 % des migrants ont traversé l'Atlantique au cours de périodes de pointe alors que la moyenne annuelle passe soudainement entre 10 et 20 arrivants; en dehors de ces périodes de grande migration, elle n'est plus que 2,9[57].

Dans une première période d'abondance, de 1663 à 1669, il passe en moyenne 18,9 migrants connus par année; c'est l'époque où Louis XIV prend en main les destinées de la colonie, favorise le peuplement et envoie le régiment de Carignan ainsi que les Filles du roi. Au cours d'une deuxième période de migration accrue, de 1685 à 1690, la moyenne annuelle bondit subitement jusqu'à 11,8 migrants connus. Encore là, nulle surprise, puisque cette période correspond à l'arrivée massive de troupes du ministère de la Marine. En 1730-1731, le rythme annuel passe encore à 10, coïncidant avec l'arrivée de contingents de faux sauniers. La moyenne se stabilise ensuite à son rythme normal pour à nouveau grimper à 10, en 1749 et 1750, lorsqu'apparaissent six militaires, cinq engagés dont on ne sait s'ils sont réellement venus, et neuf hommes célibataires provenant de différentes régions pour s'établir en Nouvelle-France. Cette fois-ci, je n'y vois que l'influence du hasard ou, peut-être, l'effet de la distorsion engendrée par l'attribution d'une année de migration approximative dans les trois quarts de ces cas. La moyenne annuelle sera encore supérieure à 10, correspondant, dans les années 1755 et suivantes, à l'arrivée des soldats des régiments de Guyenne, La Reine, Béarn et autres.

En somme, l'émigration haut-poitevine vers la vallée du Saint-Laurent fut un flux continuel et régulier d'environ trois migrants connus par année; mais ce mouvement fut toujours

---

56. L'année de migration est connue avec certitude pour 29,6 % des cas; j'ai attribué aux autres une année approximative, ce qui pourrait engendrer une certaine distorsion dans la fréquence annuelle des arrivées. Deux migrants ont été affectés d'une année de migration postérieure à 1761. Il s'agit des n°s 85 et 320, qui se sont mariés en 1773 et en 1788. Sortent-ils enfin de l'ombre longtemps après leur arrivée en Nouvelle-France ou sont-ils venus après la période de la Nouvelle-France?
57. Moyenne calculée sur 556; les n°s 85 et 320, constituant des cas particuliers, ont été retirés.

fortement amplifié par des événements d'ordre politique ou militaire ayant des répercussions démographiques. En définitive, la contribution du Haut-Poitou au peuplement de la Nouvelle-France ne constitue pas un phénomène particulier mais seulement la portion régionale de la politique française de peuplement de sa colonie... ou plutôt de l'absence d'une telle politique[58].

Les 548 migrants haut-poitevins de la vallée du Saint-Laurent dont l'origine régionale est connue sans aucune équivoque font ressortir quelques particularités régionales. Dénombrer la fréquence régionale de certains phénomènes particuliers aurait toutefois donné un ensemble de résultats plus ou moins significatifs. Ainsi, démontrer que Poitiers fournit deux fois plus de soldats que le Châtelleraudais (26 contre 13) serait à interpréter en tenant compte du fait que Poitiers, tout en étant deux fois moins peuplé que le Châtelleraudais, a envoyé 3,7 fois plus de migrants. J'ai donc plutôt choisi de considérer l'importance relative de certaines réalités pour chacune des neuf régions définies, sans toutefois tenir compte de la population ni du nombre de migrants issus de ces régions.

D'abord, les différentes régions ne semblent exercer aucune influence sur la fréquence annuelle des arrivées, sauf si on accrédite l'hypothèse d'un vaste mouvement migratoire loudunais en Acadie dans les années 1640[59].

Les migrants ayant un contrat d'engagement forment entre 11,4 % et 21,4 % de la participation connue de chacune des régions, sauf à Niort où les trois engagés ne représentent

---

58. Dans leur étude, *The Influence of Kinship on Seventeenth-Century Immigration to Canada* (*op. cit.*), André Guillemette et Jacques Légaré indiquent que la politique favorable au peuplement de la Nouvelle-France mise en place par Colbert entre 1663 et 1670 a eu un effet atténuant sur le phénomène d'apparentement. Il y a en effet un degré moindre d'apparentement chez les Filles du roi (voir Y. LANDRY, *op. cit.*, p. 102) et il est à supposer qu'il en fut de même pour les soldats de Carignan. La venue de ces deux groupes aurait donc eu pour effet de diminuer le taux d'apparentement. Ici, les politiques favorables au peuplement ont plutôt eu pour effet de stimuler l'immigration haut-poitevine.

59. Le chapitre III a fait le point sur cette question.

que 5,6 % des 54 migrants connus originaires de cette ville. Les citoyens de Niort ne sont donc pas portés à se rendre à La Rochelle pour s'engager comme travailleurs au Canada; l'engagement militaire semble davantage correspondre à leurs aspirations. Pour six des neuf régions, les militaires répertoriés représentent en effet entre 15,6 % et 25,6 % de l'apport régional connu[60] alors qu'ils composent 33,3 % de la contribution de Niort. Mais cela n'est pas le taux maximal. Les militaires sont davantage recrutés en Châtelleraudais où ils forment 37,1 % des migrants identifiés. Remarquons que les officiers viennent aussi majoritairement de la région de Niort et du Châtelleraudais[61]. Peut-être faut-il en conclure que ces régions avaient une vocation militaire ou encore que les officiers ont pu faire du recrutement parmi leurs compatriotes. À l'opposé, les militaires ne constituent que 7,1 % des migrants Loudunais identifiés.

Chez les Châtelleraudais, tous les militaires et les travailleurs répertoriés s'établissent puisqu'aucun travailleur ou militaire connu n'ayant séjourné que quelque temps dans la vallée du Saint-Laurent n'est issu de cette région, alors qu'ils représentent 3,6 % à 11,5 % de l'apport connu de chacune des autres régions. De plus, aucun des 34 travailleurs ayant contracté un engagement pour la vallée du Saint-Laurent, et dont je n'ai pas retrouvé la trace, ne venait du Châtelleraudais, alors qu'à l'opposé, ils forment 14,3 % de la participation montmorillonnaise. Le Châtelleraudais envoie donc des colons qui s'établissent, et 88,6 % de sa contribution connue se retrouvera parmi les 457 migrants de type 1 et 3. À l'opposé, la région de Poitiers se révèle moins propice à l'établissement avec 76,9 % de sa contribution connue. En valeur absolue, la ville de Poitiers ayant envoyé le plus grand nombre de migrants identifiés, 24,5 % des migrants haut-poitevins qui s'établissent proviennent de cette ville.

Le Châtelleraudais retiendra encore l'attention pour la prédilection que semblent avoir ses ressortissants connus pour

---

60. Les militaires forment 25,6 % de la contribution de la région de Poitiers. Ils venaient en particulier de Saint-Julien-l'Ars et de Lusignan.
61. Les n°s 59, 60, 65, 69 et 88 étaient Châtelleraudais. Les n°s 470, 472, 560, 567 étaient de Niort ou de la région.

le territoire du gouvernement de Trois-Rivières. Celui-ci, moins peuplé, n'attire en effet que 2,2 % à 11,1 % des différentes contributions régionales, exception faite du Châtelleraudais qui y envoie 17,1 % de ses ressortissants. De plus, trois de ceux qui s'étaient installés dans le gouvernement de Montréal déménageront dans celui de Trois-Rivières qui aura su, au total, attirer 9 des 35 ressortissants connus du Châtelleraudais.

Parmi les 548 migrants haut-poitevins dont l'origine régionale est certaine, ceux venus de la région à l'est du Thouet ont un profil quelque peu différent puisque 40,0 % d'entre eux sont des travailleurs engagés ou des faux sauniers que je n'ai pu retracer dans la vallée du Saint-Laurent; ce taux est inférieur à 15,0 % dans les autres régions. Cette situation est imputable au fait que 13 faux sauniers non retrouvés avaient été tirés des prisons de Thouars; ils représentent 28,9 % de la contribution de la région à l'est du Thouet dont le taux de présence des ressortissants diminue d'autant dans chacune des trois régions d'établissement de la vallée du Saint-Laurent. Ainsi, par exemple, si le territoire du gouvernement de Montréal attire de 20,0 % à 31,4 % des ressortissants des autres régions, on n'y retrouvera seulement que 11,1 % des migrants haut-poitevins de la vallée du Thouet.

———

Il a été antérieurement établi qu'au moins 3,5 % des migrants ayant colonisé la Nouvelle-France étaient originaires du Haut-Poitou. Voyons si la même proportion se retrouvera dans certains sous-groupes constitués par les Filles du roi, les nobles, les religieux, les protestants, les faux sauniers, ainsi que les migrants français postérieurs à la période de la Nouvelle-France. Spécifions tout de suite que, de prime abord, la distribution des lieux de provenance de l'ensemble des premiers habitants de la Nouvelle-France ne correspond pas nécessairement à celle de sous-groupes particuliers, les Filles du roi étant, par exemple, souvent parisiennes, et les faux sauniers devant sans doute provenir de zones propices à la contrebande entre des régions à faible et à forte gabelle.

Yves Landry a nommément dénombré 770 Filles du roi en Nouvelle-France qu'il définit «comme étant des immigrantes, filles ou veuves, venues au Canada de 1663 à 1673 inclusivement et ayant présumément bénéficié de l'aide royale dans leur transport ou leur établissement, ou dans l'un et l'autre[62]». Son répertoire mentionne 14 Filles du roi d'origine haut-poitevine[63] constituant 1,8 % de l'ensemble des Filles du roi. Six d'entre elles étaient d'origine rurale alors que six autres sont venues de Poitiers, et les deux dernières, de Niort.

Lorraine Gaboury a identifié 170 nobles authentiques établis dans la vallée du Saint-Laurent, c'est-à-dire des notables définitivement installés, régulièrement qualifiés d'écuyer, et vivant noblement. Ces nobles, dont la définition retenue exclut les femmes et les religieux, représentent un peu moins de 2,0 % de l'ensemble des migrants établis[64]. Les huit nobles d'origine haut-poitevine de la vallée du Saint-Laurent[65] représentent 4,7 % de la noblesse, et 1,6 % des 488 migrants haut-poitevins établis.

Les religieux haut-poitevins en Nouvelle-France étaient presque tous jésuites : trois pères étaient originaires de Poitiers, deux autres sont venus de Niort et du Montmorillonnais, tandis qu'un frère convers était loudunais[66]. À ceux-là, ajoutons un frère hospitalier n'ayant pas encore prononcé ses vœux à son arrivée en Nouvelle-France et qui quittera sa communauté après une quinzaine d'années de vie religieuse, un certain frère Boissinnau mal identifié, un soldat qui déci-

---

62. Y. LANDRY, *op. cit.*, p. 24 et 40.
63. Ce sont les n°s 19, 21, 152, 166, 172, 235, 249, 283. 284, 285, 301, 523, 556 et 573.
64. L. GABOURY, *La noblesse en Nouvelle-France. Familles et alliances*, Montréal, Hurtubise HMH, 1992, p. 20-22.
65. Ce sont les numéros 59, 60, 65, 69, 88, 223, 472 et 567. À ceux-ci, il faudrait ajouter les n°s 1, 33, 37 et 38 installés en Acadie. Par ailleurs, plusieurs nobles ne furent que de passage en Nouvelle-France; ce sont les n°s 22, 428, 470, 471, 473, 475 et 560 parmi lesquels deux (les n°s 428 et 560) s'y sont même mariés. Je suppose que Lorraine Gaboury n'a pas considéré les n°s 325 et 578 parce que le premier est mort en ne laissant pas de descendance, et que le second est allé poursuivre sa destinée à Détroit. Elle a aussi écarté le n° 135 parce qu'il était peut-être roturier (L. GABOURY, *op. cit.*, p. 48) ainsi que deux nobles n'utilisant pas leurs titres d'écuyer ou ayant renoncé à vivre noblement; ce sont les n°s 457 (*ibid.*, p. 39, note 32) et 593 (*ibid.*, p. 50, note 24).
66. Ce sont, dans l'ordre, les n°s 201, 312, 313, 596, 330 et 55.

dera de se faire récollet à Québec, et une fillette arrivée à l'âge de cinq ans qui, après promesse de mariage, décidera de se faire religieuse de la Congrégation Notre-Dame[67]. Puisque 717 religieux et 57 religieuses ont émigré en Nouvelle-France[68], la représentation haut-poitevine est donc d'un peu plus de 1,0 %.

Marc-André Bédard a recensé 192 huguenots français en Nouvelle-France parmi lesquels il reconnaît sept Poitevins[69], étonnamment tous originaires du Haut-Poitou[70] et constituant 3,6 % de l'immigration huguenote en Nouvelle-France. On peut en outre soupçonner la présence d'autres protestants haut-poitevins[71] puisque les actes d'abjuration n'auraient pas tous été rapportés à Québec pour y être consignés. Il semble aussi que certains huguenots se soient appliqués à vivre comme des catholiques et aient pu pratiquer clandestinement les cérémonies de leur culte[72].

De 1730 à 1743, 728 faux sauniers furent condamnés à être déportés au Canada pour le reste de leurs jours. À leur arrivée, ils ont dû s'engager soit dans les troupes, soit comme travailleurs, gardant ainsi l'espoir de pouvoir ensuite s'établir. Sur les 21 faux sauniers haut-poitevins[73], aucun des 13 tirés de la prison de Thouars et trois des quatre venus de Poitiers n'ont pu être retracés dans la vallée du Saint-Laurent et ont dû, à ce

---

67. Ce sont les n°s 588, 483, 651 et 672. Le n° 730, un sulpicien, est arrivé après l'époque de la Nouvelle-France et n'était d'ailleurs peut-être pas haut-poitevin.
68. M. BOLEDA, *op. cit.*, p. 169-170.
69. M.-A. BÉDARD, «La présence protestante en Nouvelle-France» dans *Revue d'histoire de l'Amérique française*, vol. XXXI (1977), p. 325-349.
70. Ce sont les n°s 364, 402, 445, 456, 477, 575 et 576. À ceux-là, il faudrait peut-être ajouter Suzanne Bélanger, épouse de Pierre Courault (n° 226); mal identifiée, elle a été écartée de ce répertoire. Seul le n° 477 semble avoir émigré après la révocation de l'édit de Nantes. Deux autres, les n°s 558 et 584, avaient abjuré à Niort avant d'émigrer au Canada.
71. Quelques soupçons se portent notamment sur les n°s 578, 587, 600.
72. Certains ont même pu recevoir la confirmation sans jamais abjurer leur religion.
73. Il y en avait, en fait, peut-être 22; l'origine haut-poitevine du n° 453 reste à confirmer. Ceux d'origine haut-poitevine certaine sont les n°s 74, 76, 314 à 317, 332, 346 et 406 à 418.

qu'il semble, être intégrés dans les troupes[74]. Les 21 faux sauniers haut-poitevins représentent 2,9 % de l'ensemble des faux sauniers, ce qui est un minimum puisque plusieurs autres doivent se cacher parmi ceux de provenance inconnue.

On a souvent prétendu que l'arrivée de ressortissants français fut pratiquement interrompue en 1760 par la conquête anglaise de la Nouvelle-France et la signature, en 1763, du traité de Paris. Or, des recherches en cours tendent à démontrer que 1 300 immigrants français sont passés au Québec entre 1763 et 1865[75]. Pour ma part, je n'ai retrouvé que deux ressortissants haut-poitevins et peut-être un prêtre sulpicien né en Poitou mais pas nécessairement haut-poitevin[76]. À ceux-là pourraient s'ajouter deux autres migrants mariés : l'un à 32 ans en 1773 et l'autre à 44 ans en 1788[77]; ils peuvent donc avoir émigré aussi bien à l'époque de la Nouvelle-France qu'à celle du Régime anglais. L'émigration haut-poitevine représenterait ainsi moins de 0,4 % de l'ensemble de l'émigration française postérieure à la période de la Nouvelle-France.

La représentation haut-poitevine à l'intérieur des sous-groupes constitués par les nobles (4,7 %), les huguenots (3,6 %), les faux sauniers (plus de 2,9 %) et les religieux (environ 1,3 %) correspond sensiblement à la contribution haut-poitevine dans l'ensemble du mouvement migratoire français vers la Nouvelle-France (3,5 %). Si ce mouvement semble par ailleurs se poursuivre après la Conquête, l'immigration haut-poitevine, elle, paraît se tarir.

---

74. Il est aussi possible que les n°s 417 et 418 n'aient pas été embarqués et que certains des 16 faux sauniers non retracés soient décédés au cours de la traversée ou peu après leur arrivée. Au moins le quart des faux sauniers venus en Nouvelle-France séjournent à l'Hôtel-Dieu de Québec dès leur arrivée. Par ailleurs, on suppose aussi que les évasions ont été nombreuses. Voir R. LESSARD, «Les faux sauniers et le peuplement de la Nouvelle-France» dans *L'Ancêtre*, vol. XIV, p. 83-95, 138-146, 175-179.

75. M. FOURNIER, *Les Français au Québec, 1765-1865*, ouvrage actuellement en préparation.

76. Les n°s 728 à 730.

77. Les n°s 85 et 320. Voir note 55.

En excluant l'Acadie et la Louisiane, pour lesquelles la pénurie de documentation disponible ne permet pas l'obtention de résultats significatifs, l'émigration haut-poitevine en Nouvelle-France est apparue comme la résultante de deux facteurs à peu près équivalents : elle fut, d'une part, alimentée par un flux annuel à peu près régulier d'une dizaine d'arrivants haut-poitevins dont seulement le tiers a pu être identifié et répertorié; d'autre part, ce flux fut toujours largement accru par ce qui semble être une réponse régionale efficace aux quelques gestes politiques timidement posés par la métropole pour peupler sa colonie. Dans l'ensemble, l'effort de peuplement du Haut-Poitou, toute proportion gardée, équivaut à quatre fois celui de l'ensemble des régions françaises, quoique la proportion de femmes y soit deux fois moindre.

Toute la géographie du Haut-Poitou a participé à cette activité migratoire; les deux tiers de celle-ci ont cependant émané des villes de Poitiers et de Niort ainsi que des localités rurales environnantes. Aux résultats, le nombre de ressortissants haut-poitevins dans la vallée du Saint-Laurent a pu être estimé à 1 500, et le nombre de ceux qui se sont établis, à peut-être 550, dont 488 ont pu être identifiés. Les ancêtres originaires du Haut-Poitou constituent environ 3,5 % des colons français à l'origine de la population du Québec francophone.

Si 50 % de l'immigration haut-poitevine observée en Acadie était antérieure à l'année 1650, elle sera à 99 % postérieure à cette date dans la vallée du Saint-Laurent. On y remarquera que 21,9 % de ceux qui arriveront, souvent recrutés à Niort ou en Châtelleraudais, porteront l'uniforme militaire. Dans la même aventure, 14,3 % seront des travailleurs sous contrat. Ces salariés et ces militaires témoignent bien du fait qu'à part quelques familles, quelques couples, quelques femmes célibataires et quelques religieux, la participation haut-poitevine au peuplement de la vallée du Saint-Laurent fut à plus de 90 % constituée d'hommes célibataires.

Mais 80 % des arrivants haut-poitevins qu'il a été possible d'identifier dans la vallée du Saint-Laurent choisiront d'y rester, de s'y établir, et auront en moyenne 5,8 enfants connus. Ils semblent avoir formé un segment assez représentatif de l'ensemble de la population de la Nouvelle-France avec notamment une proportion tout à fait normale de nobles, de religieux, de huguenots et de faux sauniers déportés.

Une chose cependant est apparue différente : si l'immigration française semble malgré tout se poursuivre après la Conquête, l'immigration haut-poitevine, elle, semble se tarir.

Bien sûr, toutes ces premières observations devront être réévaluées, confrontées et reconsidérées avant de pouvoir légitimement prétendre au statut de phénomènes scientifiquement observés et mesurés auxquels il faudra aussi tenter d'apporter des explications. Des voies de recherche sont désormais dégagées... et invitantes.

Bibliographie

Dictionnaire biographique du Canada, volumes I à IV, Québec, Presses de l'Université Laval, 1966-1980.

Dictionnaire national des communes de France, Albin Michel et Berger Levrault, Paris, 1984.

Euro-Atlas de voyage France Bénélux, Berlin, Gütersloch, München, Stuttgart, 1991-1992.

ALLAIRE, J.-B. *Dictionnaire biographique du clergé canadien-français*, vol. I, Montréal, Imprimerie de l'École catholique des Sourds-Muets, 1910, et vol. VI, Saint-Hyacinthe, Imprimerie du *Courrier de Saint-Hyacinthe*, 1934.

ARSENAULT, B. *Histoire et généalogie des Acadiens*, 6 volumes, (Montréal), Leméac, 1978.

BEAUCHET-FILLEAU, H. *Pouillé du diocèse de Poitiers*, Niort, L. Clouzot, libraire-éditeur, Poitiers, H. Oudin, libraire-éditeur, 1868.

BOLEDA, M. «Les migrations au Canada sous le régime français (1608-1760)» dans *Cahiers québécois de démographie*, vol. 13, n° 1 (avril 1984), p. 23-39.

BOLEDA, M. «Trente mille Français à la conquête du Saint-Laurent» dans *Histoire sociale/Social History*, vol. XXIII, n° 45 (mai 1990), p. 153-157.

BROTHIER DE ROLLIÈRE, R. *Nouveau Guide du voyageur à Poitiers et histoire des rues de Poitiers du Ier au XXe siècle*, Poitiers, Le Bouquiniste (Éditions Brissaud), 1974 (réimpression de l'édition Levrier, 1907).

CHARBONNEAU, H., et Y. LANDRY. «La politique démographique en Nouvelle-France» dans *Annales de démographie historique*, 1979, p. 29-57.

CHARBONNEAU, H., et J. LÉGARÉ. *Répertoire des actes de baptême, mariage, sépulture et des recensements du Québec ancien*, 47 volumes, Montréal, Programme de recherche en démographie historique, Les Presses de l'Université de Montréal, 1982-1991. (Les 7 premiers volumes ont connu une seconde édition revue et augmentée.)

CHARBONNEAU, H., B. DESJARDINS, A. GUILLEMETTE, Y. LANDRY, J. LÉGARÉ et F. NAULT. *Naissance d'une population. Les Français établis au Canada au XVIIe siècle*, Paris et

Montréal, Presses universitaires de France et Presses de l'Université de Montréal, 1987.

CONSEIL GÉNÉRAL DE LA VIENNE. *Guide touristique de la Vienne*, Poitiers, édité par le Conseil général avec le concours du Comité départemental du tourisme (1992).

CROZET, R. Histoire du Poitou, deuxième édition mise à jour, Paris, P.U.F., 1970, collection «Que sais-je?», nº 332.

CROZET, R. *La Vienne*, Paris, Nouvelles Éditions latines (s.d.), collection «Tourisme en France», nº 7.

DEBIEN, G. «L'émigration poitevine vers l'Amérique au XVIIe siècle» dans *Bulletin de la Société des antiquaires de l'Ouest et des musées de Poitiers*, tome II de la 4e série, 4e trimestre de 1952, p. 273-306.

DEBIEN, G. «Engagés pour le Canada au XVIIe siècle, vus de La Rochelle» dans *Revue d'histoire de l'Amérique française*, vol. VI (1952), p. 177-233 et 374-407.

DEBIEN, G. Chronique «Bibliographie» dans *Bulletin de la Société des antiquaires de l'Ouest et des musées de Poitiers*, tome VII de la 4e série, 2e trimestre de 1963, p. 153-161.

DE LA TORRE, M. Vienne. *Le guide complet de ses 281 communes*, Paris, Éditions Deslogis-Lacoste, 1991, collection «Villes et Villages de France», nº 86.

DE LA TORRE, M. *Deux-Sèvres. Le guide complet de ses 307 communes*, Paris, Éditions Deslogis-Lacoste, 1991, collection «Villes et Villages de France», nº 79.

D'ENTREMONT, C.-J. «Origine des Acadiens de l'Acadie Continentale» dans *Le messager de l'Atlantique*, nº 7 (octobre 1989), p. 4-11 et 14-17. Également dans *Mémoires de la société généalogique canadienne-française*, vol. 42, nº 3 (automne 1991), p. 175-186.

EYGUN, F. «La topographie de Poitiers et de ses paroisses au XVIIe siècle par *Le toisé de 1691 et Le dénombrement du fief d'Anguitard de 1674*» dans *Archives historiques du Poitou*, vol. LIV, Poitiers, Société des archives historiques du Poitou, 1947.

FARIBAULT-BEAUREGARD, M. *La population des forts français d'Amérique (XVIIIᵉ siècle)*, 2 volumes parus, Montréal, Éditions Bergeron, 1982-1984.

GABOURY, L. *La noblesse de Nouvelle-France, familles et alliances*, Montréal, Hurtubise HMH, 1992.

GAUCHER, M., M. DELAFOSSE et G. DEBIEN. «Les engagés pour le Canada au XVIIIᵉ siècle» dans *Revue d'histoire de l'Amérique française*, vol. XIII (1959), p. 247-261, 402-421, 550-561, et vol. XIV (1960), p. 87-108, 246-258, 430-440, 583-602.

GODBOUT, A. *Nos ancêtres au XVIIᵉ siècle*, réédition tirée des *Rapports de l'Archiviste de la province de Québec de 1951 à 1955.*

GODBOUT, A. *Les passagers du Saint-André*, Montréal, Société généalogique canadienne-française, 1964.

GODBOUT, A. *Vieilles familles de France en Nouvelle-France*, présentation et notes additionnelles de Roland-J. Auger, généalogiste aux Archives nationales du Québec, réédition tirée du *Rapport de l'Archiviste de la province de Québec*, tome 53, Québec, 1976, p. 105-264.

GODBOUT, A. *Émigration rochelaise en Nouvelle-France*, corrections et additions par Roland J. Auger, Archives nationales du Québec, 1970 (réédition des Éditions Élysées, 1980).

GUILLEMETTE, A., et J. LÉGARÉ. «The Influence of Kinship on Seventeenth-Century Immigration to Canada» dans *Continuity and Change*, vol. 4, nᵒ 1 (February 1989), p. 79-102.

INSTITUT GÉNÉALOGIQUE DROUIN. *Dictionnaire national des Canadiens français (1608-1760)*, 3 volumes, édition révisée, Montréal, Institut généalogique Drouin, 1979.

INSTITUT GÉNÉALOGIQUE DROUIN. *Répertoire alphabétique des Canadiens français, 1760-1935, ordre féminin*, 64 volumes (Montréal), (s.d.).

INSTITUT GÉNÉALOGIQUE & HÉRALDIQUE QUÉBÉCOIS. *Index des mariages du Québec et des francophones de l'Ontario, du Nouveau-Brunswick et de la Nouvelle-Angleterre, par noms d'époux, de 1760 à 1930*, 49 volumes, Montréal (s.d.).

JETTÉ, R. *Dictionnaire généalogique des familles du Québec*, Montréal, Presses de l'Université de Montréal, 1983.

LAFONTAINE, A. *Recensement annoté de la Nouvelle-France*, Sherbrooke (s.é.), 1981.

LANDRY, Y. *Orphelines en France, pionnières au Canada. Les Filles du roi au XVII*e *siècle*, Montréal, Leméac, 1992.

LEBEL, G., et J. SAINTONGE. *Nos ancêtres*, 24 volumes parus, Sainte-Anne-de-Beaupré (s.é.) 1981-1993.

LEBŒUF, J.-A. *Complément au Dictionnaire généalogique Tanguay*, Montréal, Société généalogique canadienne-française, 1957-1977.

MAGNAN, H. *Dictionnaire historique et géographique des paroisses, missions et municipalités de la province de Québec*, Arthabaska, Imprimerie d'Arthabaska inc., 1925.

MALTE-BRUN, V.-A. *Le département de la Vienne. Histoire, géographie, statistique, administration* (s.l.), Éditions du Bastion, 1985 (réédition de l'ouvrage de 1882).

MASSIGNON, G. *Les parlers français d'Acadie, enquête linguistique*, 2 volumes, Paris, C. Klincksieck, 1961.

MASSIGNON, G. «À propos du peuplement de l'Acadie» dans *Bulletin de la Société des antiquaires de l'Ouest et des musées de Poitiers*, tome VII de la 4e série, 1er trimestre de 1964, p. 399-402.

REDET, L. *Dictionnaire topographique du département de la Vienne comprenant les noms des lieux anciens et modernes*, Paris, Imprimerie nationale, 1881 (réédité en 1989 par les Éditions Jean-Marie Williamson).

ROBERT, N. *Nos origines en France*, 10 volumes parus, Montréal, Société de recherche historique Archiv-Histo, 1984-1994.

ROY, L. *Les terres de l'île d'Orléans, 1650-1775*, édition revue et augmentée par Raymond Gariépy, Montréal, Éditions Bergeron, 1978.

SAUGRAIN, C.-M. *Dictionnaire universel de la France ancienne et moderne et de la Nouvelle-France*, 3 volumes, Paris, 1726.

SÉGUIN, R.-L. *La vie libertine en Nouvelle-France*, 2 volumes, Montréal, Leméac, 1972.

TANGUAY, C. *Dictionnaire généalogique des familles canadiennes depuis la fondation de la colonie jusqu'à nos jours*, Montréal, Eusèbe Senécal, 1871-1890, 7 volumes.

TRUDEL, M. *Le terrier du Saint-Laurent en 1663*, Ottawa, Éditions de l'Université d'Ottawa, 1973.

TRUDEL, M. *Catalogue des immigrants, 1632-1662*, Montréal, Hurtubise HMH, 1983.

Index onomastique

Index toponymique

Liste des cartes, figures et tableaux

Cartes

Figures

Table des matières

• Cap-Saint-Ignace
• Sainte-Marie (Beauce)
Québec, Canada
1994

«L'IMPRIMEUR»